# 항공정비학개론

# Aviation Maintenance Science Introduction

김 천 용 저

# 머리말

오늘날 과학 기술의 급격한 발전으로 항공기 설계 및 제작 기술이 더욱 첨단화 됨에 따라, 항공정비사들은 신세대 항공기를 정비하기 위하여 새로이 개발된 첨단의 장비와 복잡한 절차를 사용하여 항공기 정비를 수행하고 있다. 이러한 흐름을 반영하듯 최근에 항공정비학과가 많은 대학 및 전문학교에서 개설되어 운영되고 있다. 그러나 사용되는 교재들을 살펴보면 항공기 정비학에 입문하는 학생들을 위한 교재는 미흡한 실정이다.

이에 항공기 정비에 입문하는 학생들이 항공정비사의 직무를 이해하고, 정비의 대상인 항공기의 기본적인 시스템을 이해할 수 있도록 항공정비학 개론을 집필하게 되었다.

항공기 정비는 항공기의 안전성을 확보하고 이것을 토대로 정시성을 유지하면서 쾌적한 항공 수송서비스를 제공하는 것을 목적으로 한다. 즉, 고객이 원하는 시간과 장소에 가장 빠르고, 안전하게 이동시키는 항공 운송서비스를 제공할 수 있도록 지원하는데 목적을 두고 있다. 이러한 목적달성을 위하여 항공정비사는 항공기 계통에 대한 지식은 필수적이므로 Part I.에서는 신세대 항공기의 시스템에 대한 개념 및 기능에 대하여 기술하였으며, 정비조직은 항공기 성능 저하에 대한 적절한 예방정비가 적시에 수행 되어야 하는 점을 감안하여 Part II.에서는  항공기 정비관리 기법에 대하여 기술하였다.

본서는 항공정비를 처음 접하는 학생들이나 항공정비 실무자들로 하여금 항공기 시스템과 정비관리 기법 등을 체계적으로 이해할 수 있도록 9개의 장으로 구성하였고, 학생들의 흥미유발과 이해를 돕기 위하여 그림들은 컬러로 편집하였다. 따라서 본서의 특징은 다음과 같다.

첫째, 항공기를 처음 접하는 학생들의 흥미유발을 위하여 많은 그림과 사진을 컬러로 편집하여 삽입하였으며, 최근에 개발되어 운영 중인 신세대 항공기 시스템의 기본적인 내용들로 구성하였다.

둘째, 현재 대형항공사 등에서 운영하고 있는 최신의 항공정비 생산, 품질, 기술 및 자재관리기법 등을 소개함으로써 학생들뿐만 아니라 현업에 종사하는 실무자들도 활용할 수 있도록 하였다.

셋째, 항공기 계통과 정비방식 등의 정비관리 기법에 대한 자료의 부족으로 고민하는 항공정비사 자격시험을 준비하는 수험생들을 고려하여 항공정비사 자격시험 표준지침서를 근간으로 항공기 시스템을 정리하였으며, 항공기 정비방식 등에 대한 최근의 이론을 소개함으로써 항공정비사 구술시험에 대비할 수 있도록 하였다.

끝으로 집필과정에서 헌신적인 사랑으로 든든한 힘이 되어준 영원한 동반자 심정숙과 좋은 책을 출판하기 위하여 항상 최선을 다하시는 노드미디어 박승합 사장님과 편집에 고생하신 박효서 실장님께도 깊은 감사를 드린다.

2015년 여름

군산 임피면 연구실에서 저자 씀

# 차 례

## Part 1

# Part 2

# 부 록

# Part 01

항공기 정비는 항공기의 안전성을 확보하고 이것을 토대로 정시성을 유지하면서 쾌적한 항공 수송서비스를 제공하는 것을 목적으로 한다. 즉, 고객이 원하는 시간과 장소에 가장 빠르고, 안전하게 이동시키는 항공 운송서비스를 제공할 수 있도록 지원하는데 목적을 두고 있다.

이러한 목적달성을 위하여 항공정비사는 항공기 계통에 대한 지식은 필수적이므로 Part I.에서는 항공기계통에 대한 개념 및 기능에 대하여 다음과 같이 4개의 장으로 구분하여 학습하도록 한다.

**제1장. 항공기체 계통(AIRFRAME SYSTEM)**

**제2장. 항공전기 · 전자 계통(AVIONICS SYSTEM)**

**제3장. 항공기 구조(AIRCRAFT STRUCTURE)**

**제4장. 추진 장치(PROPULSION SYSTEM)**

# 제1장. 항공기체 계통
# [AIRFRAME SYSTEM]

항공기체(Airframe)는 항공기에서 엔진(발동기) 및 부분품을 제외한 부분으로서 기체구조와 제 계통(배관 및 배선 포함)등을 말하며, 기체구조부분을 제외한 제 계통들을 기체계통(Airframe System)이라고 정의할 수 있다. 본 장에서는 기체정비사들이 다루는 계통들에 대하여 ATA Chapter별로 구분하여 다루도록하고, 항공전기·전자 계통은 제 2 장으로 분류하여 소개하고자 한다.

1. 공기조절계통(Air Conditioning System) [ATA Chapter 21]
2. 장비 및 편의시설(Equipment/Furnishing) [ATA Chapter 25]
3. 비행조종계통(Flight Control System) [ATA Chapter 27]
4. 연료계통(Fuel System) [ATA Chapter 28]
5. 유압계통(Hydraulic System) [ATA Chapter 29]
6. 제 · 방빙 및 제우계통(Ice & Rain Protection) [ATA Chapter 30]
7. 착륙장치 계통(Landing Gear System) [ATA Chapter 32]
8. 산소계통(Oxygen System) [ATA Chapter 35]
9. 공압계통(Pneumatic System) [ATA Chapter 36]
10. 음용수와 폐수 계통(Water & Waste System) [ATA Chapter 38]
11. 보조동력장치(Auxiliary Power Unit) [ATA Chapter 49]

# 1. 공기조절계통(AIR CONDITIONING SYSTEM)

공기조절계통은 항공기내 공기의 환기, 여압, 냉난방을 행하는 장치 및 조절(Control) 장치로서 환기, 온도, 습도, 여압 등의 4개의 요소를 조절 하지만 크게 나누면 여압계통과 냉난방계통으로 분리된다.

항공기가 지상에 있거나 비행 상태에 있을 경우, 조종석 및 객실 내를 안전하고 편안하게 유지하기 위하여 기내 공기의 온도를 조절하고 여압을 하게 된다. 또한 객실 내를 항상 신선한 공기로 환기시킨다든지 불쾌한 냄새 등을 항공기 밖으로 빠져 나가게 하는 장치도 설치되어 있다.

이외에도 각종 전기, 전자장비의 수명을 연장시키기 위하여 장비의 작동시 발생되는 열을 제거하는 장치가 마련되어 있다.

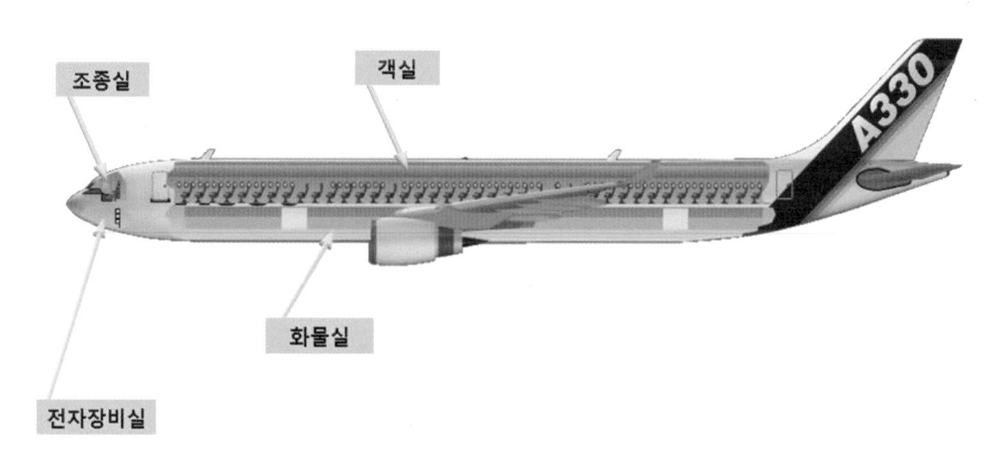


그림 1-1. 항공기 공기조절계통(Air-Conditioning System)

## 1.1. 공기조절(Air Conditioning)의 필요성

항공기는 고공을 비행함으로써 얻어지는 장점들이 있다. 예를 들면 연료 소모가 적고, 기류 변화가 적기 때문에 난기류로 인한 기체 진동을 방지할 수 있다. 그러나 고공비행으로 인해 대기압이 감소되고 외기 온도가 저하되기 때문에 여압 계통 및 온도 조절 계통이 필요하다. 참고로 대기의 구성을 보면 대기는 질소 78%, 산소 21%, 기타 1%로 구성되어 있으며 해면고도에서의 표준 대기는 14.7 PSI, 15℃이며 고도가 점점 높아짐에 따라 대기압의 감소로 산소의 농도도 낮아진다.

항공기는 고공을 비행하면서도 기내는 표준 대기와 가까운 압력과 온도로 유지시켜 승객과 승무원이 쾌적한 비행 상태를 유지하게 해야 한다.

## 1.2. 냉·난방 장치(Heating and Cooling System)

항공기가 고공을 비행하는 경우, 혹은 열대, 한냉지와 같은 온도차가 있는 곳을 운항할 경우 한난의 변화를 받기 때문에 이것에 대응한 장치를 구비하여야 한다.

기내 냉방 방법으로는 항공기 외부의 찬 공기를 이용하거나, 프레온

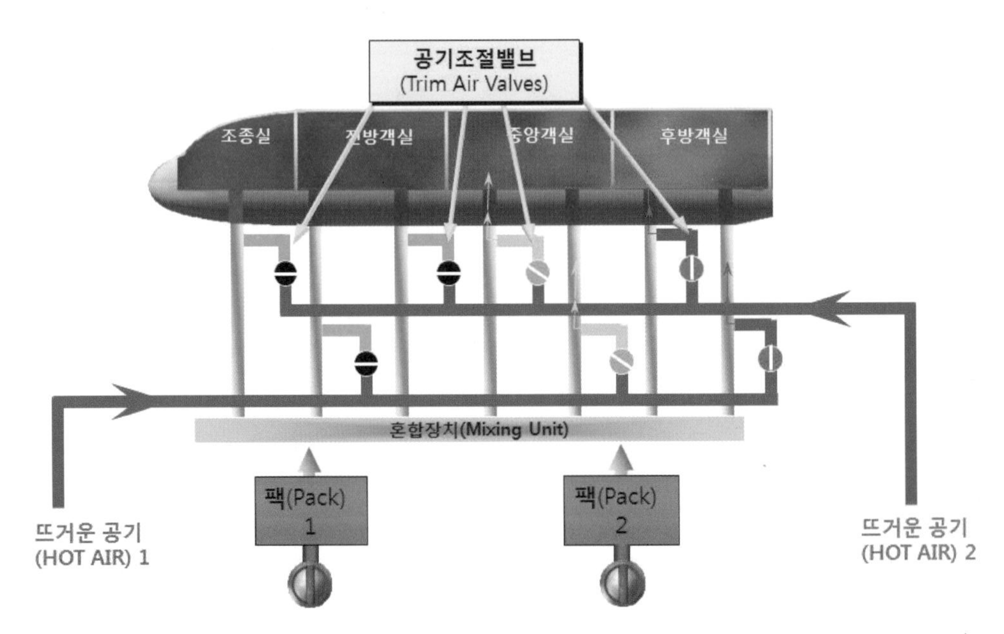


그림 1-2. 항공기 냉·난방(Heating and Cooling system)

(Freon)등의 가스(Gas)를 증발시키거나 압축기로 압축한 공기를 단열팽창 시키는 방법을 사용한다. 항공기의 특성에 따라 이와 같은 3가지 방법들을 조합하여 사용하고 있으며, 조종실, 객실, 화물실 등은 개별적으로 온도를 조절할 수 있도록 각 지역(Zone)으로 다시 나뉘어져 있다.

압축공기는 엔진(Engine)에서 뽑아낸 블리드 공기(Bleed air)나 지상장비 등의 전용의 압축기 또는 보조동력장치(APU)에서 얻고 있다.

압축 공기원으로 부터 빼낸 블리드 공기는 고온, 고압 때문에 흐름조절밸브(Flow Control Valve)에서 유량을 조정하고 공기 사이클 머신(Air Cycle Machine)에서 온도조절(Temperature Control)을 하고, 수분분리기(Water Separator)에서 습기를 제거한 후 기내에 보내진다.

냉·난방 계통은 공기조절(Air Conditioning)과 장비냉각계통(Equipment Cooling)으로 구성된다.

### (1) 공기조절(Air Conditioning)

공기조절(Air Conditioning)은 조종실 및 객실을 청결하고 쾌적하게 유지하기 위하여 기내로 계속해서 신선한 공기를 공급하고, 이산화탄소($CO_2$) 등 사용된 공기는 계속 항공기 밖으로 배출시킴으로써 객실 내를 항상 신선하게 하고, 온도를 적절하게 유지시켜 주는 장치를 의미한다.

항공기가 비행 상태에 있을 경우, 외부 온도가 너무 낮기 때문에(33,000 ft / 10 km의 대기 온도는 대략 -50℃ 정도) 이 저온으로부터 승객과 승무원을 보호하면서 쾌적한 공간을 제공하려면 난방 장치가 필요하다. 이런 필요에 따라 객실 내로 공급되는 공기는 항공기에 장착된 엔진으로 부터 가져온다.

원래 엔진은 외부의 공기를 흡입, 압축시켜 항공기의 추력을 생산하는 것이 주목적이지만 부수적으로 이 압축된 공기의 일부를 에어컨 시스템에 공급하여 객실에서 사용하는 것으로서 객실의 온도를 조절하기 위해 엔진에서 생산된 뜨거운 공기를 사용한다. 그러나 엔진에서 빼내온 이 공기는 아주 높은 압력으로 압축한 것뿐인데도 온도가 177℃~227℃로서 너무 뜨겁기 때문에 곧바로 객실 내로 공급할 수가 없다. 따라서 객실 내에서 사용할 수 있도록 적절하게 냉각시켜 주어야 하는데, 이 장치를 공기조절 팩(Air Conditioning Pack)이라고 부른다.

공기조절 팩(Air Conditioning Pack)은 단열 팽창을 이용한 공기 사이클 머신(Air Cycle Machine)과 열 교환기(Heat Exchanger)로 구성된 냉각장치

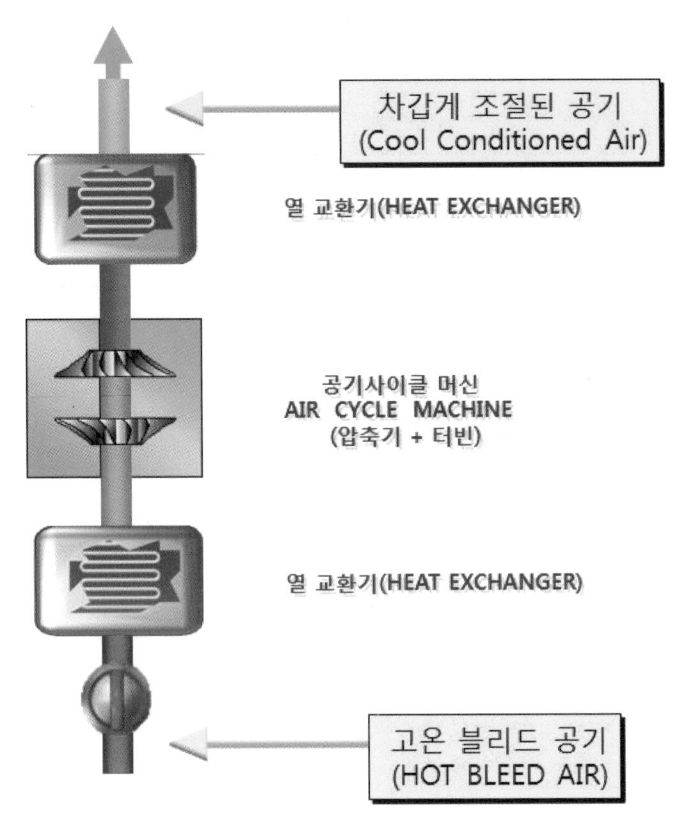


그림 1-3. 공기조절 팩(Air Conditioning Pack)

이다. 보통 이들 장치는 자동적으로 조절이 되는데 외기온도가 -100°F ~ +100°F(-73℃~37℃)라도 객실 내는 65°F~85°F(18℃~29℃)의 범위 내에 자동 조절된다.

한편, 환기는 조종실내에 2~3분, 객실 내에 3~4분마다 신선한 공기로 바꾸어 주는 능력을 가지고 있다. 환기용 공기는 보통 객실 천장에 있는 배관(Duct)을 통해 객실 내로 유입되어 순환한 후, 객실바닥(Floor) 및 양쪽 측면의 후방으로 흘러 외부흐름밸브(Out Flow Valve)를 통해 항공기 밖으로 배출된다.

### (2) 장비냉각계통(Equipment Cooling System)

장비냉각계통(Equipment Cooling System)은 전자장비 냉각(Electronic Equipment Cooling)과 화장실·주방환기(Lavatory·Galley Ventilation)로 나누어진다. 전자장비 냉각계통은 전기·전자 장비들이 발생하는 열을 냉각시키는 계통으로서 팬(Fan)을 이용하여 객실공기를 강제로 전자장비에 순환시킨다. 그렇게 함으로써 장비들의 수명을 연장하고 결함 발생 가능성을 감소시킨다.

화장실·주방환기 계통은 화장실(Lavatory)과 주방(Galley)의 불쾌한 공기를 팬(Fan)이 흡입해서 기체 밖으로 배출시켜서 기내의 쾌적성을 유지시킨다.

그림 1-4. 장비 냉각계통(Equipment Cooling System)

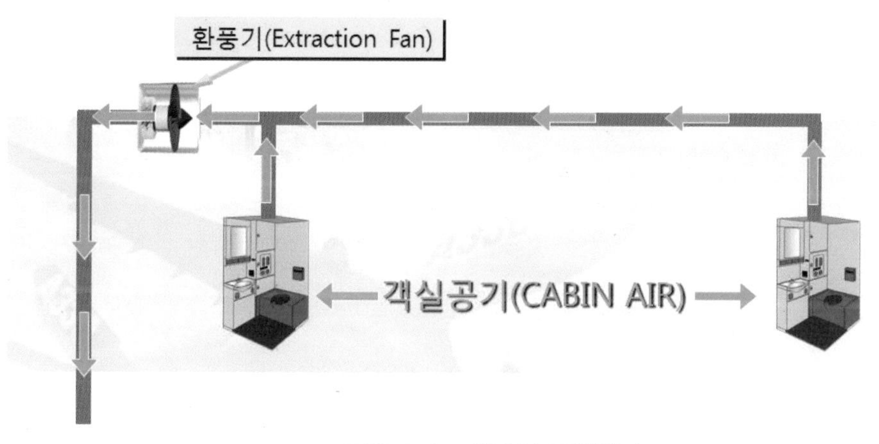


그림 1-5. 화장실·주방환기

## 1.3. 객실여압장치(Cabin Pressurization System)

여압 계통의 목적은 객실을 여압하고, 증가하는 객실압력(Cabin Pressure)을 기체 밖으로 배출시키는 공기의 양을 조절하여 승객과 승무원에게 쾌적하고 안락한 환경을 제공하기 위하여 객실 고도를 해면 고도에 가깝게 유지시킨다.

### 1.3.1. 여압의 필요성

산소는 생명체의 기본 요소로서 정상적인 산소 공급이 감소되면 사고능력, 지각 및 자체 기능에 중대한 변화를 일으키게 된다. 이와 같이 고도 변화에 따른 산소 결핍으로 인해 발생되는 신체와 정신의 나태한 상태를 하이폭시아(Hypoxia)라고 한다.

고도에 따라 발생되는 현상을 몇 가지 살펴보면, 10,000 피트(ft) 고도에서는 두통과 피로를 느끼고, 15,000 피트 고도에서는 두통과 더불어 졸음이 오고, 입술과 손톱이 파랗게 되며, 판단력과 시력이 약화되고, 호흡과 맥박이 빨라지며, 성격 변화가 일어난다. 또한, 22,000 피트 고도에서는 경련이 일어

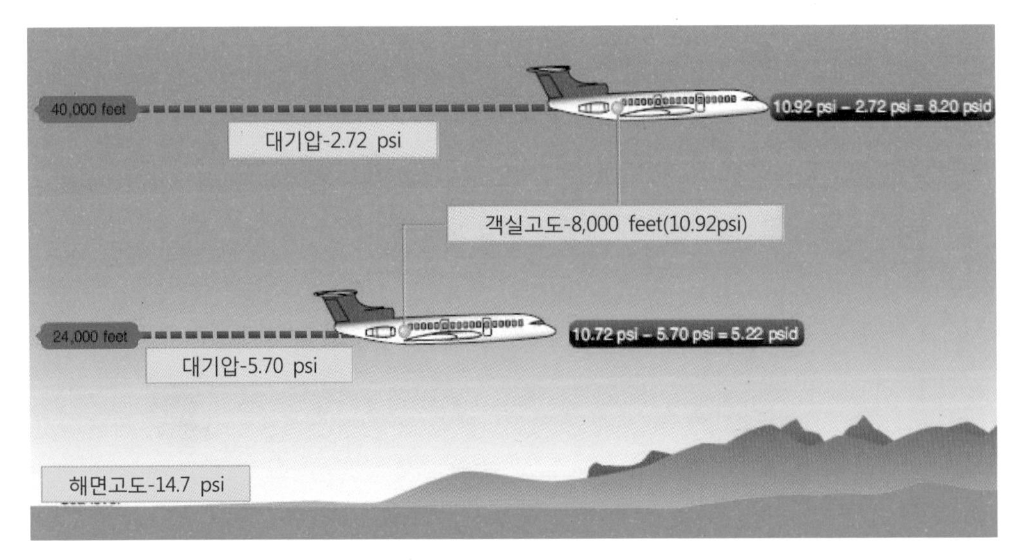


그림 1-6. 항공기 고도에 따른 대기압

나고, 25,000 피트 고도에서는 5분 정도 경과하면 의식 불명이 된다.

현대 민간 항공기는 기종에 따라 최대 순항고도 35,000~45,000 피트 상공을 비행하게 되는데, 이렇게 고 고도를 비행하면서도 기내압력은 가능한 한 해면고도에 가깝게 유지시키기 위해 여압 함으로써 산소결핍증(Hypoxia)이 방지된다.

### 1.3.2 여압 조절

공기조절 팩(Air Conditioning Pack)으로부터 온도가 조절된 공기가 기내로 들어오게 되면 기내압력이 상승하기 때문에 비행 중 외부흐름밸브(Outflow Valve)를 적절히 열어서 여압을 조절한다.

외부흐름밸브(Outflow Valve)의 움직임은 객실압력 조절기(Cabin Pressure Controller)에 의해 비행 고도에 따라 자동으로 이루어진다.

만약에 여압자동 조절 계통에 결함이 발생되면 조종사는 수동조절스위치(Manual Control Switch)로 직접 외부흐름밸브(Outflow Valve)를 전기적으로 작동시킬 수 있다.

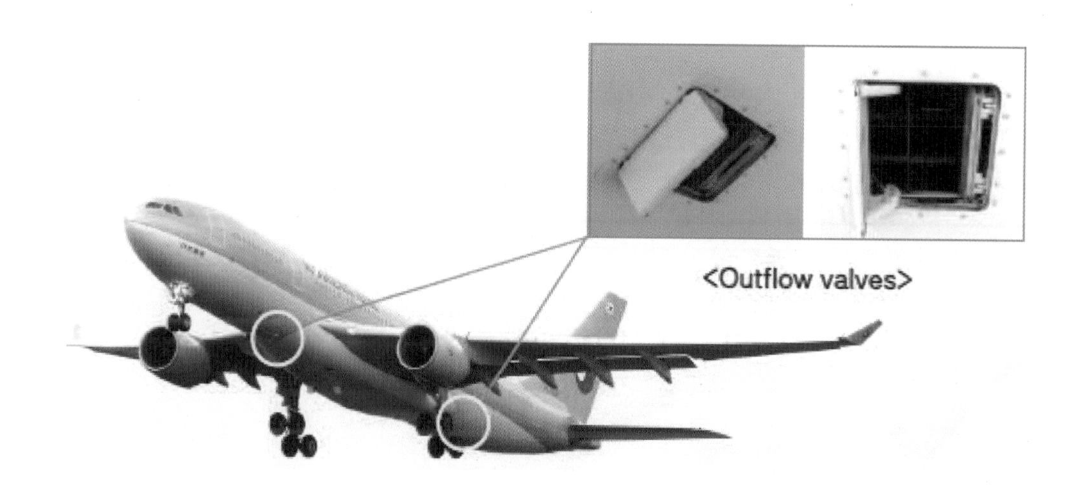


그림 1-7. 외부흐름밸브(Outflow Valve)

또한, 여압자동조절계통의 고장으로 항공기 객실내압과 외부 대기압과의 차압(Differential Pressure)이 일정압력 이상으로 상승하게 되면 압력 릴리프밸브(Pressure Relief Valve)가 열려서 기체구조(Structure)를 보호한다.

# 2. 장비 및 편의시설(EQUIPMENT/FURNISHING)

대형 항공기의 장비 및 편의시설은 조종실(Flight Deck), 승무원 휴게실(Crew Rest Compartment)을 포함한 객실(Passenger Compartments), 주방(Galley), 화장실(Lavatory), 화물실(Cargo Compartment) 및 비상장비(Emergency Equipment) 등으로 구성되어 있다.

## 2.1. 조종실(Flight Deck)

조종실은 항공기의 중추기관이 되는 부분으로서 기계와 인간이 연결되는 부분이다. 최신 항공기는 조종 계통이 다양하고, 복잡하기 때문에 조종실 내의 조종패널(Control Panel)과 좌석(Seat)은 인간공학을 적용하여 효율적으로 설계되어 있다. 구성품은 항공기를 직접 작동시키는 조종패널(Control Panel)과 기장(Captain) 및 부기장(First Officer)과 옵서버(Observer)용 좌

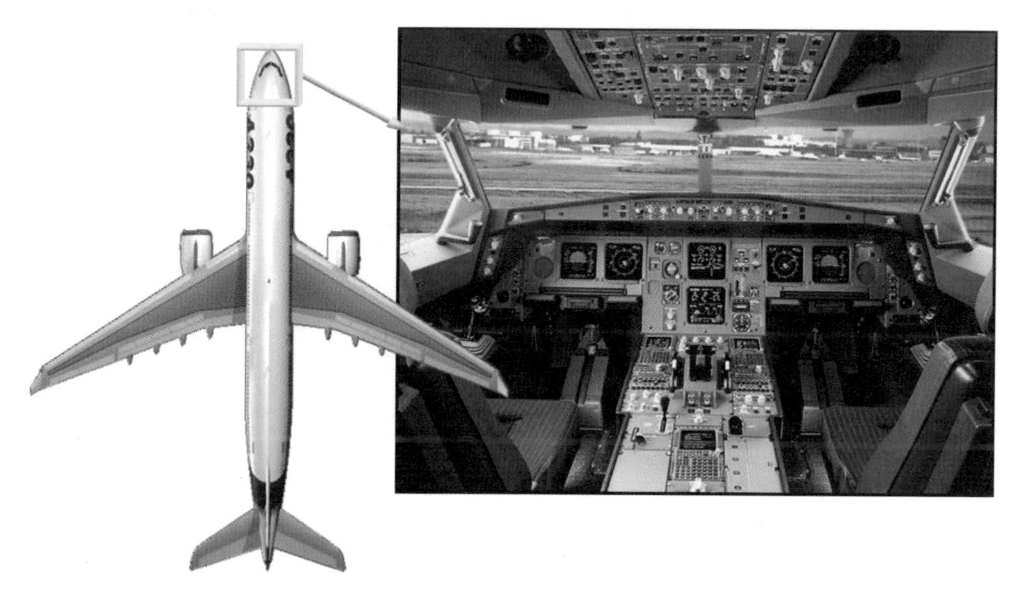

그림 1-8. 조종실(Flight Deck)

석(Seat), 그 외 조종사를 위한 편의 설비로 컵 받침대(Cup Holder), 연필꽂이(Pencil Holder) 등이 있으며, 일부 항공기들은 전방시현장비(Head-up Display; HUD)등도 장착되어 있다.

## 2.2. 객실(Passenger Compartment)

객실은 조종실을 제외한 동체의 전 부분을 차지하고 있는 부분으로서 B747 및 A380과 같은 초대형 항공기들은 메인 덱(Main Deck)외에 상부 덱(Upper Deck)도 객실로 사용한다.

객실에는 좌석을 비롯하여 승객의 서비스를 위한 장치들과 주방 및 화장실 등이 구비되어 있다.

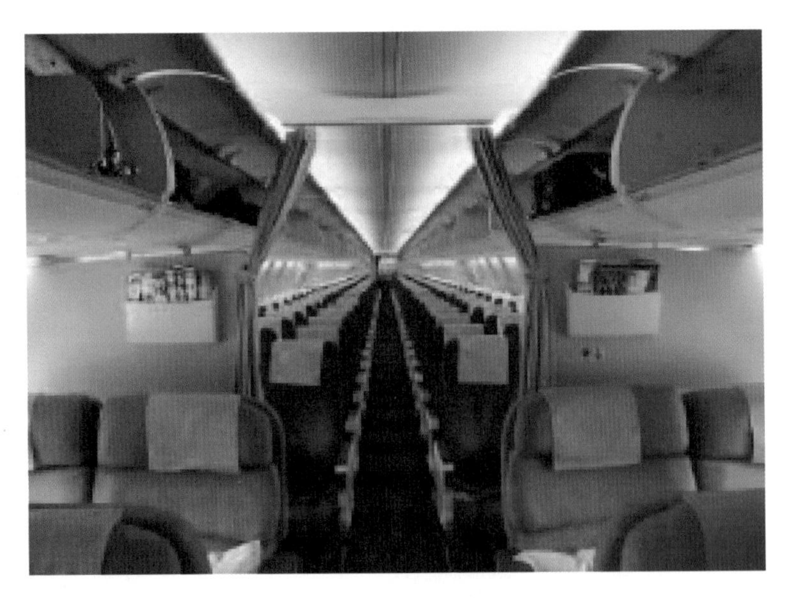

그림 1-9. 객실내부 전경

### 2.2.1 좌석(Seat)

객실용 좌석에는 승객용(First Class용 및 Economy Class용)과 객실 승무원용 좌석이 있다.

#### (1) 승객용 좌석(Passenger Seat)

승객용 좌석은 객실 바닥에 설치된 트랙(Track)상에 고정되고 용도에 따라 좌석간의 간격을 조정할 수 있다. 좌석의 골격은 알루미늄(Aluminum) 합금제로서 가볍고 충분한 강도를 갖도록 만들어져 있다. 또한, 좌석커버(Seat Cover)는 내화성이 우수한 것을 사용하고 있다.

좌석의 배치는 안정성·쾌적성·경제성 등의 면에서 일등석(First class), 비즈니스석(Business class) 및 일반석(Economy class)의 비율을 어떻게 할 것인가, 좌석의 전후간격, 좌석 열을 어느 정도로 할 것인가 등 항공회사에 따라 다르다.

과거에는 보통 일등석 좌석의 전후간격(Pitch)을 40인치(1m), 일반석은 34인치(0.86m)로 배치하는 것이 기본이었다. 그러나 최근에는 서비스의 고급화로 일등석에 칸막이가 설치된 개인 침대좌석(Single Sleeper Seat)을 설치하여 개인의 사생활(Privacy)을 좀 더 보호하도록 배려하고, 승객이 좌석을 180°까지 펼쳐서 침대로 사용할 수 있도록 하여 장거리 여행에 필요한 안락함을 제공하고 있다.

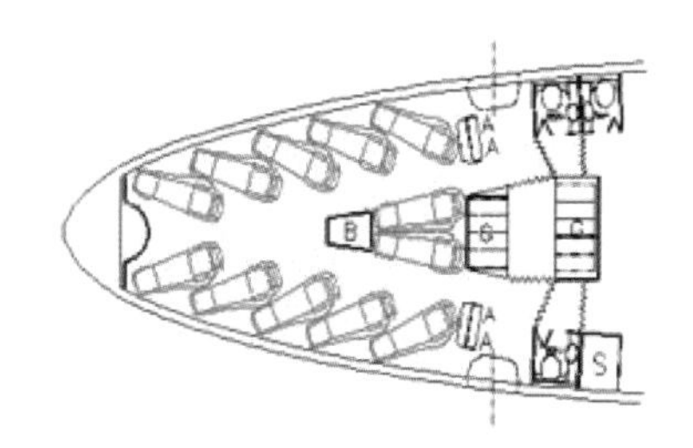


그림 1-10. 일등석 코쿤 침대좌석

(2) 객실 승무원 좌석(Jump Seat)

접이식의 보조석으로써 객실 출입구 가까이에 위치해 있다.

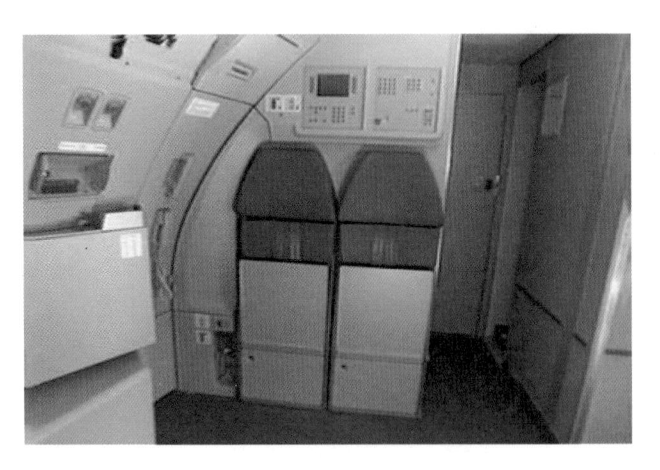

그림 1-11. 객실 승무원 좌석(Jump Seat)

## 2.2.2. 승객 서비스 장치(Passenger Service Unit)

승객 서비스 장치인 PSU는 비행 중 승객이 사용할 수 있는 장치로서 승객의 머리 위(Overhead)에 있으며, 독서 등(Reading Light), 승무원 호출 등(Attendant Call Light)과 비상용 산소마스크(Emergency Oxygen Mask)가 부착되어 있다.

그림 1-12. PSU 내부의 산소마스크

### 2.2.3. 개인용 음향·영상장치(Audio & Video on Demand : AVOD)

승객 좌석에는 객실관리시스템(Cabin Management System)에서 제공하는 비디오(Video)를 시청하기 위한 개인용 액정 모니터가 장착되어 있어, 승객은 비디오(Video) 뿐만 아니라 오디오(Audio)를 포함한 다양한 기능을 승객조종 장치(Passenger Control Unit : PCU)를 통해서 감상할 수 있다.

그림 1-13. 좌석에 장착된 AVOD

### 2.2.4. 주방(Galley)

객실내의 주방은 승객에게 식사나 음식물을 제공하기 위한 기내시설로써 단거리 여객기의 경우에는 간단한 음식물과 스낵(Snack) 정도이므로 주방(Galley)도 비교적 소형이지만 대형 여객기에서는 주방이 점유하는 면적이 커지고 있다.

주방에는 육류를 재가열하는 고온용 오븐(High temp-oven), 물수건용 오븐, 커피 제조기(Coffee maker), 온수 가열기(water boiler), 냉장고, 음료보온용 컨테이너(Container) 등 전력을 사용하는 가전제품 등이 설비되어 있으며, 식사나 음식물을 수용하는 컨테이너가 사용에 따라 교환하게 되어있다. 최근에는 신속한 교환을 위하여 컨테이너에 바퀴가 달린 서비스 카트(Service cart)가 사용되고 있으며, 이러한 서비스 카트를 그대로 승객의 서비스에 사용하도록 되어있다.

그림 1-14. 주방(Galley)

### 2.2.5 화장실(Lavatory)

화장실 설계에는 좌석 수에 대한 적절한 배치가 중요하며 장거리에서는 30-40석, 중거리에서는 40-50석, 단거리에서는 50-60석 당 1개의 비율로 화장실을 설치하도록 되어있다. 객실 내에 화장실 배치 또한 특정 위치의 화장실에 승객이 몰리지 않도록 고려되어 있다. 화장실내 구성품은 수도꼭지(Faucet) 및 싱크(Sink), 승무원 호출 버튼(Button) 및 조명(Light), 화장지걸이(Toilet Paper Holder), 거울 및 변기(Toilet) 등이 있다.

세면대에서 사용된 물은 비행 중 기내 압력은 지상의 압력과 거의 비슷하나 항공기 외부의 압력은 매우 낮으므로 기내 압력과 외부 압력 차이를 이용하여 항공기 외부로 쏟아버린다. 그러나 변기에 사용된 물은 비행 중에는 정화조(Tank)에 보관했다가 지상에서 뽑아낸다.

구형 항공기들은 변기 아래 부분에 장착된 정화조에 물과 함께 보관되는 수세식 화장실로서 정화조에 모인 혼합물이 여과기(Filter)를 거쳐 맑은 액체만 모터(Motor)가 뽑어주어 변기의 벽을 씻어주는 방식을 주로 사용하였는데 변기 사용횟수가 거듭 될수록 뽑어지는 물이 맑지 않을 뿐만 아니라 정화조가 변기 아래에 장착되어 있어 냄새가 나게 되는 결점이 있었다.

그러나 최근의 신형 항공기들은 항공기 맨 뒤쪽 객실 아래 화물칸 부분에 2~4개의 정화조(Tank)를 장착하여 객실을 좌, 우측으로 구분하여 좌측의 화장실 변기들을 1개의 배관(Duct)에 연결하여 좌측 정화조로 보내지며 우측 화장실 변기들도 마찬가지로 1개의 배관에 연결되어 우측 정화조로 이송된다.

각 변기의 오물이 정화조로 버려지는 것은 기내 압력과 항공기 외부압력과 같은 낮은 압력의 정화조 압력과의 압력차를 이용한 진공 흡입식(Vacuum Suction)으로 오물이 화물칸에 장착된 정화조에 보관되어 위생적이다. 그러나 하나의 배관으로 연결되어 있기 때문에 배관이 막힐 경우에는 좌, 우측 중 어느 한 쪽의 모든 화장실의 사용이 불가능한 것이 단점이다.

그림 1-15. 화장실(Lavatory)

### 2.2.6. 비상장비(Emergency Equipment)

비상장비(Emergency Equipment)는 사고가 발생하였을 경우, 승객이 무사히 탈출하고, 구출되는 것을 돕기 위한 장비품이다.

불시착시에 탈출을 돕는 완강기, 도끼, 휴대용 확성기 등과 바다에 불시착했을 경우를 위한 구명정, 구명조끼, 조난위치를 알리는 전파발신 장치, 발화신호장비, 승객의 부상을 치료하는 구급약품 세트 등이 기내에 탑재되어 있다.

#### (1) 완강기(Decent Device)

조종실에 있으며 비상시 상부 덱(Upper Deck Escape Slide)을 사용할 수 없을 경우 조종사 탈출용 케이블(Cable)로서 1/8 인치 굵기에 길이는 약 40 피트 정도이다.

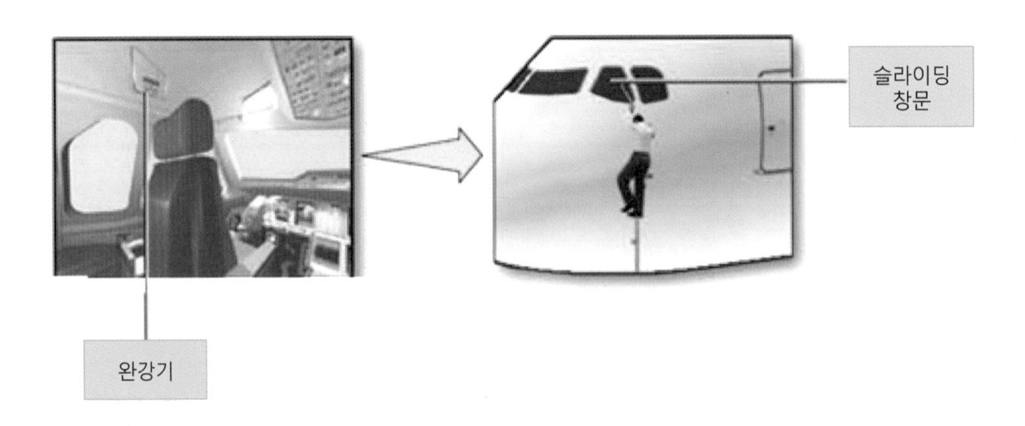


그림 1-16. 조종실 완강기(Decent Device)

#### (2) 긴급 위치발신기(Emergency Locator Transmitter : ELT)

긴급 위치발신기(ELT)는 항공기가 조난당하였을 때 조난된 항공기의 위치를 구조대에게 자동으로 알려주기 위한 항공기 조난신호 발생기로서 물에 잠기면 내장된 배터리와 안테나가 자동으로 비상주파수 121.5 MHz, 243 MHz를 다른 항공기 또는 관제소(ATC Center)에 송신한다.

최근에는 충격용 ELT(Automatic Fixed ELT)가 개발되어 산악지역에 조난 시에도 작동할 수 있도록 설계되어 충격에 의해 작동된 ELT가 위성수신용 406MHz를 인공위성에 송신함으로써 조난된 항공기를 신속하게 구조할 수 있게 되었다.

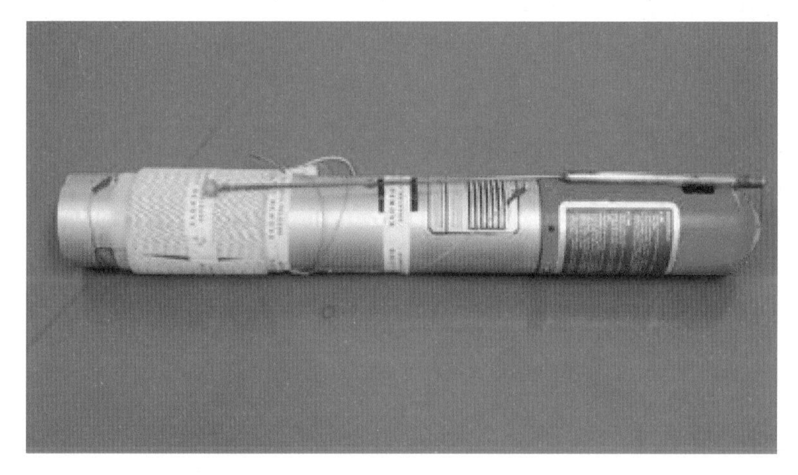

그림 1-17. 긴급 위치발신기(Emergency Locator Transmitter : ELT)

### (3) 긴급탈출 장치(Emergency Evacuation System)

항공기가 불시착하였을 경우 승객과 승무원을 안전하게 신속히 항공기 밖으로 탈출시키기 위한 장치이다.

현재의 대형여객기에서는 출입문이 그대로 비상문이 되며, 여기에 비상탈출미끄럼대(Emergency Escape Slide)가 장착되어 있다. 이러한 미끄럼대는 법규에서 정해진 90초 이내에 전원 탈출을 위하여 비상구를 열면 동시에 고압의 프레온 가스(Freon Gas)에 의하여 약 10초 이내에 팽창되어 미끄럼대의 형태로 펼쳐지게 되어있다.

그림 1-18. 비상탈출미끄럼대(Emergency Escape Slide)

(4) 구명 장비품

수면에 불시착했을 때 수면에 투하하여 압축가스로 팽창시켜 탑승자를 수용하고 표류하기 위한 장비이다. 구형 항공기의 경우 구명보트는 기내의 일

그림 1-19. 슬라이드 라프트(Slide Raft)

정장소, 주로 객실 천정이나 승객용 의자 위에 있는 수하물 보관 장소에 비치되어 있어서 비상시에 승무원이 이것을 꺼내어 바다에 던져서 사용했으나, 최근 대부분의 항공기는 출입문에 부착된 비상 탈출 미끄럼대(Escape Slide)가 구명보트(Life Raft) 역할을 겸하게 되어 있어서, 명칭도 이 두 가지의 핵심단어만 조합한 슬라이드 라프트(Slide Raft)라고 부른다.

이러한 구명보트에는 구조대가 늦게 올 것을 대비하여 생존용품(Survival Kit)이 비치되어 있는데 그 내용품들을 살펴보면 구명보트 수리장비, 거울, 구급약품, 구조대가 조난 위치를 쉽게 찾기 위한 바닷물 염색약, 칼, 바닷물을 식수로 정수할 수 있는 정수기 및 정수용 알약, 물통, 호각, 신호탄(야간에는 불빛, 주간에는 연기), 성경책, 생존법(Survival Book), 나침반, 성냥, 손전등, 낚시도구, 비타민 정제, 츄잉 껌, 사탕을 포함한 비상식량이 들어 있다.

### (5) 구급함(First Aid Kit)

불시착시에 사용하는 약품이나 응급치료용구, 작은 금속제 트렁크에 넣은 것으로서 내용물은 법규에 자세히 규정되어있으며 탑재수량은 승객 수에 따라 정해져 있다.

### (6) 비상등(Emergency Light)

야간에 불시착하였을 경우 기내·외를 밝혀주는 비상용 조명이다. 통상적인 전원과는 별도로 비상 배터리에 의해 작동할 수 있게 되어 있으며, 밝기는 책을 읽을 수 있을 정도이고 최소 10분 이상 들어올 수 있게 되어있다.

## 3. 비행조종계통(FLIGHT CONTROL SYSTEM)

각종의 조종면과 이들을 조종하는 계통전체를 조종계통이라 한다. 조종사는 조종계통을 매개로하여 각 조종면을 적시에 조타함과 동시에 필요에 따라 엔진출력을 조정하고 비행경로를 제어할 수 있다.

조종계통은 기본적으로 1차 조종면(Primary Control Surface)과 2차 조종면(Secondary Control Surface) 그리고 그들을 제어하는 계통으로 되어있다. 그림 1-20은 B737 항공기의 1차 조종면과 2차 조종면을 보여주고 있으며, 동시에 1차 조종면에 의한 3축 운동을 보여주고 있다.

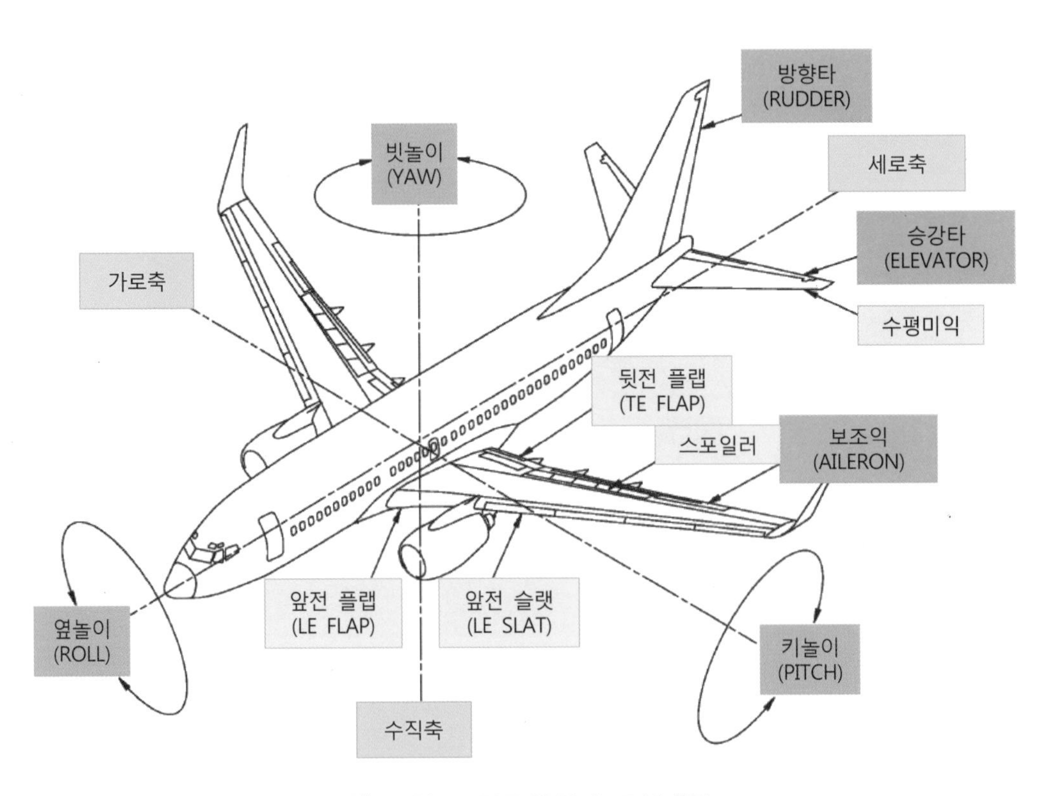


그림 1-20. B737 항공기 조종계통

## 3.1. 1차 조종면(Primary Control Surface)

승강타(Elevator), 보조익(Aileron), 방향타(Rudder)와 같이 비행기의 자세를 종·횡·수직의 3축 방향으로 변화 시킬 수 있는 기본적인 조종면을 말한다.

이러한 조종계통은 조종실에 설치된 조종간(Control Column)과 방향키 페달(Rudder Pedal)등의 조종 장치와 조종케이블(Control Cable) 및 각 조종면으로 구성된다. 조종사가 조종 장치를 움직이면 그 움직임 및 힘(조타력)이 조종 케이블을 매개로 이것들의 조종면을 움직이도록 만들어져 있다.

대형, 고속 항공기인 경우에는 조종면 자체가 거대하고 가동 시키는 데에 막대한 힘이 소요되므로 조종사의 힘으로는 작동시키지 못하므로 구동 시키는 신호만 케이블(Cable) 혹은 전기적인 신호의 형태로 전달하고 조종면(Control Surface)은 유압(Hydraulic), 공압(Pneumatic), 전기(Electrical Power) 등의 동력으로써 작동되도록 설계되어 있다.

### 3.1.1. 승강타(Elevator)

기수의 상하방향, 즉 피칭(Pitching)의 자세제어를 위해 그림 1-21과 같이 수평미익의 뒷전(Trailing Edge)에 부착되어 있는 조종면이다. 승강타는 조종간을 앞뒤로 움직임에 따라 조타되며, 조종간을 앞으로 당기면 승강타가 올라가고 기수 상승모멘트(Head Up Moment)가 생겨서 상승자세로 된다.

### 3.1.2. 보조익(Aileron)

기체의 좌우경사 즉 롤링(Rolling)의 자세제어를 위해 그림 1-21과 같이 좌우 주 날개의 뒷전(Trailing Edge)에 대칭으로 부착되어 있는 조종면이다.

보통 에일러론은 조종간의 상부에 붙어있는 조종 휠(control wheel)을 좌우로 회전시킴에 따라 조타된다.

조종 휠을 우측으로 돌리면 좌측 날개의 에일러론은 내려가고 날개의 캠버(camber)를 증가시키며 우측 날개의 에일러론은 올라가고 날개의 캠버를 감소시킨다. 그 결과 좌측 날개의 양력은 증가하고 우측 날개의 양력은 감소하므로 기체는 우측으로 기울고, 이것과 반대로 조작하면 기체는 좌측으로 기운다.

### 3.1.3. 방향타(Rudder)

기수의 좌우방향, 즉 요잉(yawing)의 자세제어를 위해 그림 1-21과 같이 수직 꼬리날개의 뒷전(Trailing Edge)에 부착되어있는 조종면이다.

보통 방향타는 조종석의 좌우 어느 것이든 방향타 페달을 밟음에 따라 조타된다. 예를 들면 좌측의 방향타 페달을 밟으면 방향타는 좌로 움직이고 수직 꼬리(vertical tail)의 캠버를 생기게 하여 오른쪽 방향의 양력을 발생시키고 그 결과 비행기 중심 주위에 기수를 왼쪽으로 향하게 하는 모멘트가 생겨 기수는 좌측으로 향한다.

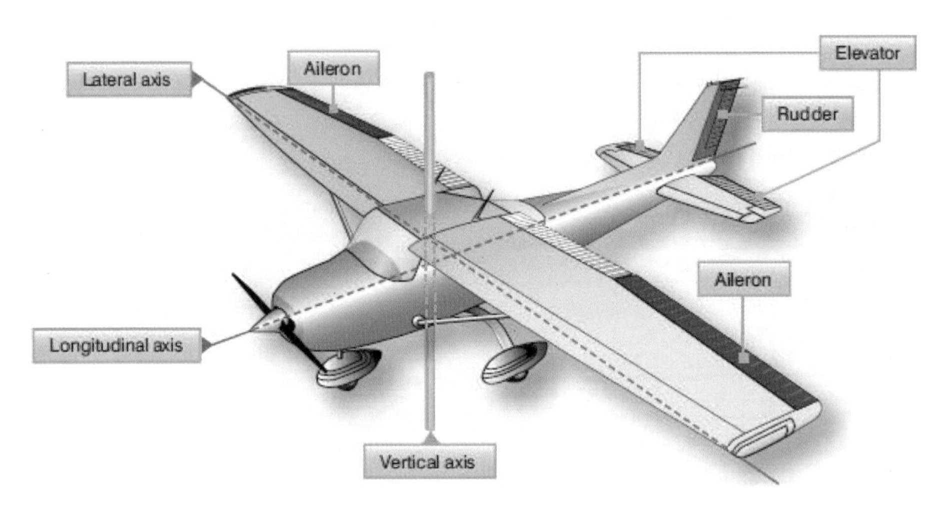


그림 1-21. 1차 조종면(Primary Control Surface)

## 3.2. 2차 조종면(Secondary Control Surface)

1차 조종면을 보조하며 트림(Trim)을 잡기위해 이용되는 수평미익(Horizontal Stabilizer), 스포일러(Spoiler) 및 플랩(Flap)등을 2차 조종면(Secondary Control Surface)이라고 부른다.

### 3.2.1. 스포일러(Spoiler)

주 날개에 의해 발생하는 양력을 감소시키게 하는 목적을 가진 조종면이다. 평상시에는 날개표면(Wing Surface)과 밀착되어 동일면이 되며, 작동상태에서는 날개표면 상방으로 열리도록 만들어져 있다.

스포일러를 열면 그때까지 날개표면에 연해서 흐르고 있던 기류가 교란되어 날개표면에서 분리됨에 따라 양력이 감소됨과 동시에 항력이 증가하게 된다. 스포일러의 사용목적은 다음과 같다.

- 긴급강하 등의 될 수 있는 한 빨리 강하하고 싶을 때 기수를 내려서 강하한다면 가속 증가가 지나쳐 허용된 최대운용속도를 초과하기 때문에 이것을 피하기 위해 양력자체를 감소시키는 동시에 항력도 증대시키고 기체를 그대로의 자세로 가지 않게 하는 느낌으로 강하시킨다.
- 저속 비행 시 저하하는 에일러론의 효능을 돕기 위해 한쪽 주날개의 스포일러를 여는데 따라 그 날개의 양력을 감소시키고 기체를 기울이는 역할을 한다.

그림 1-22. 작동 중인 스포일러

- 접지 후 재빨리 양력을 감소시키고 그 결과 기체중량을 가능한 크게 각 차륜에 가해주며, 제동(Brake)효능을 좋게 함에 따라 착륙거리를 단축시키는 효과 등이 있다.

또한, 일반적으로 스포일러는 주로 비행 중 조종에 사용되는 비행 스포일러(Flight Spoiler)와 착륙 후 활주상태에 따라 작동하는 지상 스포일러(Ground Spoiler)가 있다.

착륙거리를 줄이기 위해서는 가능한 한 양력을 감소시켜 항력을 증대시키는 것이 바람직하므로 접지 후 즉시 양쪽 스포일러가 동시에 열리도록 설계되어있는 것이 보통이다. 또한, 비행 중에는 지상 스포일러를 작동시키지 않는 것은 비행 중 양쪽 스포일러를 동시에 열면 양력의 감소량이 지나치게 커질 위험이 있으며, 조종에는 비행 스포일러로도 충분하기 때문이다.

### 3.2.2. 플랩(Flap)

비행기의 고속화와 이착륙 성능의 향상은 서로 상반되는 요구조건이지만 양자를 타협시키는 수단으로 플랩이 고안되었다. 즉, 고속성능을 중시하는 제트기는 항력계수가 작은 에어포일이 채용되지만 이와 같은 에어포일은 양력계수도 저하되기 때문에 결과적으로 이착륙성능이 나쁘게 된다.

그러나 활주로 길이는 한도가 있기 때문에 짧은 이착륙거리가 요구될 때에는 뒷전 플랩(Trailing Edge Flap)이나 앞전 플랩(Leading Edge Flap)들에 의해서 원래의 에어포일에서 발생되는 양력계수보다도 일시적으로 현저하게 큰 양력계수를 얻을 필요가 있다. 이들 플랩을 총칭해서 고양력장치(High Lift Device)라 한다. 고양력장치에는 많은 종류가 있으나, 본 장에서는 다음과 같이 기본적인 장치들만 소개한다.

#### (1) 뒷전플랩(Trailing Edge Flap)

주 날개 뒷전(Trailing Edge)의 일부를 아래쪽으로 접어 꾸부리는 것에 의해 날개 캠버를 증가시켜 에어포일의 압력분포를 바꿈으로써 양력계수를 증대 시킨다.

## (2) 앞전플랩(Leading Edge Flap)

주 날개 앞전(Leading Edge)의 일부를 그림과 같이 밑으로 접어 꾸부리거나 혹은 앞 하방에 반전시키는 것으로서 그로인해 날개의 캠버를 증가시켜 양력계수를 크게 한다.

이런 것들 중 앞전 일부를 앞 하방에 반전시키는 형식의 것은 플랩을 작동시켰을 때에도 앞전플랩 자체에는 캠버의 변화를 생기지 않게 하는 것이 크루거 플랩(Kruger Flap)이라 불리며, 앞전 플랩 자체에도 캠버의 변화를 갖게 해 비행을 변화시키는 것을 가변 캠버 플랩(Variable Camber Flap)이라 부른다.

## (3) 슬랫(Slat)

날개의 앞전 일부를 전방으로 밀어내어 주 날개 본체와의 사이에 슬롯(slot)을 만들어 이 슬롯으로부터 압력이 높은 공기를 날개 상면으로 유도함에 따라 날개 상면을 따라서 흐르는 기류의 이탈을 막고 실속 앙각을 증가시킴과 동시에 최대 양력계수를 증대시키는 것이다.

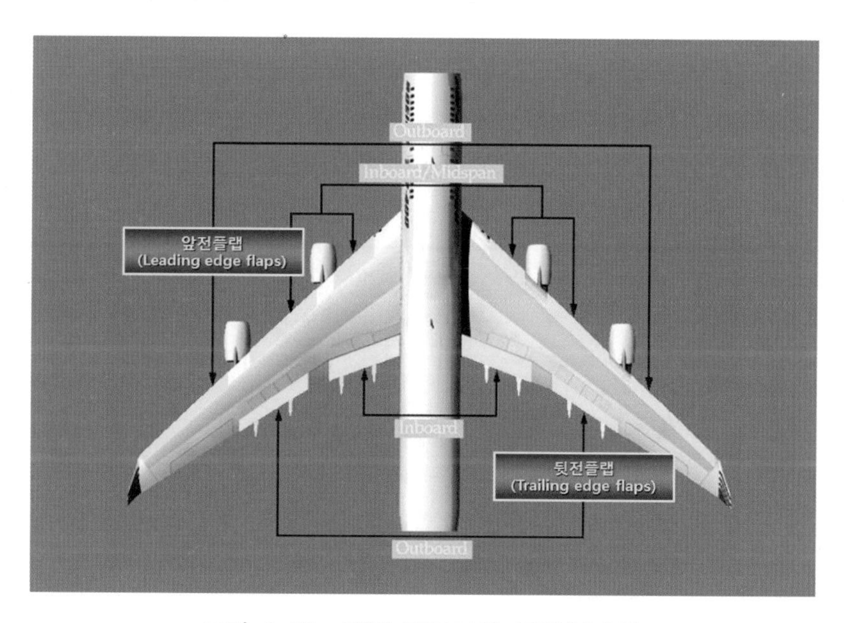


그림 1-23. 대형 항공기의 플랩(FLAP)

## 3.3. 탭(Tab)

승강타, 에일러론 및 방향타의 뒷전에 부착된 동익으로써 각 조종면의 조타력을 작게 한다든지 혹은 트림을 잡을 때, 비행 중 조종사의 부담을 가볍게 한다. 탭에는 다음에 기술하는 것 외에 조종면의 불균형을 수정하기 위한 고정 탭도 있다.

### 3.3.1. 트림 탭(Trim Tab)

비행기의 비행 상태가 변해도 트림을 사용함으로써 보타력을 0으로 하기 위해 쓰는 탭이다. 예를 들어 비행속도를 변경했을 경우 조종면의 균형도 변화하므로 당연히 조종사는 조타하여 승강타를 새로운 위치에 유지하려 하지만 이 보타력을 길게 유지하기에는 큰 부담이 걸린다.

또 다른 예로써 탭을 방향타 역방향으로 움직여서 방향타 힌지(rudder hinge) 주위에 작용하는 항력모멘트(drag moment)를 상쇄하고 조종사는 새로운 조종력을 가해줌이 없이 방향타를 균형이 맞는 위치에 유지시킬 수 있다. 또한 트림 탭, 조종 휠이나 방향타 페달등과 별개의 조절장치(knob 등)에 의해 조타된다.

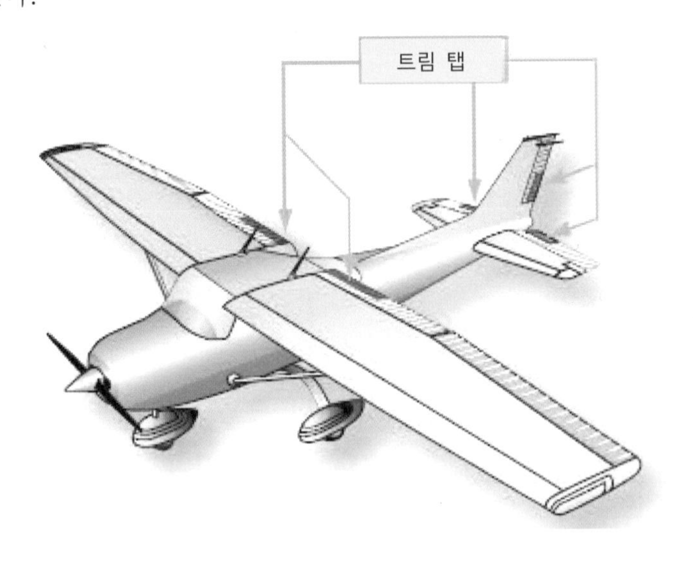


그림 1-24. 경량항공기 트림 탭(TRIM TAB)

### 3.3.2. 조종 탭(Control Tab)

인력으로 조종하는 조종장치에서 큰 조종면을 작은 조타력으로 움직이기 위해 이용하는 탭으로서 대형 제트기의 경우에는 조종면에 작용하는 공기력이 크기 때문에 일반적으로 유압으로 조종면을 움직이고 있는데 만일의 고장에 대비하여 인력 조종방식으로 백업(back up)하기 위해 조종 탭을 가진 기종이 있다.

조종사가 방향타 페달을 조작하면 방향타와 반대방향의 탭이 움직여서 이 탭에 작용하는 공기력에 의해 생긴 방향타 힌지 주위 모멘트로써 방향타를 희망하는 위치로 움직인다. 즉, 조종면은 조종사가 작은 조타력으로 움직이는 탭을 매개로 하여 간접적으로 조타된다. 보조 탭(sub-tab)이라고도 부른다.

### 3.3.3. 균형 탭(Balance Tab)

작동 형태는 다르지만 그 목적은 조종 탭과 거의 같으며, 대형 제트기의 인력 조종방식 경우는 조타력을 경감하기 위한 탭이다.

조종사가 방향타 페달을 조작하여 방향타가 움직이면 방향타의 움직임과 역방향으로 탭이 움직이고 방향타 힌지 주위의 모멘트를 작게 하고 조타력을 경감시킨다. 즉, 조종면에 작용하는 공기력에 의해 생기는 힌지 주위의 모멘트를 탭에 작용하는 공기력에 의해 거의 균형되게 하여주기 위한 탭이다.

### 3.3.4. 균형방지 탭(Anti-Balance Tab)

조종면의 효과를 증대시키고 조종성을 보다 강화시키기 위해 이용되는 탭이다. 조종 탭이나 균형 탭은 조종면의 조타력을 경감시키지만 이것들은 조종면의 움직임과 역방향으로 움직이므로 탭을 포함한 조종면 전체의 효과가 떨어지는 것은 피할 수 없다.

한편 조타력을 가볍게 하는 것은 인력 조종장치에 의한 경우이며, 조종면은 항상 유압 또는 전기에 의한 동력 조타이므로 조타력이 크게 되어도 별지장이 없다. 따라서 동력조종에 의한 경우로 조종면의 효과를 증강하고 싶을 때는 탭을 조종면의 움직임과 같은 방향으로 움직이도록 균형방지 탭을 이용하고 있다.

### 3.3.5. 스프링 탭(Spring Tab)

조종면의 작동기구를 둘로 나누어 하나는 직접 탭을 움직이며, 다른 하나는 스프링을 매개로 조종면을 움직이는 방법으로 하면 탭을 움직이는 힘은 비행속도에 관계없이 일정하게 탭을 작동시킨다.

한편, 조종면을 움직이는 힘을 보면 비행속도가 클 때에는 단순히 스프링을 오므라들게 할 따름이며, 결국 탭만이 작동하지 않지만 비행속도가 작을 때에는 이 힘도 스프링을 매개로 하여 조종면을 움직이므로 탭과 조종면의 양쪽이 작동한다. 이와 같이 비행속도가 변화하는데 따라 작동형태가 변화하는 것이 스프링 탭의 특징이다.

## 3.4. 플라이 바이 와이어(Fly-By-Wire)

기계적 케이블에 의해 이루어지던 항공기 조종면의 조종을 전기적 신호에 의해 조종하는 방식이다. 기존의 항공기는 조종사의 조종입력(Control Input)이 조종 케이블(Control Cable), 기계적인 로드(Mechanical Rod)등의 기계적인 매개체를 통해서 유압 구동장치로 전달되어 조종면(Flight Control Surface)을 작동하였으나, Fly-By-Wire 항공기에서는 조종사의 조종 입력(Control Input)은 전기신호로 변환되어 컴퓨터로 입력되고 이는 주변 환경을 고려하여 최적의 비행조건을 명령신호(Command Signal)로 만들어 낸다.

이러한 신호는 전선(Electrical Wire)을 통해 유압 구동장치로 전달되어 조종면을 작동시킨다.

항공기 전체의 무게가 감소되고 조종이 용이해지며 안전성이 증가하는 장점이 있어서 최근의 항공기들은 Fly-By-Wire를 채택하고 있다.

# 4. 연료계통(FUEL SYSTEM)

항공기가 비행에 필요한 속도를 얻기 위해서는 동력 장치로 일정량 이상의 추진력을 발생시켜야 하고, 그 동력 장치를 구동하기 위해서는 비행 형태 및 비행거리에 따른 적합한 양의 연료가 있어야 한다. 그리고 비행을 위해서 동력 장치에는 연속적으로 연료가 공급되어야만 한다.

따라서 항공기의 연료 계통에는 연료의 저장 탱크와 저장된 연료를 동력 장치까지 보내는 설비, 그리고 필요시에 외부로 배출을 위한 설비가 있을 수 있으며 연료 보급 및 비행 중의 연료 사용 상황을 알기 위한 연료량 지시 계통 등이 있어야 한다.

## 4.1. 연료탱크(Fuel Tank)

연료 저장 탱크는 대다수의 항공기가 날개 구조물 자체를 연료의 저장 장소로 사용하는 일체형 연료 탱크(Integral Fuel Tank) 구조를 가지고 있다. 그러나 일부 소형항공기 및 전투기에서는 별도의 연료 탱크용의 구조물을 설

그림 1-25. B747-400 일체형 연료탱크 위치와 용량

치하기도 하는데 이를 셀형 연료탱크(Cell Fuel Tank)라고 한다.

물론 일체형 탱크(Integral Tank)인 경우는 연료가 새어나가지 못하도록 충분한 기밀(Sealing)을 유지하도록 장치가 되어야 하며, 셀 탱크(Cell Tank)는 파손에 대한 우려가 있는 전투기나 동체 하면에 위치한 연료 탱크인 경우에 채택되고 있다. 최근의 대형 항공기들의 경우에는 꼬리날개 부분에도 연료 탱크가 있어서 무게 중심의 역할을 같이 할 수 있도록 되어있다.

## 4.2. 연료의 이송(Engine Feeding)

동력 장치로의 연료이송 설비는 대부분의 항공기가 연료 펌프에 의한 압송식을 채택하여 안정된 연료 공급을 도모하고 있으며, 연료 펌프가 작동되지 않을 때를 대비하여 엔진으로부터의 흡입력을 이용하는 별도의 라인(Line)을 설치하여 놓고 있다.

또한, 연료 펌프의 배출 압력과 양은 동력 장치가 요구하는 정도를 충분히 상회하는 용량으로 공급되며, 그 조작은 각각의 펌프를 별도로 작동시키거나 혹은 정해진 순서에 따라 저장 탱크의 용량이나 펌프의 배출 압력의 저하에 따라 순차적으로 작동되도록 하는 방식으로 설치되어 있다.

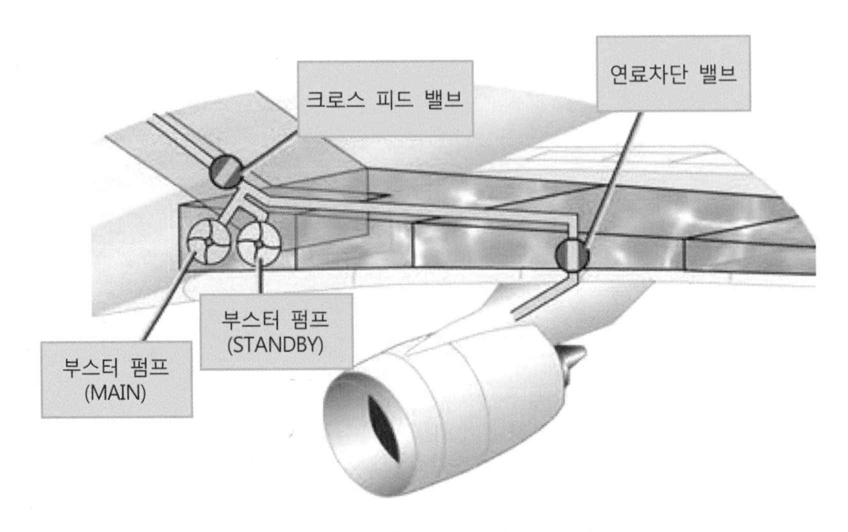


그림 1-26. 엔진으로 연료의 이송

## 4.3. 연료배출(Fuel Jettison)

항공기가 비행 중에 중대한 결함이 발생되어 급히 착륙해야 할 필요가 발생될 때 항공기의 무게에 따른 기체 구조가 착륙 시 감당할 수 있는 착륙 중량을 넘어설 때에는 기체를 보호하기 위하여 항공기에 탑재된 연료를 기체 외부로 배출시켜서 착륙 하중 내의 안전한 중량 상태로 맞추어 주어야 한다.

이러한 계통을 배출계통(Jettison System 혹은 Dump System)이라고 하며, 사용하지 않은 연료를 기체 외부로 신속히 배출할 수 있도록 펌프와 밸브 등으로 이루어져 있다.

그림 1-27. 연료배출(Fuel Jettison)

## 4.4. 연료보급(Refueling)

항공기가 비행을 위하여 지상에서 연료를 공급할 때에는 지상의 연료 공급 차량에 의하여 압력식으로 각각의 연료 탱크에 저장할 수 있으며, 이 때 연료 탱크의 입구에는 전기적으로 조종할 수 있는 밸브가 장착되어 있어서 각각의 탱크에 원하는 양만큼 보급하게 된다.

최신의 항공기인 경우에는 전체의 저장량만을 입력하면 자동적으로 배분이 되도록 장치가 되어 있다. 이 때 각각의 연료 탱크에는 연료 유면의 위치를 감지하여 저장된 연료량을 자동적으로 계산하여 지시하는 설비들도 포함되어 있어서 연료 보급 시에 필요한 정보를 제공하고, 비행 중에는 연료 사용에 의한 항공기에 남아 있는 양을 지시하도록 되어 있다.

그림 1-28. 항공기 연료보급

# 5. 유압계통(HYDRAULIC SYSTEM)

비행기가 고속, 대형화됨에 따라 조종계통이나 착륙장치를 움직이는 경우, 인간의 힘으로는 어렵게 되었으며, 가동장치들이 조종실에서 멀리 위치해있고, 구조가 복잡해짐에 따라 원격 구동하는 방법으로 유압이 사용되고 있다.

특히 대형기에서는 조종계통, 고양력 장치, 착륙장치 및 엔진 역추력 장치 등에 이용되고 있다.

## 5.1. 유압유(Hydraulic Fluid)

유압계통에 사용되는 작동유는 광범위한 온도범위에서 물리화학적인 안정성과 불연성을 가져야 하며, 가벼우면서 금속에 대한 방청 및 윤활성이 우수하여야 한다.

과거에 사용되었던 빨간색의 광물성유의 일종인 미네랄(Mineral)에서 인산에스테르계의 합성유가 사용되고 있다. 합성유는 투명한 보라색으로 피부에 자극성을 갖고 있지만, 광범위한 온도(-54℃~+135℃)에서 우수한 특성을 갖고 있다. 현재 일반적으로 사용되고 있는 인산에스테르계의 합성유는 Skydrol 500B, Hyjet III 및 Hyjet IV 등이 있다.

## 5.2. 주요 구성품

유압계통의 주요 구성품으로는 유압유 저장기(Hydraulic Reservoir), 유압펌프(Hydraulic Pump), 축압기(Accumulator), 작동기(Actuator) 및 각종 밸브 들이 있다.

그림 1-29는 유압계통의 가장 기본적인 개략도이며, 대형 항공기는 더욱 복잡한 구조와 구성품들로 이루어져 있다.

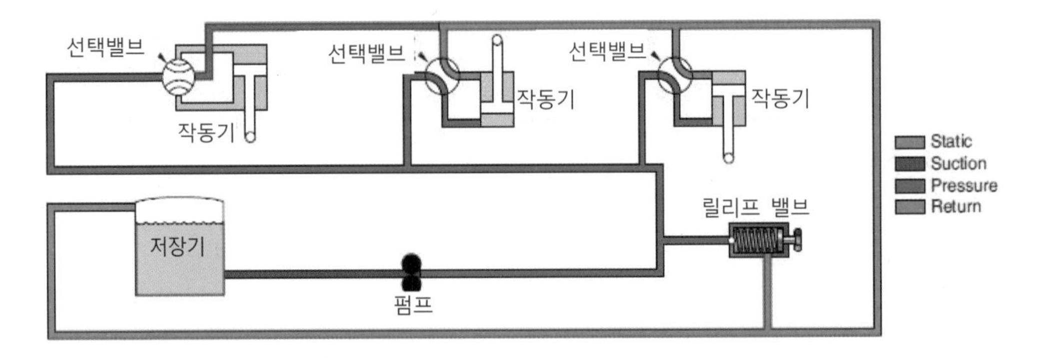


그림 1-29. 유압계통의 기본 구성도

### 5.2.1. 유압유 저장기(Hydraulic Oil Reservoir)

저장기(Reservoir)는 계통으로 공급되는 유압유를 저장하는 탱크로서 유압 펌프(Hydraulic Pump)에 원활한 유압유 공급이 되어 질 수 있도록 저장기 내부는 계속적으로 가압되고 비상시에 대비해 충분한 용량을 갖고 있다.

지상에서 유압유의 양을 육안 점검할 수 있는 사이드 게이지(side gage)와 유량계의 감지기(sensor)가 부착되어 있다.

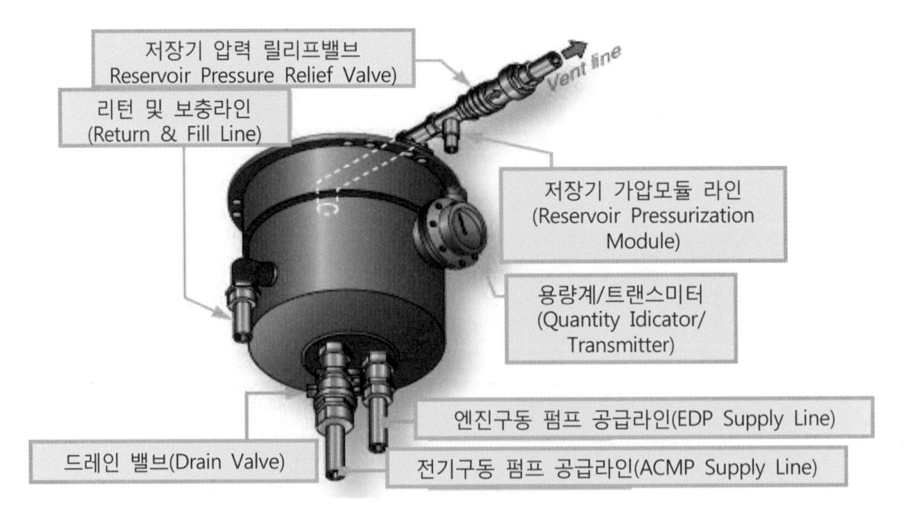


그림 1-30. 유압유 저장기(Reservoir) 구성품

### 5.2.2. 공급 차단밸브(Supply Shut-Off Valve)

펌프에 보내는 작동유를 개폐하는 밸브로서 일반적으로 엔진 화재시의 화재 차단밸브(Fire Shut-Off Valve)를 겸용하고 있다.

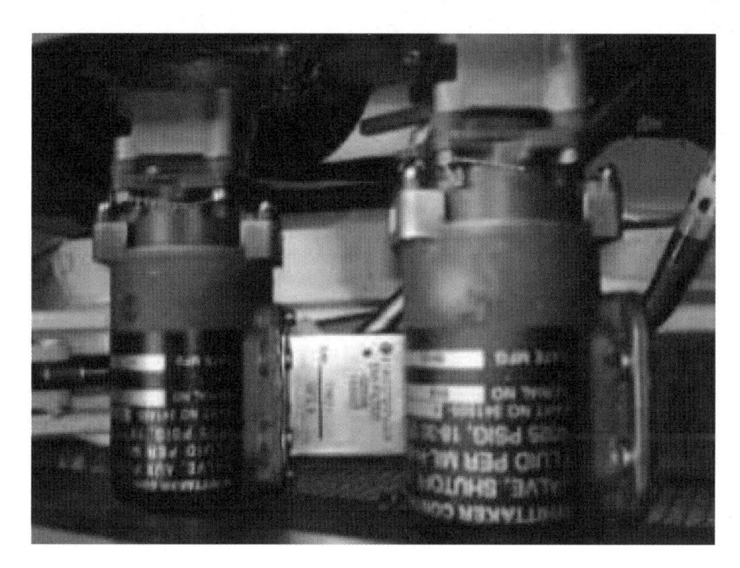

그림 1-31. 공급차단 밸브(Supply Shut-Off Valve)

### 5.2.3. 유압펌프(Hydraulic Pump)

유압펌프(Hydraulic Pump)는 기계적인 에너지를 압력으로 변환시키는 장치로서 전기(Electric), 공압(Pneumatic) 또는 엔진동력(Engine Power)에 의해 구동 된다.

펌프의 종류는 엔진구동펌프(Engine Driven Pump : EDP), 전기구동모터펌프(Electrical Motor Driven Pump : AMDP) 및 공기구동펌프(Air Driven Pump : ADP)등이 있다.

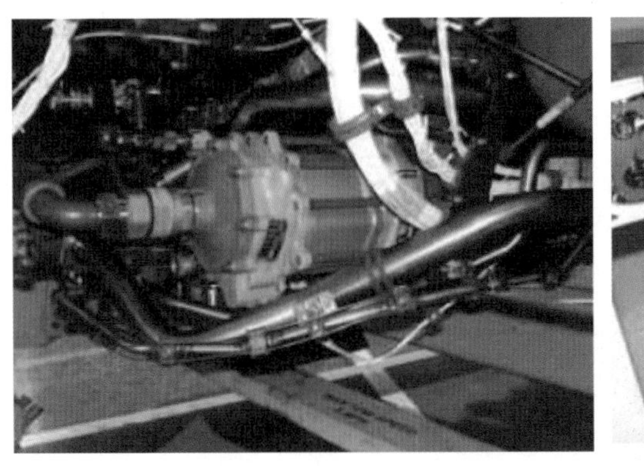

그림 1-32. 엔진구동펌프(EDP)와 전기모터구동펌프(AMDP)

### 5.2.4. 축압기(Accumulator)

축압기는 전기 콘덴서와 같은 역할을 하며, 항상 규정압력을 저장하고 있다가 장치가 작동하여 유압이 급격하게 변화할 때에 축압을 방출하여 계통의 맥동(Surge)을 방지하고 있다. 또한, 제동장치(Brake System)에 있는 축압기는 유압계통에 압력이 없어도 주기(Parking)시에 필요한 제동압력(Brake Pressure)을 확보하고 있다. 축압기에는 원통형 축압기(Cylindrical Accumulator)와 원구형 축압기(Spherical Accumulator)가 있으며, 그림 1-33은 원통형 축압기를 보여주고 있다.

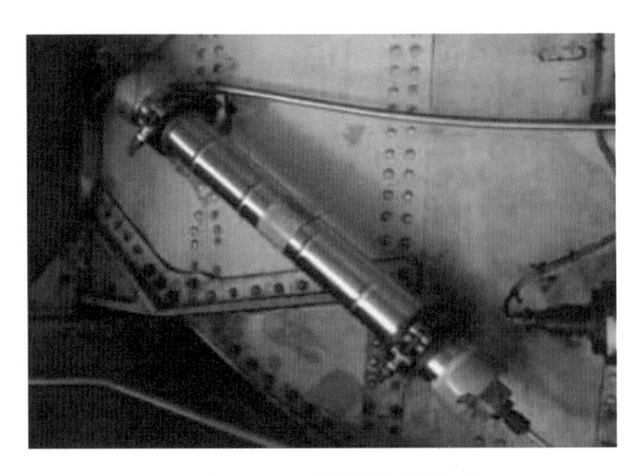

그림 1-33. 원통형 축압기

### 5.2.5. 작동기(Actuator)

작동유의 압력에너지를 기계적인 에너지 또는 운동으로 변환하는 것으로서 실린더(Cylinder)와 피스톤(Piston)으로 구성되어 있다.

작동기의 작동은 그림 1-34와 같이 실린더의 헤드(Head)쪽으로 유압이 공급 될 경우에는 피스톤 로드(Piston Rod)는 뒤쪽으로 펼쳐지게 되고, 실린더 로드(Rod)쪽으로 유압이 공급되면 피스톤 로드는 접히게 된다.

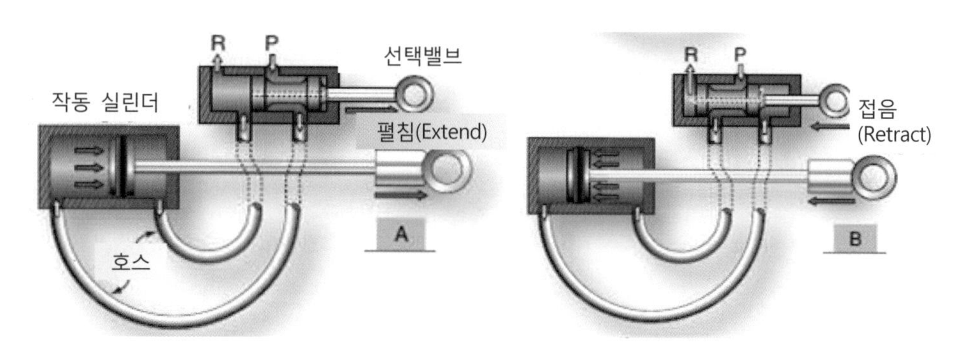


그림 1-34. 작동기의 작동원리

### 5.2.6. 각종 밸브(Valve)

유압계통에 사용되는 밸브류에는 체크밸브(Check Valve), 릴리프 밸브(Relief Valve), 선택밸브(selector Valve) 및 차단밸브(Shut Off Valve)등이 있다.

#### (1) 체크밸브(Check Valve)

한쪽 방향으로만 흐르게 하는 역류방지 밸브로서 유압 파이프(pipe)의 필요한 장소에 부착되어있다.

### (2) 릴리프 밸브(Relief Valve)

자동적으로 조절되는 유압장치가 고장으로 인해 규정이상의 압력으로 되었을 때 이 밸브가 열려서 압력을 흘려보내 과도한 압력으로 인한 유압계통의 손상을 방지한다.

### (3) 선택밸브(selector Valve)

유압으로 작동시키고 싶은 것, 예를 들어 착륙장치를 올리거나 내릴 때 희망하는 방향으로 작동유를 흐르도록 선택해주는 밸브이다.

## 5.2.7. 필터(Filter)

작동유(Hydraulic Fluid)에 있어서 가장 중요한 조건의 한 가지는 청결이다. 그러나 작동유에는 펌프나 밸브 등의 마모에 의해 미세한 금속가루가 생긴다. 이와 같은 금속가루는 필터로 여과해 주지 않으면 구성 부품을 손상시킬 우려가 있으므로 저장기(Reservoir), 압력라인(Pressure Line), 귀환라인(Return Line) 또는 그 밖의 계통을 보호하기 위해서 필요한 모든 장소에 필터가 장착되어 있다.

## 5.2.8. 유압퓨즈(Hydraulic Fuses)

유압퓨즈는 유압계통의 안전장치로서 유압라인의 단락 등으로 유압유가 누설되어 퓨즈를 통과하는 작동유의 양이 급격하게 증가하면 퓨즈가 닫히고 흐름을 차단하여 작동유의 손실을 방지한다. 브레이크 계통(brake system), 전연 플랩과 슬랫(leading edge flap and slat), 노즈 랜딩기어(nose landing gear) 및 역추력 장치(thrust reverser) 등의 중요한 작동 라인에 설치되어 있다.

그림 1-35. 유압퓨즈

# 6. 제 · 방빙 및 제우계통(ICE & RAIN PROTECTION)

항공기의 날개 및 엔진 흡입구의 결빙은 항공기 안전 및 효율에 악영향을 미치고, 특히 폭우는 조종사의 시야를 가려 안전 운항에 영향을 미친다. 따라서 엔진에서 나오는 고온공기(Hot Air)나 발전기에서 나오는 전기를 사용하여 결빙이 일어나지 않게 한다.

항공기의 계통별 제·방빙이 적용되는 부분은 날개, 엔진 입구, 각종 감지기 및 조종실 전면의 유리창(Windshield)등이다.

## 6.1. 날개(Wing)의 방빙

날개 앞전(Wing Leading Edge) 부분에 결빙이 생기면 날개 상면의 공기 흐름이 원활하지 못하게 되며, 이에 따라서 비행기를 띄우게 하는 양력(Lift)이 감소하게 되어 항공기는 안정성을 잃게 된다. 그러므로 날개 앞전의 결빙 현상을 제거하기 위해서는 엔진에서 나오는 고온의 공기(약 290℃)를 사용하여 결빙을 방지한다.

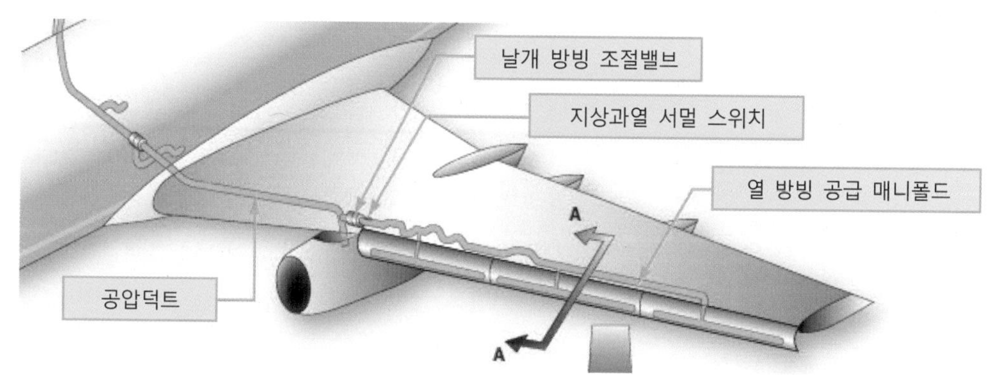


그림 1-36. 날개 방빙 계통(Wing Anti-Icing)

## 6.2. 엔진 입구의 방빙

엔진 입구에 결빙이 생기면 결빙의 현상으로 인한 얼음 덩어리가 엔진 입구로 들어가게 되고, 엔진에 심한 손상을 주는 한편, 엔진의 성능에도 심각한 영향을 미친다. 따라서 엔진 입구의 결빙 현상을 제거하기 위해서는 엔진에서 나오는 고온공기(Hot Air)를 사용하여 엔진 입구에 생길 수 있는 결빙 현상을 사전에 제거할 수 있도록 한다.

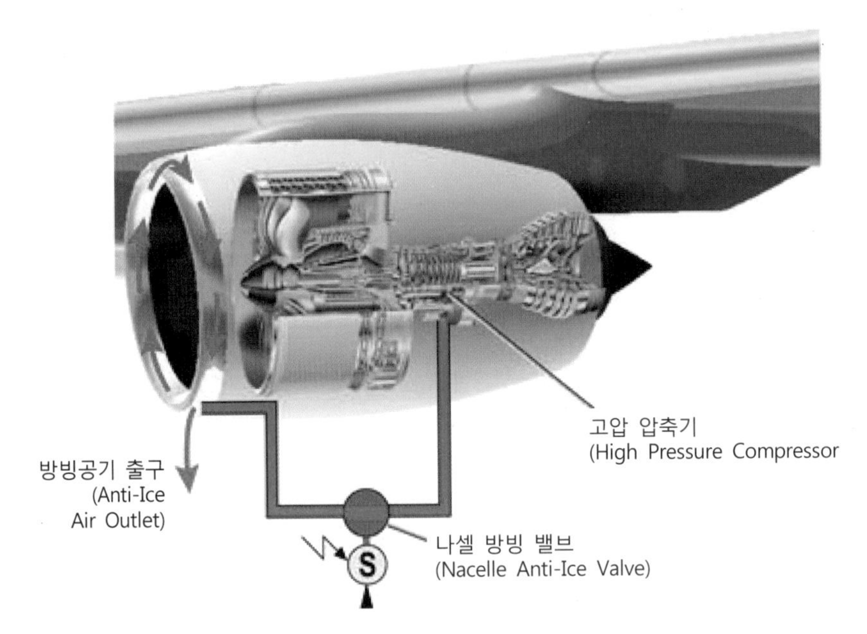


그림 1-37. 엔진 카울 입구 방빙

## 6.3. 감지기의 방빙

조종석에 장착되어 있는 계기류에는 항공기의 속도, 고도 및 자세에 대한 정보가 항공기 전방 동체에 장착된 여러 가지의 감지기(Sensor 또는 Probe)로 부터 제공되는데, 이들 감지기가 결빙 현상으로 인해 작동이 불완전해지면 이들과 관련된 장치들이 작동하지 못하게 된다.

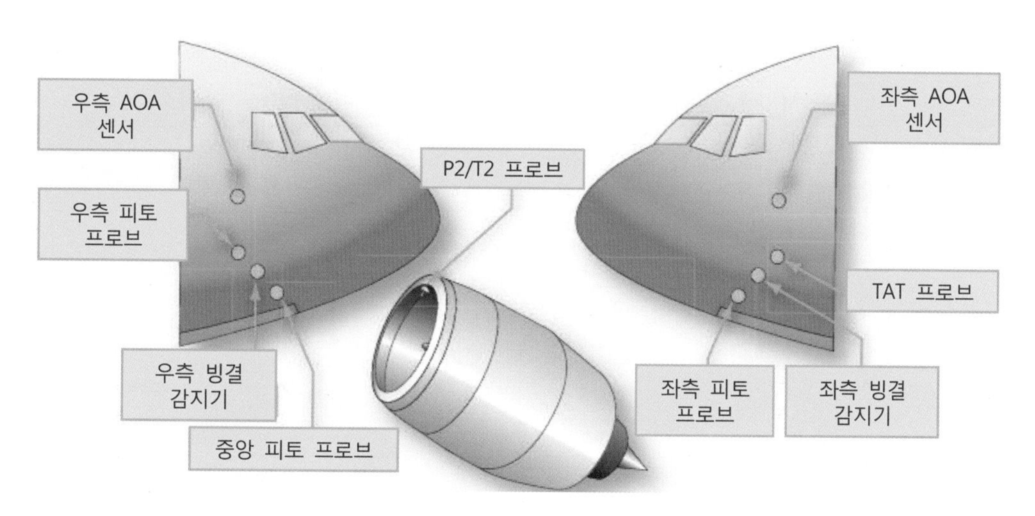


그림 1-38. 감지기 방빙 계통

이러한 결빙 현상을 제거하기 위해서 감지기 내의 히터(Heater)에 전기를 공급하여 발생되는 열을 이용하여 결빙 현상이 일어나지 않도록 한다.

## 6.4. 조종사 전면 유리창(Windshield) 부분의 방빙

이·착륙 중 외부물체의 충격으로부터의 조종실 유리창 보호 및 승무원의 시야 확보를 위해 유리창 내에 열선이나 열을 발생시킬 수 있는 물질을 삽입시켜 전기를 공급하여 계속 유리창을 가열하여 유리창의 결빙현상을 제거한

그림 1-39. 조종실 전면 창 방빙

다.

또한 이·착륙 시 낮은 고도에서 기상변화에 의한 눈 또는 심한 비가 내릴 경우 조종사의 시야확보를 위해 윈드실드 와이퍼(Windshield Wiper)를 작동하거나 수막처리 장치를 이용하여 특수한 화학물질로 눈 또는 빗방울이 조종실 전면 창에 부착되는 것을 방지한다.

# 7. 착륙장치 계통(LANDING GEAR SYSTEM)

항공기가 이착륙을 한다든지 지상 활주를 할 때 사용되는 장치이다. 육상기에서는 그림 1-40과 같이 바퀴(Wheel) 또는 스키(ski)가 사용되고, 수상기에서는 플로트(Float)가 사용되고 있으며, 일부 회전익항공기(Helicopter)는 스키드(Skid)를 사용하고 있다.

그림 1-40. 기본적인 착륙장치 형태
(A) 바퀴(Wheel), (B) 스키드(Skids), (C) 스키(Skis), (D) 플로트(Floats)

착륙장치의 배열에는 그림 1-41과 같이 앞바퀴착륙장치(Nose Wheel Landing Gear)와 뒷바퀴 착륙장치(Tail Wheel Landing Gear)가 있다. 앞바퀴착륙장치는 삼각착륙장치(Tricycle Landing Gear)라고도 부르며, 앞바퀴착륙장치(Nose Landing Gear)와 주 착륙장치(Main Landing Gear)로 나누어진다.

또한, 착륙장치는 착륙시의 충격을 흡수하는 완충장치와 착륙장치 버팀대

그림 1-41. 앞바퀴착륙장치(Nose Wheel Landing Gear)와 뒷바퀴 착륙장치(Tail Wheel Landing Gear)

(Landing Gear Strut), 지상 활주를 위한 바퀴(Wheel), 조향장치(Steering System), 제동장치(Brake System)등으로 구성되어 있다.

공기저항을 줄이기 위해 비행 중에는 인입식(Retractable)으로 한 기종이 많지만 경항공기에는 아직도 고정식 착륙장치(Fixed Landing Gear)를 볼 수 있다.

## 7.1. 앞바퀴 착륙장치(Nose Landing Gear)

동체 전방 하부에 장착되어 있으며, 전체 10% 미만의 하중을 받는다. 조향(Steering)장치가 장착되어 있어 지상 활주 중에 방향을 전환하는 중요한 역할을 하고 있다.

### 7.1.1. 조향장치(Steering System)

지상 활주 중에 기체의 방향을 전환하는 장치로서 보통 노즈 기어(Nose gear)에 장치된다. 조종실(Cockpit)내에 있는 조향핸들(Steering handle)을 돌리면 유압의 힘이 앞바퀴(Nose wheel)의 조향 작동기(Steering actuator)에 가해져서 방향변화를 할 수 있게 되어있으며, 이륙속도에서는 방향타 페달(Rudder Pedal)로 조향장치를 작동시킬 수 있다.

### 7.1.2. 쉬미 댐퍼(Shimmy Damper)

앞바퀴는 고속 주행시 바퀴의 불균형(Unbalance)이나 노면의 굴곡에 의해 심한 진동(Shimmy)을 발생시키기 쉽다. 쉬미 댐퍼(Shimmy Damper)는 이러한 진동발생을 방지하는 장치이다.

그림 1-42. 쉬미 댐퍼와 조향 핸들

## 7.2. 주 착륙장치(Main Landing Gear)

일반적인 항공기에서는 기체의 중심근처에 좌우 2개의 주 착륙장치(Main Gear)를 갖고 있으며, 하중의 90%를 지지하고 있으며, 보잉 777과 같은 대형기에는 기어 당 6개의 바퀴(Wheel)를 갖고 있다.

그림 1-43. 보잉 777 항공기 주 착륙장치 (Main Landing Gear)

## 7.3. 충격 버팀대(Shock Strut)

완충장치(Shock Absorber)라고도 하며, 기체가 착륙할 때에 받는 충격 하중이나 지상 활주 시에 진동하중을 흡수하여 직접적으로 기체구조에 악영향을 미치지 않도록 한 장치이다. 대표적인 것으로 올레오 버팀대(Oleo Strut)가 있다.

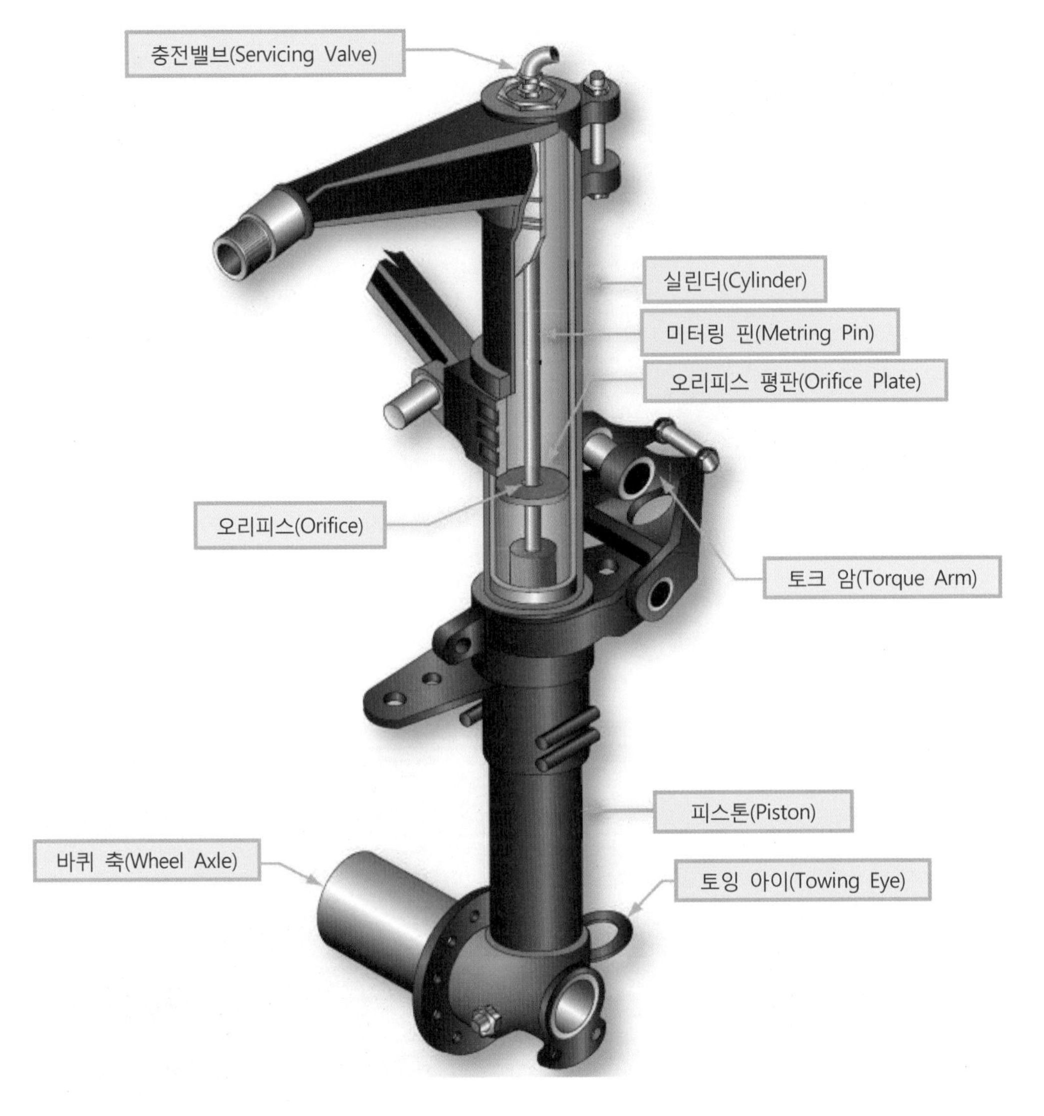


그림 1-44. 착륙장치 충격 버팀대(Landing Gear Shock Strut)

### 7.3.1. 올레오 공압식 완충장치(Oleo Pneumatic Shock Absorber)

실린더(Cylinder)와 피스톤(Piston)으로 구성되어 있으며, 실린더 안에는 유압유와 압축공기 또는 질소가스(Nitrogen)가 밀폐되어 있고, 실린더 내에 설치된 오리피스(Orifice)를 유압유가 통과할 때 유체마찰 에너지가 소모되는 것에 의해 충격을 흡수한다.

## 7.4. 휠과 타이어(Wheel and Tire)

항공기 차륜은 휠(Wheel)과 타이어(Tire)로 구성된다. 휠은 타이어와 같이 회전하므로 차륜과 휠 사이에는 베어링(Bearing)이 들어있다.

### 7.4.1 휠(Wheel)

휠의 재질은 알루미늄(Aluminum)합금 또는 마그네슘(Magnesium)합금으로

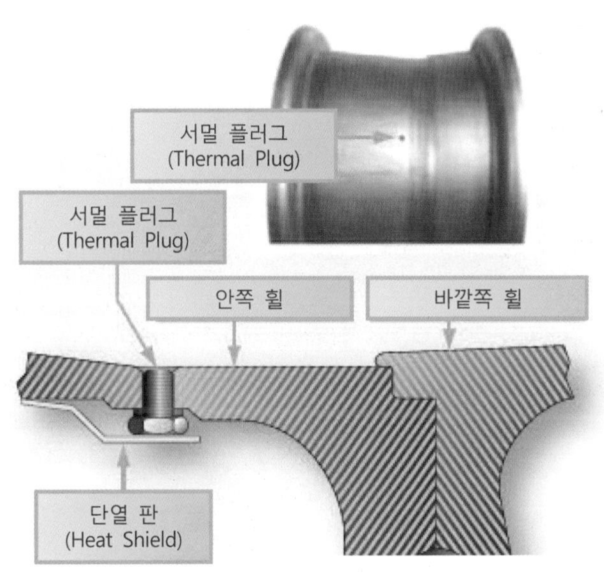


그림 1-45. 서멀 플러그(Thermal Plug)

되어있으며, 안쪽 휠(Inner Wheel)에는 일종의 퓨즈역할을 하는 3~4개의 서멀 플러그(Thermal Plug)가 장착되어 제동장치(Brake)의 과열 등으로 타이어 공기 압력이 과다하게 높게 되었을 때 플러그가 녹아서 압력이 빠져나가게 되어 있다.

### 7.4.2. 타이어(Tire)

층층으로 겹쳐진 바이어스(Bias)의 플라이 코드(Ply cord)와 트레드 고무(Tread rubber) 및 비드(bead)로 되어 있다.

항공기 타이어는 고속, 고 하중 또는 광범위한 온도 변화가 극심한 환경에서 사용되므로 지면과의 접착성과 열의 발산성이 좋고, 강도가 높은 재료(천연고무, 나일론)가 사용되고 있다. 일부 소형기를 제외하고 대부분 튜브가 없는 튜브리스 타이어(Tubeless Tire)를 사용하고 있다.

그림 1-46의 타이어의 단면을 보면 내측부분에 카카스 플라이(Cacass Ply)라고 부르는 고무로 씌워진 비스듬한 나일론 천(Nylon Fabric)이 몇 장 들어가 있고, 타이어 공기압력에 견디어 낼 수 있게 고무부분을 보장하고 있

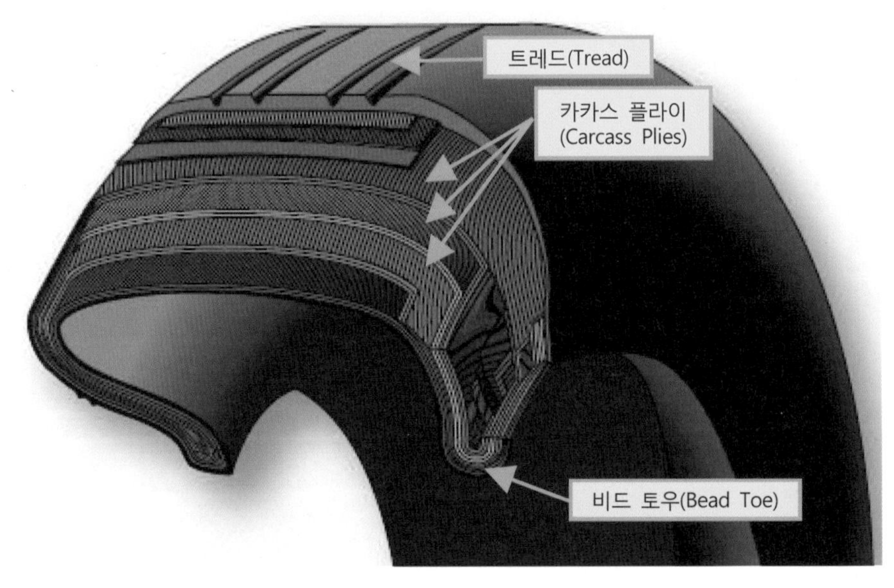


그림 1-46. 바이어스 플라이 타이어(Bias Ply Tire)

다. 예전에는 10 플라이(Ply)의 타이어라고 하면 강력 인조포가 10장 겹쳐져 있는 것을 의미했지만, 최근의 나일론 플라이(Nylon Ply)는 강력 인조포보다 강력하게 되어 있어 타이어에 표기되어 있는 플라이 수는 포의 매수를 표시하는 것이 아니고, 타이어의 강력함을 나타내는 것으로 되었다.

트레드 형태(Tread Pattern)는 원주방향에 홈을 붙인 형태가 주로 사용되고 있다. 대형 항공기의 경우, 과도한 착륙중량과 빈번한 이착륙으로 인하여 타이어 마모가 커짐에 따라 타이어 교환이 빈번하게 이루어진다.

새 타이어의 구매비용을 줄이기 위하여 마모된 트레드를 갈아버리고 새로운 트레드 고무(Tread Rubber)에 유황을 첨가하여 가열 접착하는 재생(Re-Cap)을 행하는 것이 보통이다. 이물질에 의한 손상을 받지 않는다면 타이어 재생은 일반적으로 5회 정도 가능하며, 경우에 따라서는 10회 이상도 할 수 있다.

## 7.5. 제동장치(Brake System)

항공기 착륙장치에는 착륙 활주거리의 단축, 지상 주행 중 속도조절(Speed control) 및 임의의 위치에서 정지하기 위해 제동장치가 장비되어 있다.

그림 1-47. 보잉 737 카본 브레이크(Carbon Brake)

제동장치의 종류는 유압에 의해 조절되는 디스크 브레이크(Disc brake)가 일반적이며, 소형기에서는 자동차의 디스크 브레이크와 같은 싱글 디스크 브레이크(Single disc brake)가 많이 사용되고 있지만, 대형기에서는 멀티플 디스크(Multiple disc)가 사용되고 있다. 구조로는 몇 장의 회전 디스크(Rotor disc)가 휠(Wheel)에 고정되어 바퀴와 같이 회전하고, 고정 디스크(Stator disc)는 회전 디스크 사이에 교대로 들어가 있으며, 착륙장치 구조물(Landing gear structure)에 장착되어 회전하지 않는다. 제동은 이 2가지의 디스크를 유압으로 밀착시켜 그 마찰에 의해 걸리게 되어 있다.

최근에는 그림 1-47과 같은 무게가 가볍고 열에 강한 특성을 가진 카본 디스크 브레이크(carbon-disc brake)를 많이 사용하고 있다.

### 7.5.1. 미끄럼 방지 제어장치(Anti Skid Control System)

비행기가 착륙접지 후 브레이크를 세게 밟으면 바퀴의 회전이 멈추고 미끄러짐(Skid)을 일으켜 옆으로 미끄러진다든지 타이어가 한쪽으로 닳든지 하여 위험하게 되는 한편 제동거리도 길어지게 된다.

그림 1-48. 2개의 미끄럼 방지 조절밸브(Antiskid Control Valves)

미끄럼 방지 장치는 브레이크를 작동할 때 휠(Wheel)이 미끄러지는 것을 방지하기 위하여 제동압력(Brake Pressure)을 계속 조절하므로써 멈춰진 휠의 제동압력을 풀어주어 제동효율을 최대로 증가시키고 활주거리를 단축시키며 타이어의 수명을 최대로 연장하게 한다.

### 7.5.2. 비상 제동장치(Emergency Brake)

비상 제동장치는 브레이크를 작동하는 유압계통에 고장이 생겼을 경우 브레이크 축압기(Brake Accumulator)에 약 3,000psi(200기압)로 가압된 질소가스를 이용하여 브레이크를 작동시킨다.

그림 1-49. 비상 브레이크 축압기(Emergency Brake Accumulators)

### 7.5.3. 자동 제동장치(Auto Brake System)

활주로 길이 또는 상태에 따라 조종사가 선택한 일정한 감속율을 유지하기 위해 제동장치(Bake System)가 자동으로 작동한다.

자동제동장치를 작동시키기 위해서 착륙 전에 조종사는 해당 자동제동선택스위치(Auto Brake Selector Switch)를 사용하여 감속률을 선택하여 준다.

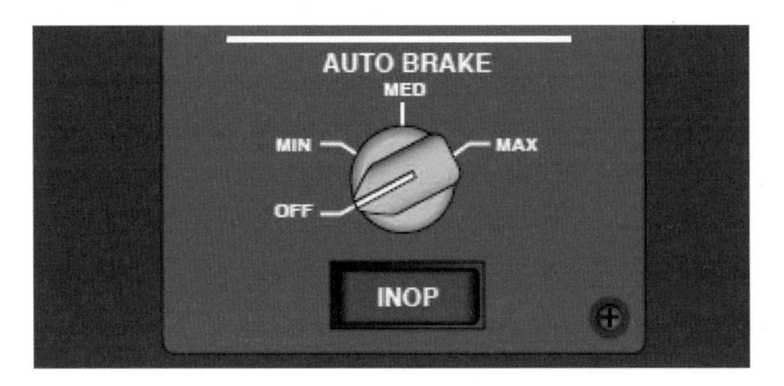


그림 1-50. 자동 제동선택 스위치(Auto Brake Selector Switch)

또한, 조종사가 브레이크 페달(Brake Pedal)을 일정치 이상 밟으면 자동제동 장치는 해제된다.

# 8. 산소계통(OXYGEN SYSTEM)

산소계통은 공기가 희박한 고고도를 비행하는 항공기에 요구되는 장치의 하나로써 객실여압장치에 이상이 발생하였을 경우 탑승자 전원에게 산소를 공급하는 장치이다.

현대의 항공기는 성능향상 도모를 위하여 고 고도로 운항한다. 항공기의 고도가 증가하면 공기가 희박해지고 생명 유지에 필수적인 산소 또한 희박해지므로 항공기에 탑승하고 있는 승무원과 승객이 지상에서 호흡하는 것과 같은 상태로 만들어주기 위하여 객실을 여압하고 있다. 이와 같이 객실여압이 정상적으로 작동할 경우에는 별도의 산소공급 장치가 필요 없지만 객실여압장치가 고장 날 경우를 대비하여 산소계통(Oxygen System)이 준비되어 있다.

산소계통은 조종실 근무자를 위한 설비와 객실 승무원과 승객을 위한 계통으로 크게 구분되어 있다.

## 8.1. 조종실 산소계통

일반적으로 고압의 산소 저장용기(oxygen cylinder)에서 산소를 공급하고 있으며, 조종실에서는 필요한 산소요구량에 따라서 공급되는 산소의 농도를 조절하여 호흡할 수 있도록 되어 있다.

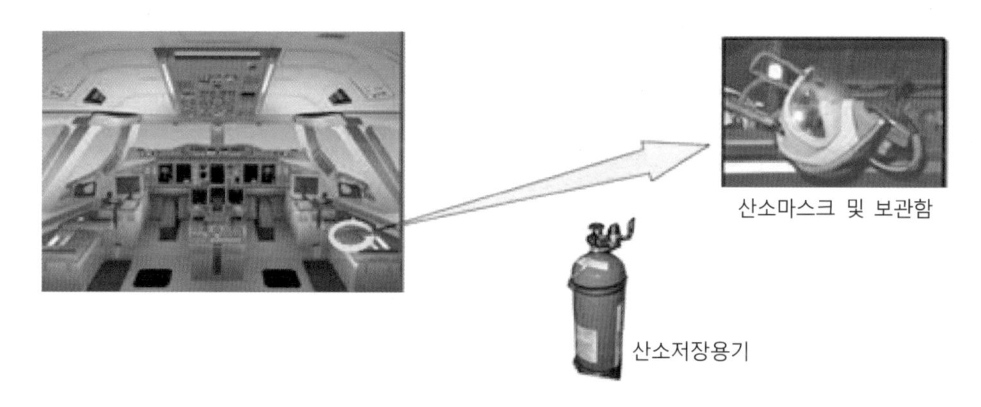


그림 1-51. A-380 조종실 산소계통

## 8.2. 객실 산소계통

승객을 위해서는 일정량의 산소가 연속적으로 승객들 개인에게 공급되도록 되어 있다. 이 때 객실로 공급되는 산소의 농도는 고압용기에 담겨진 산소의 압력을 낮추어서 객실고도에 적절한 상태로 공급되거나 혹은 화학적인 방법에 의한 산소 발생기로부터 정해진 양의 산소가 연속적으로 승객의 마스크(Mask)로 공급되어진다.

객실의 여압장치가 제 기능을 수행하지 못하거나 동체에 구멍이 나서 실내의 기밀을 유지하지 못하게 되면 압력저하와 산소부족을 가져오게 되어 위험하게 된다. 이때 객실 산소 공급계통은 항공기를 산소공급이 필요로 하지 않는 고도까지 긴급강하(Emergency Decent)를 할 때 그 강하에 걸리는 시간만큼의 비상용 산소를 탑승자에게 공급한다.

객실 고도가 일정 수준 이하로 떨어지면(객실 내 압력이 0.7기압 이하) 자동적으로 산소마스크(Oxygen Mask)가 떨어지는데 승무원의 판단에 의해 임의로 작동시킬 수도 있다.

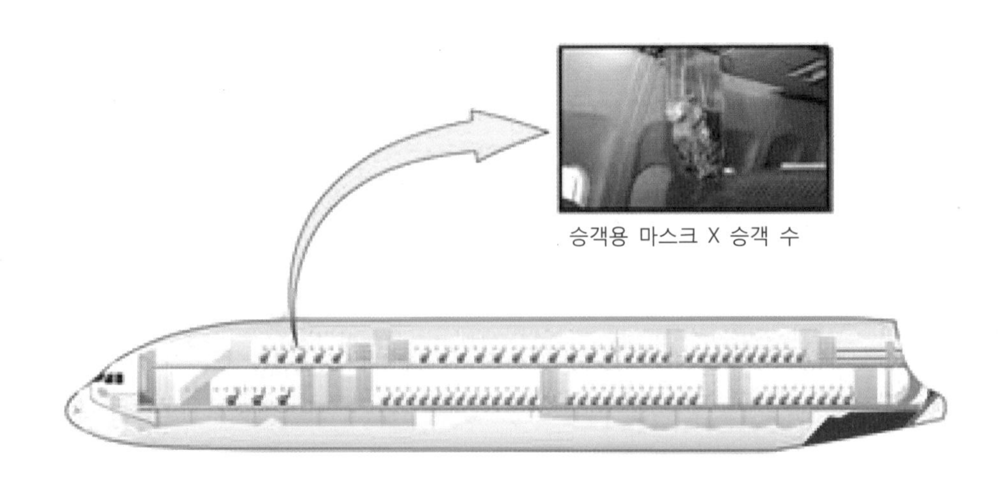


그림 1-52. A-380 객실 산소계통

# 9. 공압계통(PNEUMATIC SYSTEM)

공압계통은 엔진, 보조동력장치(APU) 또는 지상동력장비(Gas Turbine Compressor)로부터 배출된 고온고압의 브리드 공기(Bleed Air)를 공기조절계통(Air Conditioning System)과 여압계통에 공급할 뿐만 아니라 날개 및 엔진 입구 등의 방빙, 엔진시동 등의 열원이나 압력원 및 동력원으로 사용하고 있다.

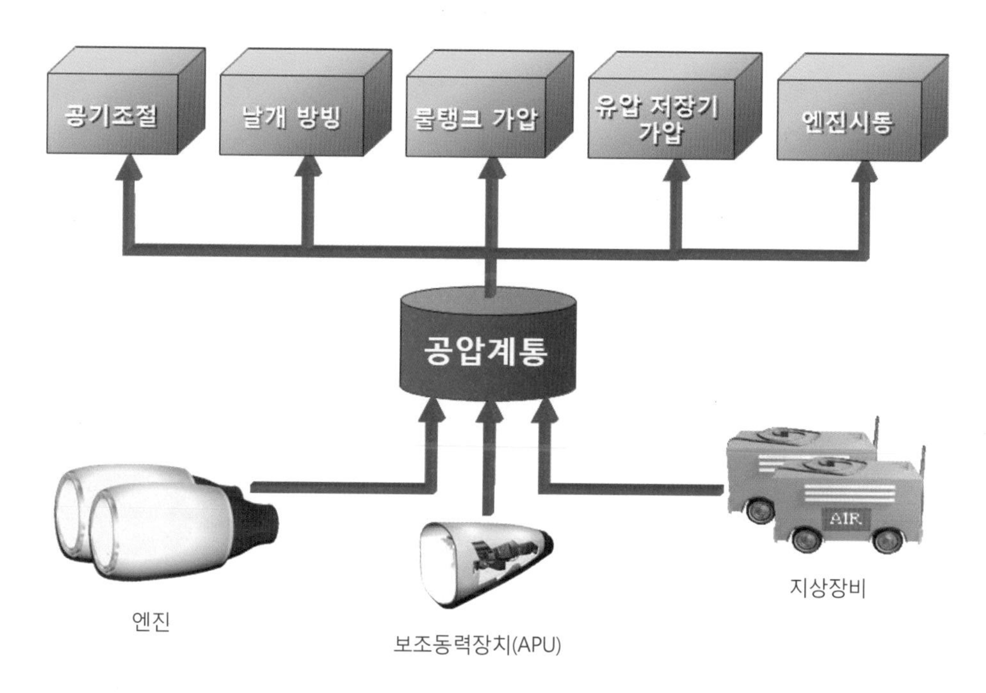


그림 1-53. 공압계통의 공급원

## 9.1. 공압 공급원 조절

비행 중에 고압공기의 주공급원은 각 엔진의 압축기 브리드 공기(Compressor Bleed Air)이다.

중간압력 브리드 공기(Intermediate Pressure Bleed Air)의 압력이 공압계통의 요구에 충분치 못할 경우 고압 차단밸브(High Pressure Shut Off Valve)를 통해 고압 브리드 공기(High Pressure Bleed Air)가 사용된다.

또한 각 엔진의 브리드 공기는 크로스브리드 덕트(cross bleed duct)에 의해서 서로 연결되어 있으며, 크로스 브리드밸브(cross bleed valve)에 의해서 연결되거나 차단된다(그림 1-54).

## 9.2. 브리드 공기(Bleed Air) 압력 및 온도 조절

중간압력 또는 고압 브리드 공기는 공압계통으로 가기 전에 엔진에 장착되어 있는 압력조절밸브(Pressure Regulator Valve)를 통과하면서 일정 압력으로 조절이 되고, 예냉기(Precooler)를 통과하면서 열 교환기에서 차가운 팬 공기(Fan Air)에 의해 일정 온도로 조절이 되어 각 사용처에 공급된다.

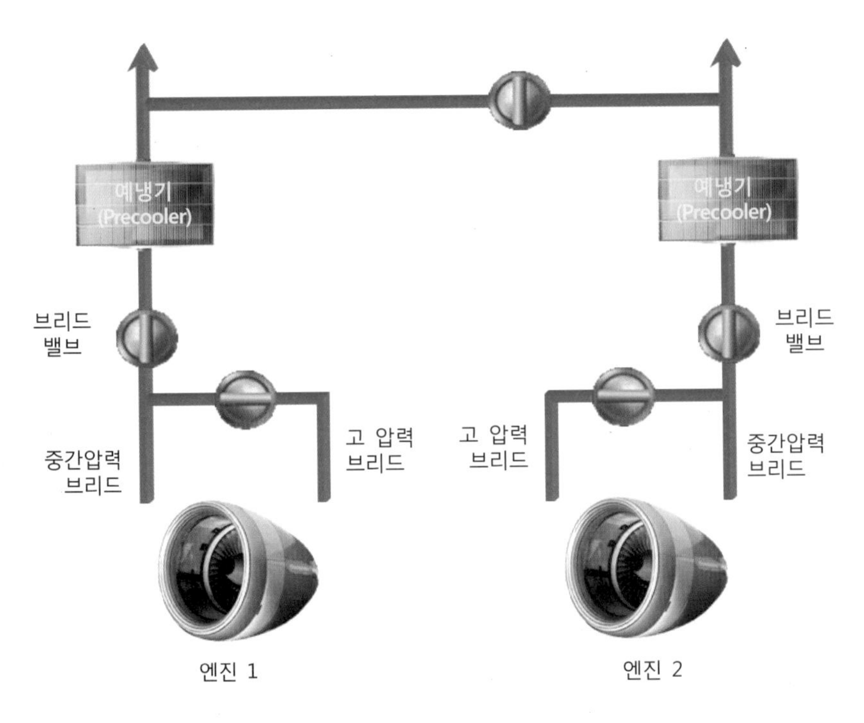


그림 1-54. 공압계통의 압력 및 온도조절

# 10. 음용수와 폐수 계통(WATER & WASTE SYSTEM)

용수와 폐수(Water & Waste)계통은 음용수 계통과 폐수처리 계통으로 분류된다.

## 10.1. 음용수 계통(Potable Water System)

음용수 계통(Potable Water System)은 주방(Galley)이나 화장실(Lavatory)에서 사용하고, 마시고, 씻을 수 있는 물을 저장하고 공급한다.

물탱크(Water Tank)에서 주방이나 화장실에 물을 공급하는 방법은 물 펌프(Water Pump)를 사용하지 않고 물탱크 내부를 압축기 또는 지상 공기압력 공급 장치로 가압하여 공급하여 공급한다. 또한, 음용수 서비스 판넬(portable water service panel)을 통해서 물탱크에 물을 보충할 수 있다.

그림 1-55. 음용수 서비스 판넬을 통한 물 보충

## 10.2 폐수처리 계통(Waste Disposal System)

폐수처리 계통은 변기계통(Toilet System)과 폐수배출계통(Waste Water Drain System)으로 이루어져 있다.

변기는 화장실내에 설치되어 있으며, 승객의 대소변을 위생적으로 처리하여 인간의 가장 근본적인 욕구를 충족시켜 주는 계통이다. 변기탱크(Toilet Tank)내에 있는 폐수는 오직 지상에서만 배출(Drain)시켜 처리할 수 있도록 되어있다.

폐수배출계통은 주방의 싱크(Sink)와 화장실 세면대에서 사용한 물을 드레인 마스트(Drain Mast)를 통하여 항공기 외부로 배출하는 계통이다.

드레인 마스트는 동체의 하부에 장착되어 있으며, 빙결을 방지하기 위하여 전기로 가열한다. 지상에서는 약하게 비행 중에는 세게 가열되도록 되어있다.

그림 1-56. 동체하부의 드레인 마스트(Drain Mast)

# 11. 보조동력장치(AUXILIARY POWER UNIT)

보조동력장치(APU)는 지상이나 공중에서 항공기에 전기를 공급하고, 엔진 시동과 공기조절 및 여압을 위한 공압을 제공하는 일종의 가스터빈장치(Gas Turbine Unit)이다. 장착위치는 항공기 종류에 따라 차이는 있으나 주로 항공기 동체 미부(Tail Cone)에 장착되어 있다.

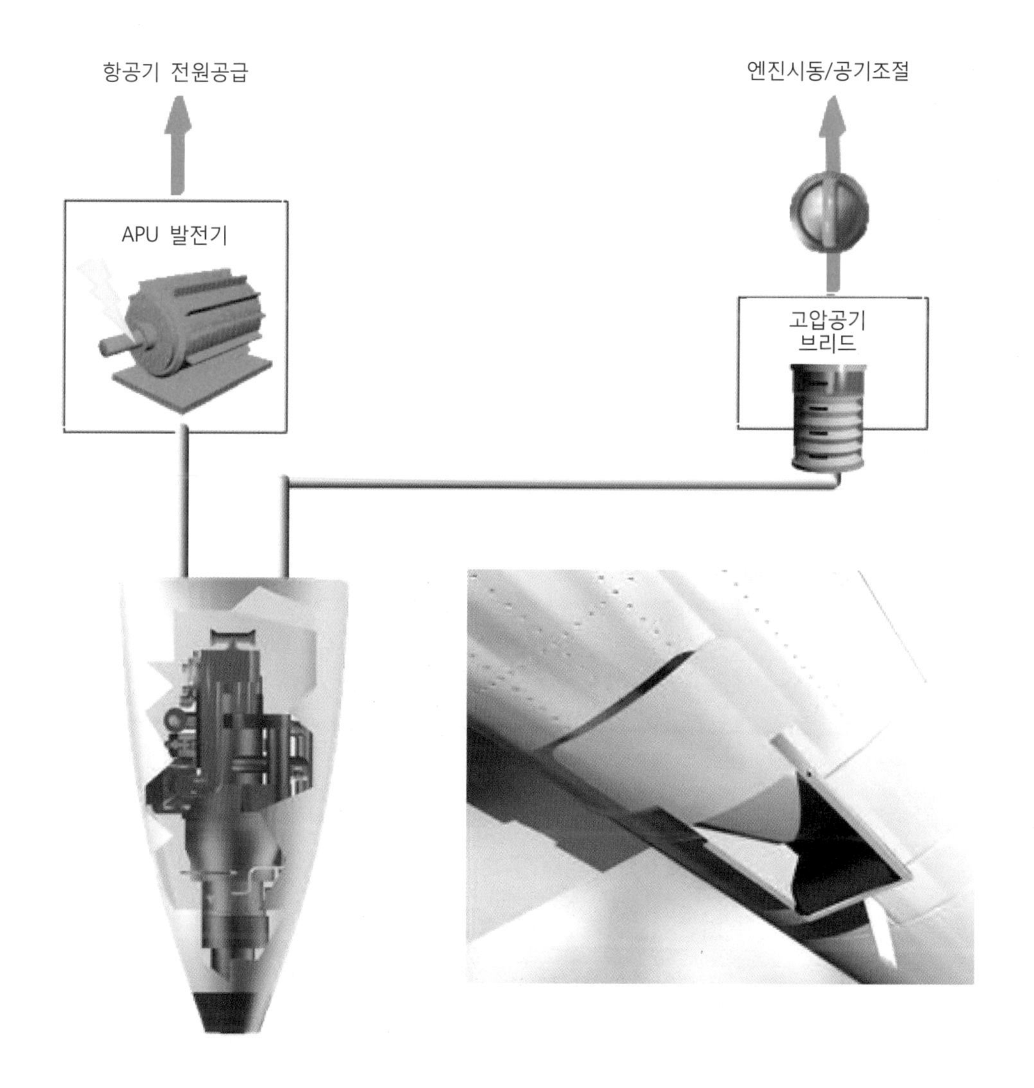


그림 1-57. 보조동력장치 장착위치 및 역할

## 11.1. 보조동력장치(APU) 작동

APU는 전기와 압축공기를 생산해서 항공기에 제공하는 소형 동력 장치로서 그 작동 원리 및 구조는 항공기 엔진과 유사하다. APU는 외부 공기를 흡입해서 압축기(Compressor)가 압축해낸 공기를 연소실로 보내고 그 곳에서 항공기 연료 탱크로부터 공급 받은 연료와 공기를 혼합하여 연소시킨다.

연소로 인해서 생긴 연소가스에 의해 계속적으로 구동되고, 연소 가스는 최종적으로 외기로 배출된다.

## 11.2. 전기 및 공압 생산

보조동력장치에서 전력을 생산하는 기능을 하는 발전기(Generator)는 APU 엔진 축에 의해 계속적으로 구동되기 때문에 APU가 작동 중에는 항상 전기를 생산할 수 있으며, 또한 APU의 구동에 의해 압축기도 계속 외부 공기를 받아들여 압축하기 때문에 이 압축된 공기를 계속 사용할 수 있다.

APU의 배기가스온도(EGT)와 압축기 속도, APU 발전기 및 블리드 공기 등의 파라미터(Parameter)들은 조종실에서 모니터가 가능하다.

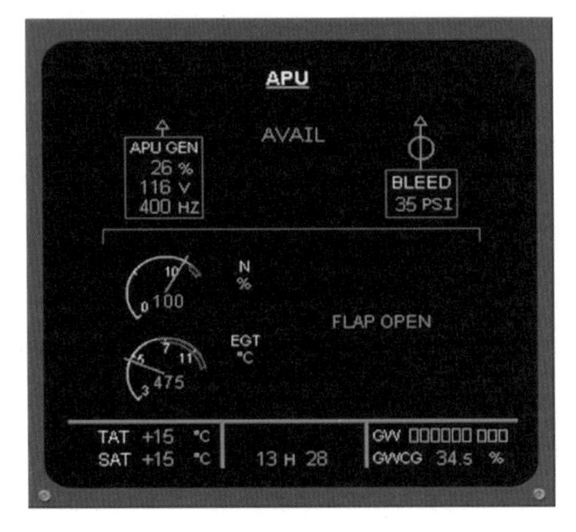


그림 1-58. Electronic Centralized Aircraft Monitor(ECAM) APU page

MEMO

# 제2장. 항공전기 · 전자 계통 [AVIONICS SYSTEM]

피스톤 발동기 시대에는 전자장치라 불리는 것이 통신, 항법, 자동조종, 여압 장치 등으로 극히 한정된 것이었다. 그러나 제트엔진의 실용화와 때를 맞추어 반도체 소자가 실용화되기 시작하여 최근의 항공기에서는 전자장치의 사용분야가 대폭적으로 확대되고 있다.

Avionics란 항공(Aviation)과 전자(Electronics)의 합성어로 항공전자라는 뜻이다.

본 장에서는 ATA SPEC 100의 분류기준에 따라 항공기 전기장치 및 주요전자장치 계통을 살펴보고자 한다.

# 1. 자동비행 조종 장치 (AUTOMATIC FLIGHT CONTROL SYSTEM)

최근의 민간 항공기에서는 조종사가 항공기의 동요를 느끼고 나서 동요에 대응한다는 것은 적절한 방법이 못 된다. 또한 순항 중의 조종, 조작은 단조로운 작업이고 장시간에 걸친 조종은 조종사의 피로를 초래하여 운항 안전에 바람직하지 못하다.

이런 이유로 대형 항공기에는 자동 조종 장치가 장착되었으며, 상승-순항-진입-착륙까지의 비행자동화를 할 수 있게 되었다. 특히 자동 조종 장치는 2중(Dual) 또는 3중(Triple)으로 설계되어 계통의 일부가 고장이 나도 지장 없이 비행할 수 있도록 되어 있다.

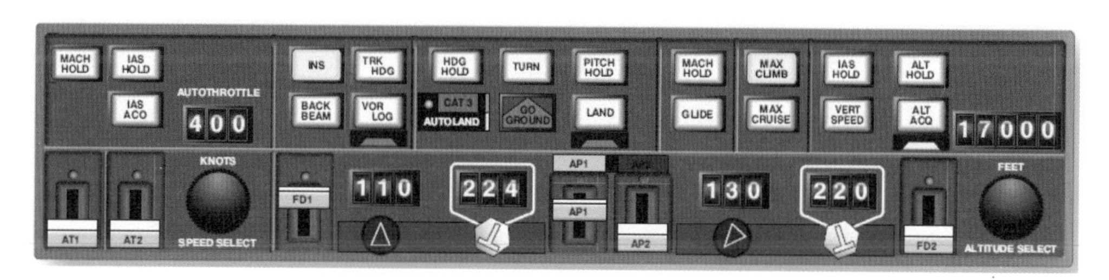


그림 2-1. 자동비행조종장치 조종판(AFCS control panel)

## 1.1. 비행지시기(Flight Director : FD)

조종사가 선택한 비행경로대로 비행할 수 있도록 희망하는 방위, 고도, 자세를 커맨드 바(Command Bar)로 지시하여 주며, 조종사는 이 명령을 기초로 수동으로 조종면을 움직여야 한다.

또는 오토파일럿(Auto Pilot)과 연계되어 작동 시에는 자동 조종되어 비행할 방위, 자세 등을 지시하여 주기도 한다.

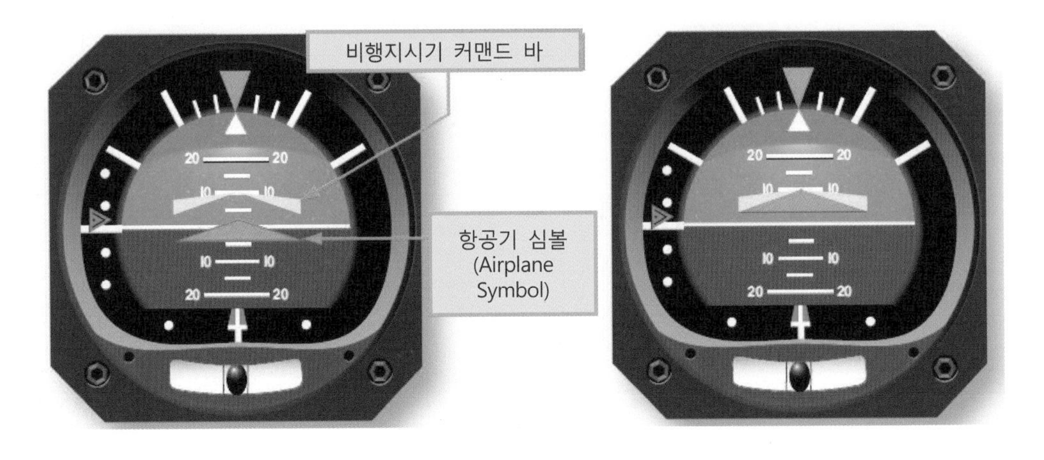


그림 2-2. 비행지시기 커맨드 바 신호(Fight Director Command Bar Signals)

## 1.2. 자동조종장치(Auto Pilot : AP)

초기의 자동조종장치는 항공기가 비행 중 난류(Turbulence)를 만나더라도 자동적으로 자세를 안정시켜서 일정방향으로 비행시키는 것이 목적이었다. 그러나 현재에는 오토파일럿 컴퓨터(AP Computer)가 항공기의 여러 감지기로부터 현재의 항공기 자세, 방위, 속도 등의 자료를 제공받고, 조종사가 선택한 자동모드(Auto Mode)에 따라 비행경로를 자동 비행할 수 있도록 조종면을 움직여 준다.

비행관리시스템(Flight Management System : FMS)이 장착된 최근의 항공기에서는 조종사가 비행 전에 비행계획을 FMS를 통해 입력하면 오토파일럿(Auto Pilot)은 이륙을 제외한 모든 비행 상태에서 항공기를 자동 비행할 수 있도록 해준다. 특히 자동 착륙(Autoland) 중에는 2개 또는 3개 채널(Channel)의 오토파일럿이 작동되어 항공기를 활주로에 안전하게 착륙할 수 있도록 설계되어 있다. 오토파일럿의 고장 시에는 항공기에 심한 동요가 발생될 수 있으며, 조종사의 피로가 급증하게 된다.

## 1.3. 자동 추력 장치(Auto Throttle)

엔진의 파워 레버(Power Lever)를 자동으로 동작하여 항공기 엔진의 추력을 비행 상태와 조종사 선택에 따라 자동으로 제어해주며 엔진의 수명을 연장시켜주고 연료를 절감시켜주는 기능을 수행한다.

그림 2-1과 같이 속도 선택기(Speed Selector)에 의해 세팅(Setting)된 지시대기속도(Indicated Airspeed)를 유지하도록 자동적으로 추력을 조절해주며, 자동 착륙(Automatic Landing)시에는 전파고도계(Radio Altimeter)가 약 50피트에 도달되면 자동적으로 추력을 줄여주고, 비행 상황에 따라 컴퓨터가 계산한 최대허용 압력비를 유지하여 자동 착륙이 가능하여지는 것은 물론 추력조절이 자동화됨으로써 조종사의 부담을 경감할 수가 있다.

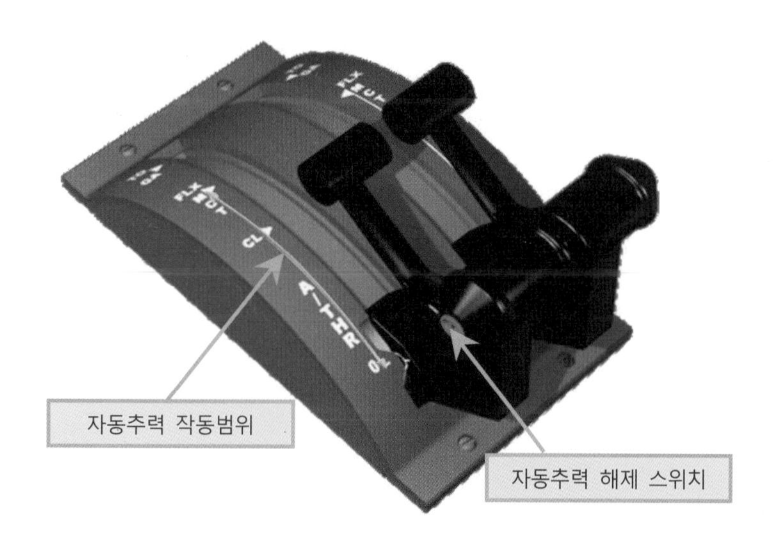


그림 2-3. 엔진추력레버(Engine Thrust Lever)

## 1.4. 자동착륙장치(Automatic Landing System)

과거의 자동진입장치(Automatic Approach Equipment)를 발전시켜 접지조작까지 자동적으로 할 수 있게 한 것으로써 현재는 자동조종계통 기능 중 일부분으로 되어있다.

자동착륙장치는 본래 여하한 악천후에서도 안전하고 확실하게 착륙하는 것을 목적으로 한 것으로써 국제민간항공기구(ICAO)에서는 전천후 착륙장치(All Weather Landing System)의 개발을 단계적으로 추진하기 위해 5가지의 항목(Category)을 다음과 같이 설정하고 있다.

- CAT I : 결심고도(Decision Height)[1]가 200피트, 활주로시정 2,600피트 이상에서 착륙
- CAT II : 결심고도(Decision Height)가 100피트, 활주로시정 1,200피트 이상에서 착륙
- CAT IIIA : 활주로시정 700피트 이상에서 착륙의 최종단계에서 바깥을 보며 착륙
- CAT IIIB : 활주로시정 150피트 이상에서 외부시계에 의지하지 않고 계속 바깥을 보며 지상 활주
- CAT IIIC : 활주로시정 0인 상태에서 외부시계에 의지하지 않고 착륙 및 지상 활주

## 1.5. 요 댐퍼(Yaw Damper System)

항공기가 비행 중 측풍 또는 급변하는 기류를 만나게 되면 옆으로 흔들리는 요잉(Yawing) 현상이 나타난다. 요 댐퍼계통은 이러한 현상을 줄여주기 위해 컴퓨터가 자동적으로 방향타(Rudder)를 움직여 준다.

보통 요 댐퍼는 두개가 장착되어 있어 이중 하나가 고장이 나더라도 작동중인 나머지 하나로 요 댐핑(Yaw Damping) 기능을 수행할 수 있다. 그러나 만약 두 개 모두가 고장일 경우에는 항공기는 심하게 흔들릴 것이고, 비행고도 및 속도가 제한되며, 조종사는 방향키 페달(Rudder Pedal)을 이용, 수동으로 방향타(Rudder)를 움직여서 항공기의 흔들림을 없애야만 한다.

---

1) 조종사가 착륙여부를 결정하는 고도

# 2. 통신장비 계통(COMMUNICATION SYSTEM)

통신장치 계통은 항공기가 비행 중 관제기관과 무선교신을 위해 필요한 라디오(Radio)와 위성전화, 객실 승무원과의 통화를 위한 인터폰(Interphone), 기내방송(Passenger Address)을 위한 방송시스템 및 지상직원과의 통화를 위한 인터폰(Interphone)으로 구성 되어 있다.

또한, 국제민간항공기구(ICAO)에서 추진하고 있는 위성항행시스템(CNS/ATM)방식의 비행환경을 위한 데이터 링크 통신 시스템(Data-Link Communication System)을 운영하고 있다.

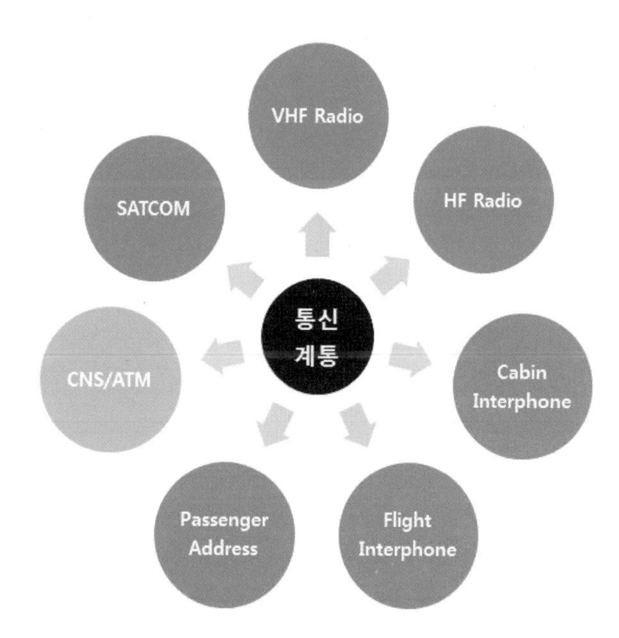


그림 2-4. 통신장치 계통(COMMUNICATION SYSTEM)

## 2.1. 무선 시스템(Radio Communication)

항공기에는 기종 별로 2-3개의 단거리용 VHF 라디오(Radio), 2개의 장거리용 HF 라디오(Radio) 및 위성용 SATCOM을 장착하여 사용 하고 있다.

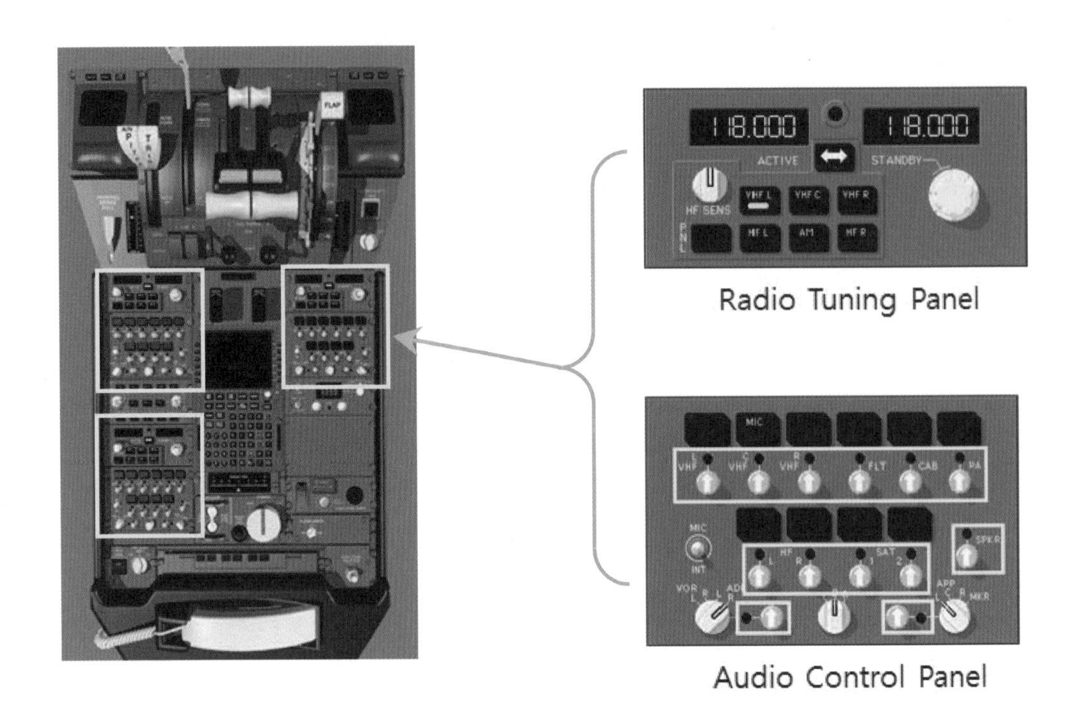


그림 2-5. 라디오 튜닝 패널과 음향조절 패널

통신을 위하여 라디오 튜닝 패널(Radio Tuning Panel)에서 라디오와 주파수를 선정하며, 음향조절 패널(Audio Control Panel)에서 각종 라디오와 인터폰(interphone)을 선정하여 송수신을 할 수 있다.

### 2.1.1. 초단파 통신장치(Very High Frequency : VHF System)

주파수 118MHz ~ 136MHz의 초단파 밴드(VHF Band)를 사용한 근거리 통신장치로서 항공기 운항 통신에 있어서 가장 기본이 되는 통신 수단이다. VHF 밴드의 전파는 대단히 안정된 통신이며 안테나 계통도 소형화됨에 따라 국내선 및 공항주변에서의 근거리 무선통신은 대부분 이 통신장치가 이용되고 있다. 주파수가 높아 잡음과 간섭이 적어 비교적 양호한 음질로 통신이 가능하고 주로 육상 비행 시에 사용된다.

보통 VHF Radio는 공중에 올라 갈수록 높이에 따라 송수신 거리가 달라지는데 항공기 순항고도 30,000 피트에서의 송수신 거리는 약 200-300 km 정도 이다.

### 2.1.2. 단파통신장치(High Frequency : HF System)

VHF와 같은 목적으로 사용되는 무선통신 장치이나 2MHz~30MHz의 주파수를 사용하므로 VHF에 비해 원거리 통신에 사용된다. 주로 해상 비행 시 원거리에 있는 무선국과의 통신에 사용되나 VHF에 비해 잡음과 간섭이 심하다.

HF 라디오를 이용하여 태평양 상공에서도 인천공항과의 교신이 가능하다. 조종사들은 이 장비를 이용하여 기상정보, 관제지시 등을 받으므로 장거리 비행을 하는 국제선 항공기에서는 반드시 작동되어야 한다.

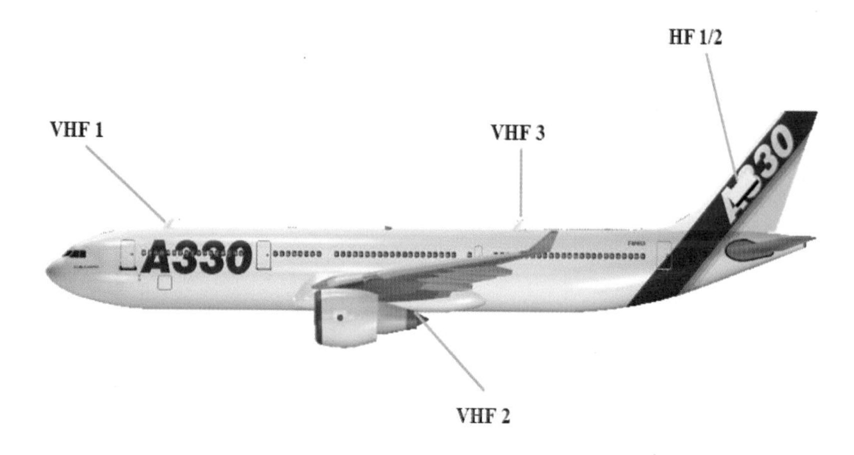


그림 2-6. A330 항공기 통신 안테나 위치

## 2.2. 데이터 링크 시스템(Data Link System)

CNS/ATM은 ICAO에서 제정한 새로운 방식의 항공기 운영 시스템이다. CNS/ATM의 의미는 다음과 같다.

- C (Communication,통신)
- N (Navigation,항법)
- S (Surveillance)
- ATM (Air Traffic Management)

최근의 항공기에는 데이터 통신(Data Communication)을 할 수 있는 시스템이 설치가 되어 있으며, 핸드폰의 문자 메시지 전송과 같은 개념의 방식으로 조종사와 관제사간 또는 조종사와 항공사 간의 문자를 바탕으로 한 통신이 가능하게 되어있다. 또한 이러한 장비에는 ADS(Automatic Dependent Surveillance)를 장착하여 관제기관에서 항공기의 모든 정보를 가져 갈수 있는 시스템을 이용하여 항공기의 관제에 이용한다. 따라서 이러한 시스템을 이용하여 항공기를 디지털로 관리를 함으로 보다 효율적으로 운영 할 수 있는 시스템이다.

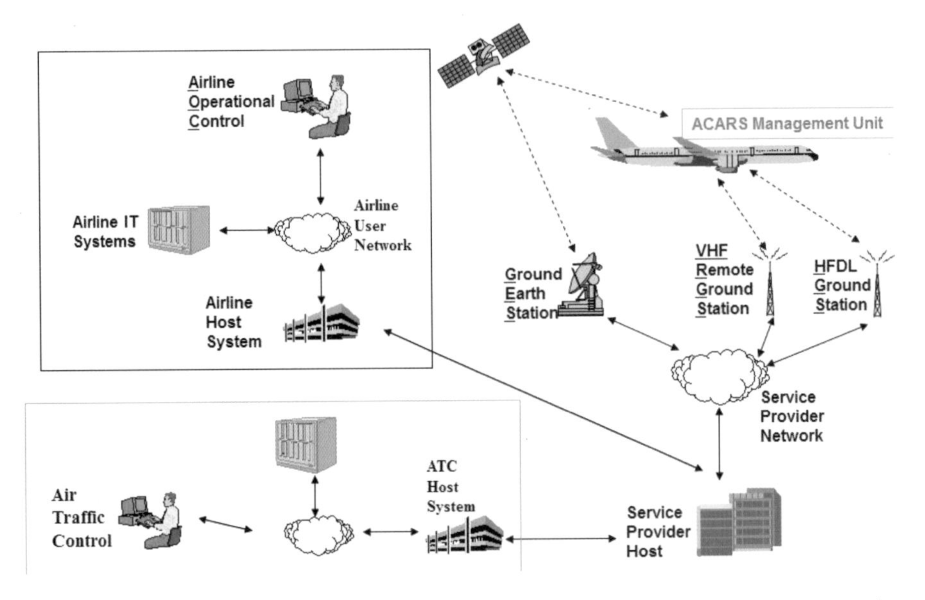


그림 2-7. 데이터 링크 통신 네트워크(DATA LINK Communication Network)

## 2.3. 인터폰 장치(Interphone System)

인터폰 장치에는 승무원 인터폰 장치(Flight Interphone System), 서비스 인터폰 장치(Service Interphone System) 및 기내방송장치(Passenger Address System)등이 있다.

### 2.3.1 승무원 인터폰 장치(Flight Interphone System)

비행 중에는 조종실 내의 운항 승무원 상호간에 통화를 가능케 하며, 지상에서는 항공기가 택싱(Taxing)하는 동안 지상의 요원과 조종실 내 운항 승무원간에 통화를 가능케 하는 장치이다.

특히 승무원 인터폰은 조종실 내의 모든 오디오를 증폭시켜 운항승무원에게 들리도록 해주는 기능을 갖고 있음으로 결함이 발생되면 조종실내 모든 통신이 두절되어 비행안전에 막대한 지장을 초래하게 된다.

그림 2-8. 승무원 인터폰 장치(Flight Interphone System)

### 2.3.2. 서비스 인터폰 장치(Service Interphone System)

비행 중에는 조종실과 객실승무원간의 통화연락을 지상에서는 조종실과 정비점검 상 필요한 기체외부와의 통화연락을 위한 장치이다. 기체외부와 통화를 할 경우에는 기체외부에서 핸드 마이크(Hand Mike)와 헤드셋(Head Set)의 단자를 연결하여 사용한다.

### 2.3.3. 기내방송장치(Passenger Address System)

조종실과 객실 승무원석에서 승객에게 전달할 내용을 기내로 방송하는 장비이다. 이 장비는 특히 비상사태 시에 사용되어야 하는 장비이기 때문에 반드시 작동되어야 하는 통신 장비이다. 또한 이 장비는 비행 중 승객의 피로감을 덜어주기 위하여 음악 및 영상 등을 제공하기도 한다. 그러나 동시에 여러 가지가 제공될 수가 없으므로 우선순위에 의하여 작동된다.

최우선 순위는 조종실에서 제공하는 방송이고, 두 번째는 객실 승무원석에서 제공하는 방송, 셋째는 사전 녹음된 방송(Pre-Recorded Announcement) 마지막으로 보딩 뮤직(Boarding Music)과 음향·영상(Audio·Video) 등이다.

## 2.4. 음성녹음장치(Voice Recorder System)

항공기의 추락 또는 기타 중대사고 발생시 그 원인 규명을 위하여 조종실 승무원의 통신내용 및 대화내용, 조종실내의 제반 경고음 등을 30분 동안 엔드리스테이프(Endless Tape)에 녹음하는 장비로서 최근에는 120분까지 녹음할 수 있는 장비가 개발되어 운영되고 있다.

음성녹음장치는 주로 항공기 동체 뒷부분에 장착되어 있으며, 음성녹음장치 앞에는 수중위치 신호기(Underwater Locator Beacon : ULB)가 부착되어있어 항공기가 바다에 추락 시 30일 동안 음파를 발사하여 음성녹음장치의 위치를 알려준다.

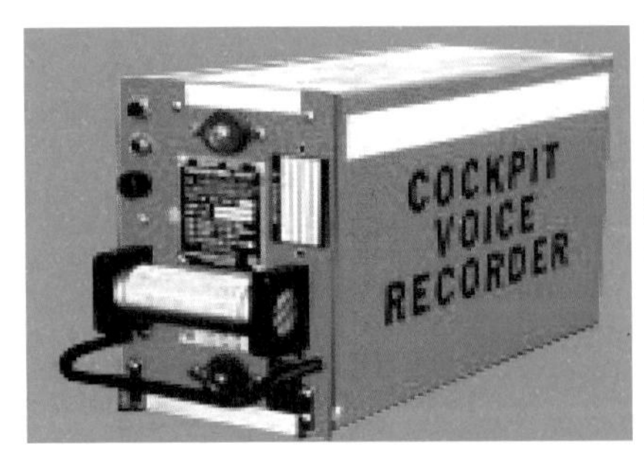

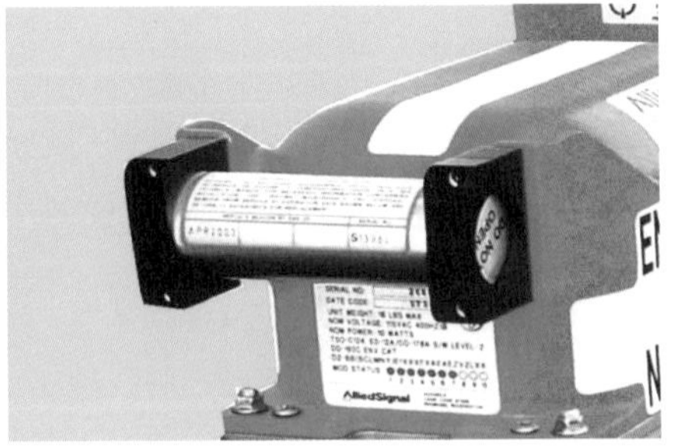

그림 2-9. 음성녹음장치와 수중위치 신호기

## 3. 전기계통(ELECTRICAL POWER SYSTEM)

현재 운항 중인 항공기의 거의 모두가 직류전원과 교류 전원을 함께 갖고 있고 이에 따라 직류 계통과 교류 계통으로 나누어진다.

소형기는 전력 수요로 봐서 전력 소모가 적으므로 직류를 주 전원으로 채택함이 유리하나, 항공기가 초대형, 고급화됨에 따라 전력 수요가 급증하여 교류를 주전원으로 채택하여 사용하고 있다. 그 이유는 직류는 발전기의 기본 장치가 간단하고 축전지와의 연관이 쉽기는 하지만 같은 용량을 갖는 교류 기구보다 30% 더 무거우며, 축전지와의 연결 때문에 저 전압 이어야 하므로 전선이 굵어져 항공기 무게가 증가한다.

그림 2-10은 전원공급 장치의 역할에 대해서 설명하고 있다.

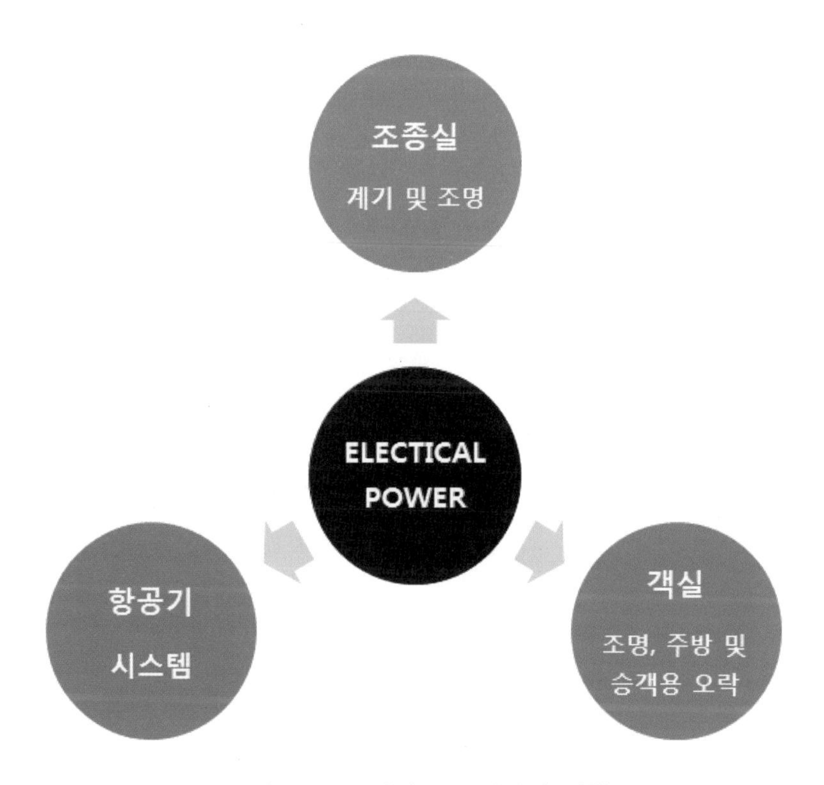


그림 2-10. 전원공급 장치의 역할

## 3.1. 항공기 전원(Power Source)

항공기에 이용되는 전원에는 엔진구동발전기(Engine-Driven Generator), 보조동력장치 구동발전기(APU Driven Generator), 지상동력장치 구동발전기(GPU Driven Generator) 및 항공기 축전지(Aircraft Storage Battery) 등이 있다.

### 3.1.1. 엔진구동 발전기

엔진구동 발전기는 엔진에 장착되어 엔진에서 발생된 기계적 에너지의 일부를 전기적 에너지로 변환시켜서 비행중 항공기에서 소모되는 모든 전력을 공급해 준다. 교류전력(AC Power)의 주전원으로서 115/200Volt, 400Hz의 전력을 항공기에 공급한다.

엔진에 장착된 교류 발전기(AC Generator)에는 일정한 주파수를 유지시키기 위하여 발전기별로 정속구동장치(Constant Speed Drive)가 함께 장착되어있었으나, 최근의 항공기들은 발전기 안에 정속구동장치가 내장되어 있는 IDG(Integrated Driven Generator)를 사용하고 있다.

그림 2-11. 엔진에 장착되어 있는 IDG(Integrated Driven Generator)

### 3.1.2. 보조동력장치 발전기(APU Generator)

엔진구동 발전기의 고장에 대비해서 별도로 항공기에 탑재하고 다니는 보조동력장치 발전기(APU Generator)는 독립된 소형엔진에 의해서 구동 되는 발전기로서 항공기에 모든 전력을 공급할 수 있을 만큼 충분한 용량을 갖고 있다.

### 3.1.3. 지상동력장치(GPU)

지상에서 엔진이 정지되어 있을 때에는 항공기의 발전기가 작동되지 못하기 때문에 지상에서의 항공기를 점검하거나 정비를 수행할 때 필요한 전력은 지상동력장치(GPU)의 지상 발전기로부터 공급 받는다.

항공기의 입장에서 볼 때 이 전력은 기체 외부로부터 공급되기 때문에 외부전원(External Power)이라고도 한다. 엔진 정지 시에 보조동력장치 발전기(APU Generator)를 사용할 수도 있으나 보조동력장치의 보호를 위해 지상에서는 지상동력장치(GPU)를 주로 사용한다.

그림 2-12. 외부전원(External Power)

### 3.1.4. 축전지 전원(Battery Power)

축전지는 비행중 항공기의 발전기나 보조동력장치가 동시에 고장인 위급한 상황에서 운항을 계속하기 위해 제한된 전자·전기기기를 동작시키기 위하여 사용한다.

무게로 인해 크기에 제한을 받기 때문에 축전지 용량을 무한정 크게 할 수는 없고 비상시에 비행을 계속하기 위한 계기, 무선통신기기 및 연료 부스터(Fuel Booster) 등에 전력을 공급하여 30분 이상 지속될 수 있도록 설계 제작함이 보통이다.

따라서 지상에서는 되도록 사용을 피하고 완전 충전 상태로 전용량을 유지함이 좋다. 또한 특별한 경우이긴 하지만 지상에서 연료 공급 시 축전지 전원(Battery Power)을 이용하는 경우도 있다.

그림 2-13. 항공기에 장착된 이중 배터리(Dual Battery)

## 3.2. 교류전력 배전(AC Power Distribution)

항공기의 교류 전원은 엔진으로 구동되는 교류발전기이고, 직류전원은 정류기(Transformer Rectifier Unit), 축전지(Battery)등이 사용된다. 이 때 교류전원의 정격은 115/200Volt, 3상, 400Hz가 사용되며, 직류전원은 28VDC가 이용된다. 항공기에 400Hz를 사용하는 것은 전기기계나 변압기를 만들 때 철심이나 구리선 등이 일반 전원의 1/6-1/8 정도이기 때문에 중량이 가벼워지기 때문이다. 항공기에서 일반 가전제품(60Hz)을 사용하려면 주파수 변환기(Frequency Converter)를 사용하여 주파수를 400Hz에서 60Hz로 바꾸어 사용해야 한다.

지상동력장치(GPU)의 교류전원은 외부전원 리셉터클(External Power Receptacle)을 통해 항공기에 공급된다. 각 전원은 각각의 전력 계전기(Power Relay)를 통해서 동체 전방 쪽의 파워센터(Power Center)에 공급되고 여기에서 항공기의 모든 전력이 배전되어 주방(Galley), 조명(Light), 펌프(Pump) 및 모터(Motor)등에 전력이 공급된다. 엔진구동 발전기가 3개 이상 장착된 항공기는 병렬운전을 원칙으로 하고 있다.

## 3.3. 직류전력 배전(DC Power Distribution)

교류전원이 주전원인 항공기에서 필요로 하는 직류전원은 엔진구동 발전기에 연결된 정류기(Transformer Rectifier Unit)로부터 얻는다. 평상시 항공기의 모든 직류부하(DC Load)는 정류기가 담당하도록 되어 있다. 배터리 충전기(Battery Charger)는 항공기에 장착된 축전지의 충전 상태를 유지시키기 위한 배터리 충전용 정류기이다.

축전지(Battery)는 전기적 에너지를 화학적 에너지로 변환 축적했다가 방전할 때 다시 전기적 에너지로 변환 공급한다. 이러한 직류전력(DC Power)은 보조동력장치 시동(APU Starting), 각종 직류 장비 조절계통에 공급된다.

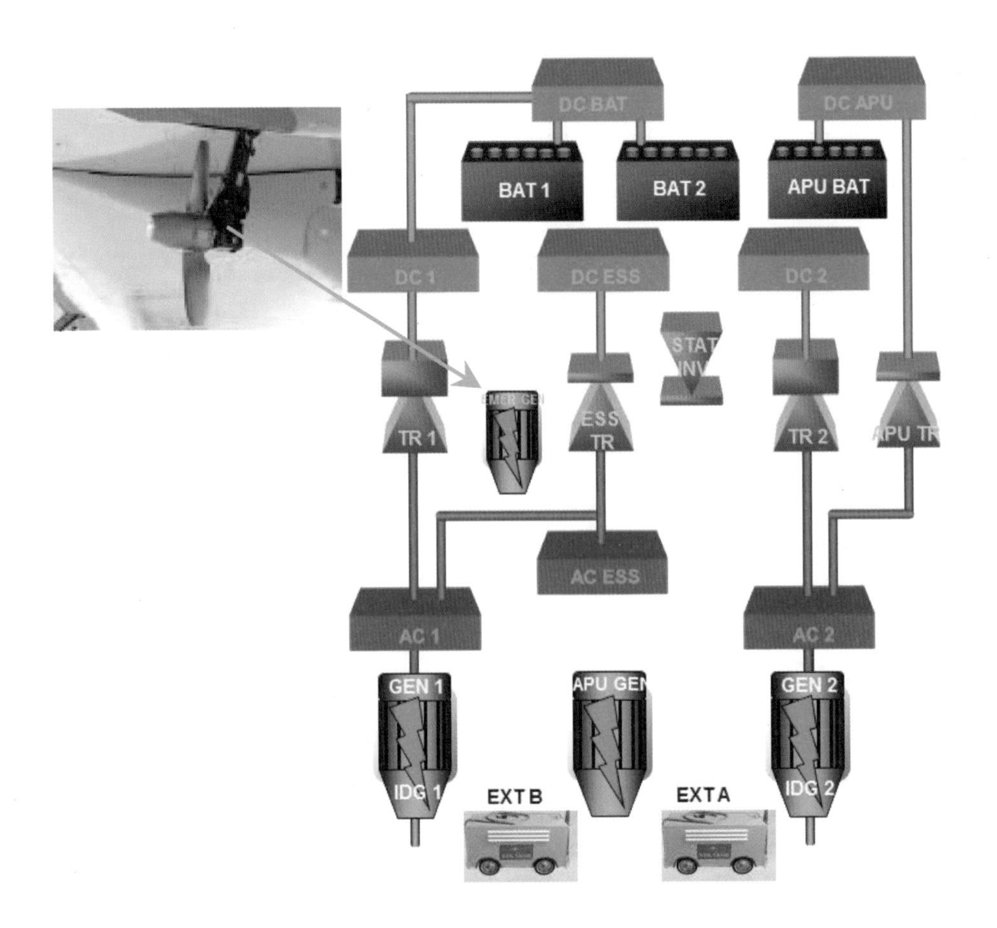


그림 2-14. 대형 항공기의 전기 계통

# 4. 화재방지계통(FIRE PROTECTION SYSTEM)

화재방지장치는 엔진, 보조동력장치(APU), 바퀴집(Wheel Well) 및 화물칸(Cargo compartment)지역에 발생된 화재(Fire), 연기(Smoke), 과열(Overheat)등을 감지하고, 승무원에게 경보(Warning)를 발하는 장치 및 화재를 소화시키는 장치로서 화재감지 장치(Fire Detection System)와 화재소화장치(Fire Extinguishing System)로 구성되어 있다.

## 4.1. 화재감지 장치(Fire Detection System)

엔진, 보조동력장치, 화물칸 및 바퀴집 등에서 발생한 화재, 과열 및 연기를 감지하여 승무원에게 화재경보(Fire Bell) 및 화재경고등(Fire Warning Light)으로 화재 발생 장소를 알려준다.

### 4.1.1. 화재 탐지기(Fire Detection Sensor)

화재탐지기에는 서멀 스위치(Thermal Switch), 루프 탐지기(Loop Detector)등이 있으며, 대형 운송용 항공기에서는 대부분 루프 탐지기 타입을 사용하고 있다.

루프 탐지기는 온도 상승에 따른 탐지기 내부 물질의 저항 값이 낮아지는 성질 또는 가스의 열팽창을 이용하여 화재의 발생을 탐지하는 것으로서 여러가지 형식이 있다.

그림 2-15는 펜월 형식(Fenwal Type)의 구조를 보여주고 있다. 1개의 니켈선(Nickel Wire)이 인코넬 관(Inconel Tube) 안에서 화학처리 된 소금의 일종인 공융염(Eutectic Salt)에 싸여있다. 주변의 온도가 증가하면 공융염의 저항이 급격히 떨어져서 절연이 파괴되어 전도체 중심과 외부에 전류가 흘러서 화재를 감지할 수 있다.

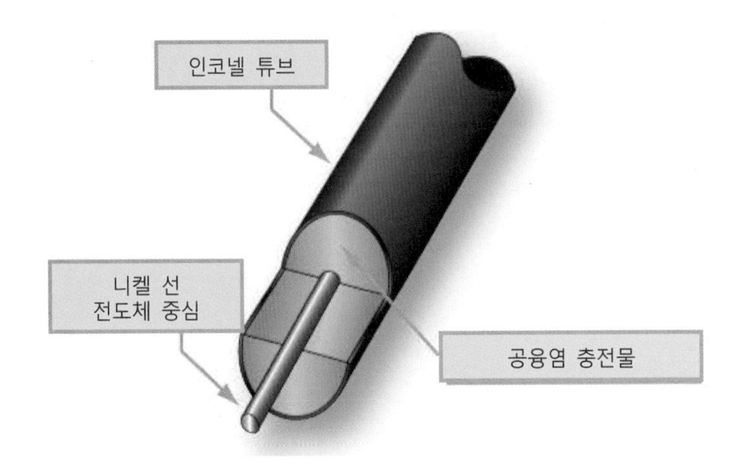


그림 2-15. 펜월 형식(Fenwal Type)의 루프 탐지기

### 4.1.2. 연기 감지기(Smoke Detection Sensor)

(1) 광전자 연기 탐지기(Photo-Cell Smoke Detection Sensor)

탐지기 내에 약 90% 정도의 화재에 의한 연기(Smoke)가 들어가면 이것에 의해 광전자 소자(Photo-Electric Element)에 빛이 감지되고 소자(Element)의 전기 저항 값이 변화하는 성질을 이용하여 화재의 발생을 탐지한다.

(2) 이온화 챔버(Ionization Chamber Type) 연기감지기

챔버 안으로 유입된 연기에 방사성동위원소(Ar 241)를 주사하여 연기를 이온화 시켜서 화재의 발생여부를 탐지하는 것으로 전자장비실(E&E Compartment), 화물실 및 화장실의 화재 발생여부를 탐지한다.

## 4.2. 화재소화 장치(Fire Extinguishing System)

항공기의 여러 곳에 장착된 화재 및 연기 탐지 장치에 의해 화재발생을 감지했을 때 항공기 승무원의 조작에 의해 화재를 진화하기 위한 목적으로 모든 항공기에 장착되어 있다.

### 4.2.1. 소화기

휴대용 소화기와 고정용 소화기로 크게 구분할 수 있으며, 휴대용 소화기는 객실에서 발생한 화재의 진화용으로 사용되고, 고정용 소화기는 엔진, 보조동력장치(APU) 및 화물실에서 발생한 화재의 진화용으로 사용된다.

휴대용 소화기의 소화액으로 분말(dry chemical), 이산화탄소($CO_2$), 물 등을 사용하고 있다.

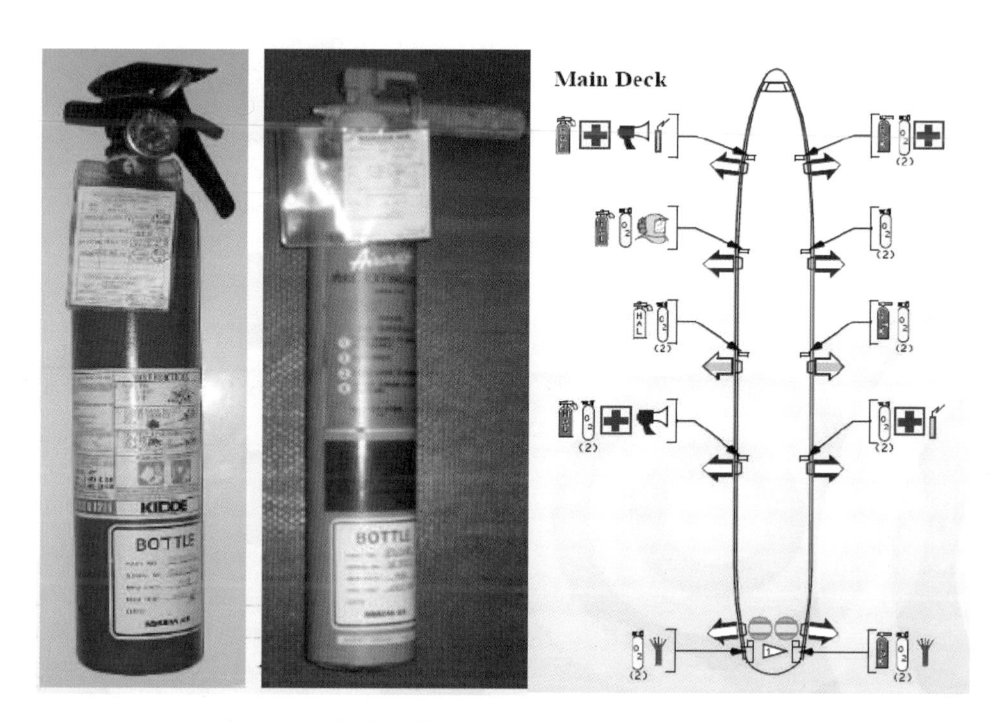


그림 2-16. 휴대용 할론 소화기와 물소화기 및 비치위치

고정용 소화기는 엔진, 보조동력장치, 화물실 등의 기체구조부에 장착된 소화기에서 소화액을 뿌려주는 것과 자체구역에 소화 보틀(bottle)을 여러 개 부착하여 이들을 발사하는 것이 있다. 소화액으로는 할론(Halon)을 주로 이용하고 있다.

그림 2-17. 고정형 고성능 분사버틀(High rate of discharge Bottle)

## 5. 계기계통(INDICATING/RECORDING SYSTEM)

항공계기계통은 항공기가 비행을 위해 필요로 하는 모든 정보를 제공해 주는 장치이다.

기존의 항공기는 조종실 계기판(Instrument Panel)에 아날로그 형식(Analog Type)의 계기들이 장착되어 사용되어 왔다. 그러나 최근의 신형 항공기들은 디스플레이 장치(Display Unit)라는 CRT에 항법에 관련된 모든 데이터를 집적하여 지시할 수 있도록 설계되었다.

그 결과 신형 항공기 조종실 계기판에는 많은 계기의 수가 감소되고, 조종사 당 2개의 CRT로 대체할 수 있게 되었다. 그림 2-18과 2-19는 아날로그와 디지털 항공기의 차이를 보여주고 있다.

그동안 기존의 항공관련 서적들은 아날로그 형식의 계기들에 대한 소개가 주를 이루고 있음을 감안하여 본서에서는 디지털 형식의 계기들을 중심으로 소개하고자 한다.

최근의 디지털 기술의 급속한 발달로 각종 항공기의 기계식 계기를 고해상

그림 2-18. 아날로그 형식의 B747-200 조종실 계기

도의 칼라 CRT에 숫자, 기호 및 도면으로 대신하여 나타낼 수 있게 됨에 따라 다음과 같은 장점을 가지고 있다.

- 필요한 정보를 필요한 때에 지시할 수 있음.
- 하나의 화면으로 몇 개의 정보를 바꾸어 지시할 수 있음.
- 주의를 요하는 정보는 색의 변화 및 우선순위로 지시함.
- 지도, 비행 코스 및 시스템 계통을 화면을 통해 알기 쉽게 표시함.

디지털 형식의 항공계기계통은 전자식 비행계기계통(Electronic Flight Instrument System : EFIS)과 엔진지시 및 조종사경고계통((Engine Indication and Crew Alerting System : EICAS)으로 구성되어 있다.

그림 2-19. 디지털 형식의 B747-400 조종실 계기

## 5.1. 전자식 비행계기계통 (Electronic Flight Instrument System : EFIS)

PFD와 ND로 구성되어 있으며, 전방 계기판 좌우측에 위치해 있다.

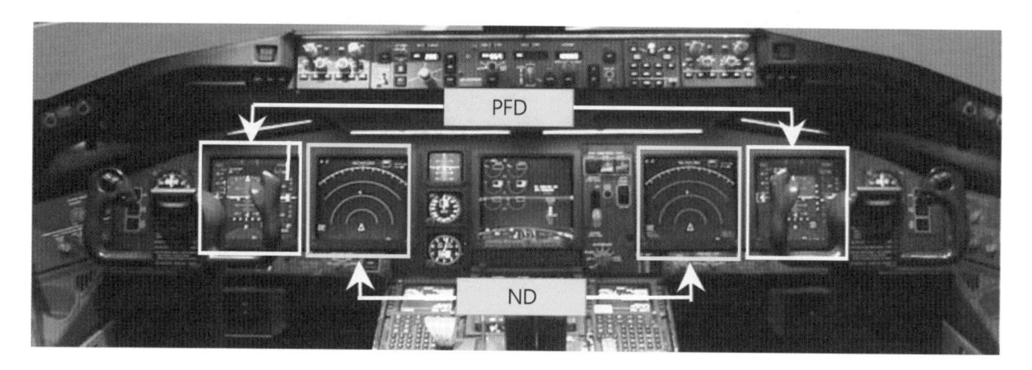


그림 2-20. 전방 계기 패널의 PFD와 ND

### 5.1.1. 주 조종 지시계(Primary Flight Display : PFD)

PFD는 우리말로 주 조종 지시계라고 하며, 1차적인 비행 데이터를 지시해 주는 계기로서 항공기 자세, 속도, 고도, 기수방향, 경고 시스템으로 구성이 되어 있으며, 항공기 승무원들에게 항공기 조종에 관한 정보들을 제공해준다.[그림 2-21 참조]

### 5.1.2. 항로표시기(Navigation Display : ND)

ND의 가장 큰 목적은 비행하고자 하는 항로를 표시하는 것이며, 항공기 기수방향 정보, 바람의 속도와 방향, 기상레이더 및 다른 항공기의 항적을 감시하는 역할 등 많은 정보를 조종사에게 전달한다.[그림 2-22 참조]

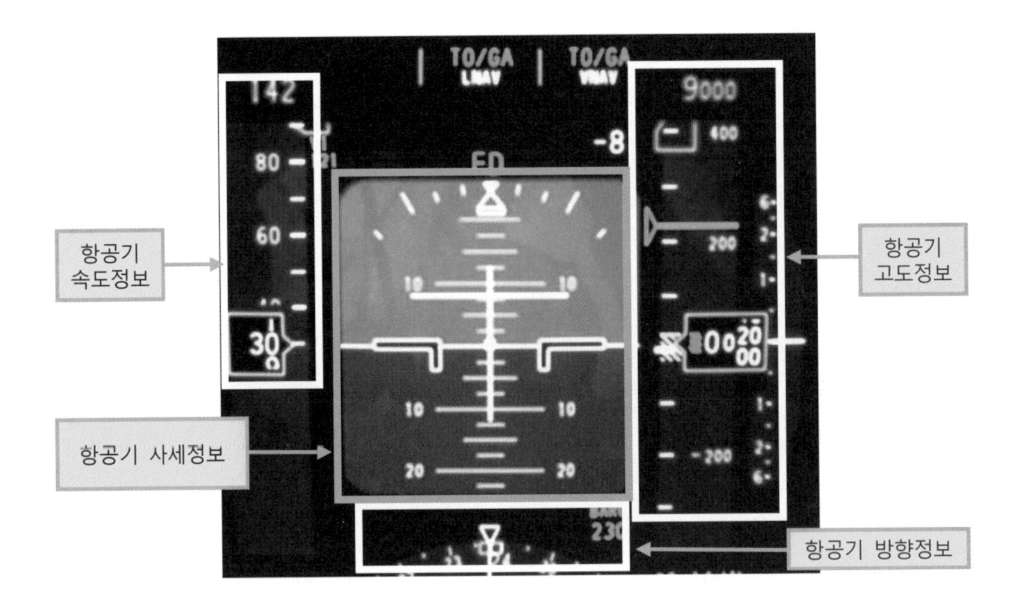


그림 2-21. PFD((Primary Flight Display)

그림 2-22. ND((Navigation Display)

## 5.2. 엔진지시 및 조종사경고계통 (Engine Indication and Crew Alerting System : EICAS)

EICAS는 항공기의 엔진계기를 비롯하여 착륙장치(Landing Gear), 고 양력장치 등 각종 시스템 사용 및 점검에 대한 정보를 제공 해주며, 주지시 장치(Main EICAS Display), 보조 지시장치(Auxiliary EICAS Display), 지시 선택패널(Display Select Panel) 및 지시 전환모듈(Display Transfer Module)로 구성되어 있다.

### 5.2.1. 주 지시장치(Main EICAS Display)

주 지시장치에는 그림 2-23과 같이 종래의 기계식 엔진 계기로 지시되었던 N1 RPM(엔진의 팬의 회전수를 %로 표시), EGT(배기가스 온도), EPR(엔진 입구압력과 출구압력 비)과 계통의 이상을 나타내는 메시지(Message), 잔류연료량, 온도 및 상황에 따른 착륙 장치나 플랩(FLAP)의 위치, 객실여압 상태 등을 지시한다. 특히, 메시지는 몇 단계의 수준(경고, 경계, 조언)으로 구분하며 색깔별로 표시되고, 긴급도가 높은 메시지의 경우에는 경고등(Master Warning/Caution Light)의 점등 및 벨(Bell)을 울려 운항 승무원의 주위를 환기시킨다.

### 5.2.2. 보조지시 장치(Auxiliary EICAS Display)

보조지시 장치에는 다음과 같은 4종류의 지시(Display)가 있으며, 필요에 따라 화면이 바꾸어 나타난다.

(1) 엔진의 2차 파라미터(Parameter) 지시

엔진의 2차 파라미터지시 화면에는 N2(고압로터의 회전 수), FF(Fuel Flow : 연료 흐름양), 엔진의 오일압력, 오일온도 및 엔진진동 데이터가 표시된다.[그림 2-24 참조]

그림 2-23. 주 지시 장치(Main EICAS Display)

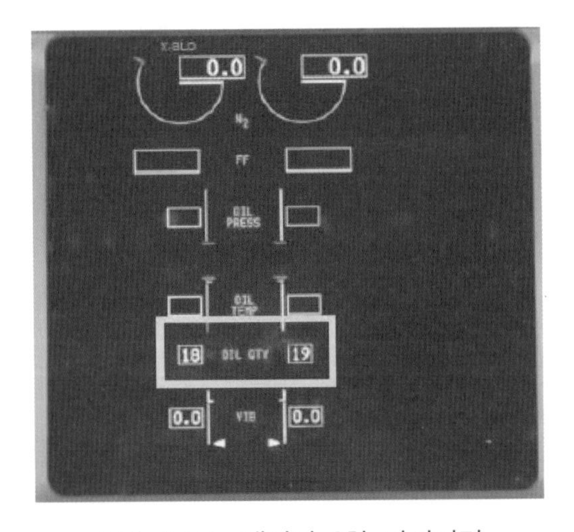


그림 2-24. 엔진의 2차 파리미터

## (2) 상태 페이지((Status Page)의 지시

상태 페이지의 지시는 주로 비행 전에 기체의 이상 유무를 확인하기 위해서 사용되며, 특히 항공기의 출발 결정에 관련하여 운항 승무원의 주의를 환기할 필요가 있는 항목에 대해 그림 2-25와 같이 상태 메시지(Status Message)가 표시된다.

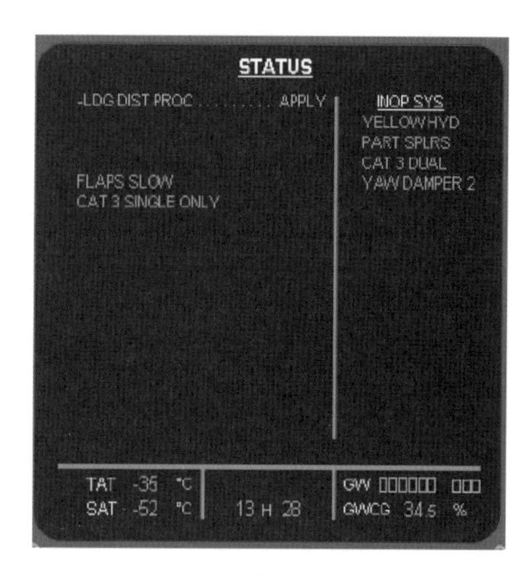


그림 2-25. 상태 페이지(Status Page)

## (3) 계통의 지시(System Synoptic Page)

항공기의 각종 계통의 상태를 한눈으로 파악할 수 있도록 지시되며, EICAS의 선택패널(Display Select Panel)을 이용하여 전기계통, 연료계통, 공기조절계통, 유압계통, 도어 및 착륙장치 계통의 지시를 보여줄 수 있다.

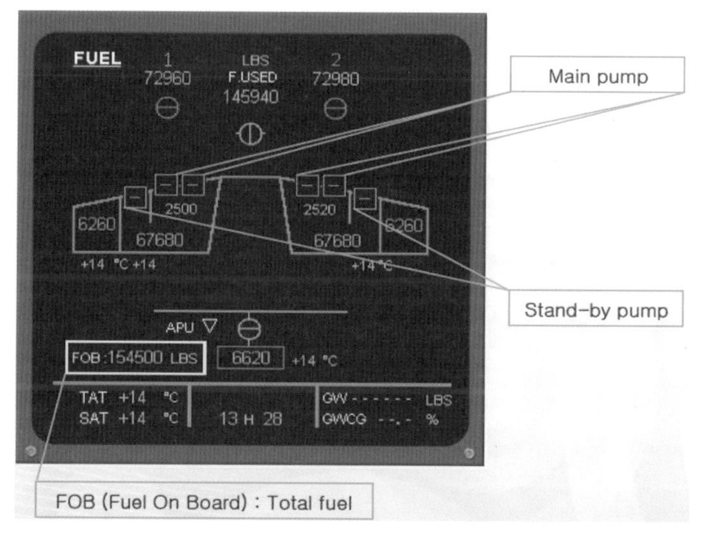


그림 2-26. 계통의 지시(System Synoptic Page)

## 5.3. 비행기록장치(Flight Data Recorder : FDR)

항공기 중대사고 또는 추락 시 원인규명을 위하여 비행 중 마지막 25시간 동안 의 각종 비행정보를 기록 저장하는 장비로 블랙박스로 불리는 장비이다.[그림 2-27 참조]

항공운송사업에 사용되는 최대이륙중량 5,700kg 이상의 항공기에는 반드시 장착되도록 항공법으로 법제화되어 있으며, 화재 발생시 1,100℃에서 최대 60분, 260℃에서 최소 10시간이상 견딜 수 있으며, 20,000 피트 해저에서는 30일 이상 견디도록 설계되어 있다.

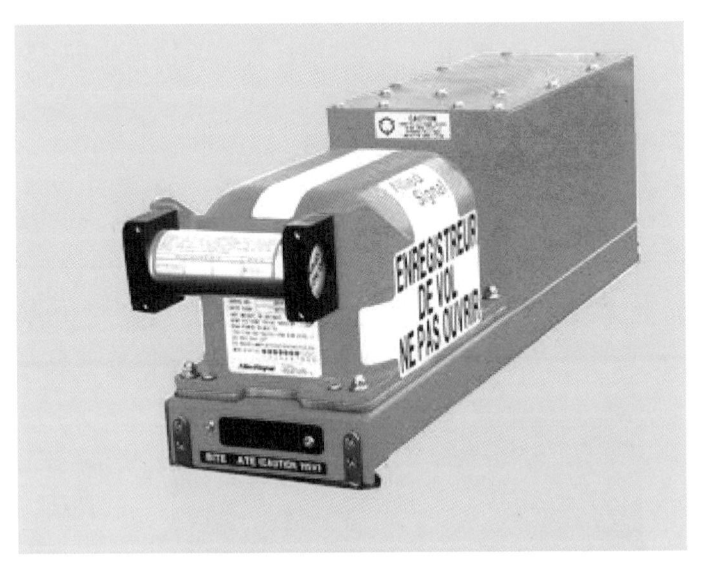

그림 2-27. 비행기록장치(Flight Data Recorder : FDR)

# 6. 조명계통(LIGHT SYSTEM)

조명계통은 실내조명을 통해 승객에게 편안함과 아늑함을 제공하고, 조종사에게는 항공기 조종을 용이하게 하도록 도와주며 비상시에는 비상 조명을 제공해 준다.

## 6.1. 조종실 조명(Flight Compartment Light)

조종실 조명은 계기판, 실내조명 및 운항승무원 조명등이 있다.

### 6.1.1. 계기판 조명(Instrument Panel Light)

계기판 조명은 조종사 또는 정비사에게 항공기 계통의 상태를 보여주며, 계기판(Instrument Panel), 오버헤드 패널(Overhead Panel) 및 전자장비 패널에 장착되어 있다.

각각의 계기 등의 렌즈는 컬러로 되어있는데 적색(경고), 호박색(주의), 녹색(안전), 청색(정상)등으로 항공기 상태를 의미한다.

또한 계기판에는 마스터 경고 및 주의 등(Master Warning and Caution Lights)이 장착되어 조종사에게 점등과 동시에 알람을 제공한다.

그림 2-28. 마스터 경고 및 주의 등(Master Warning and Caution Lights)

### 6.1.2. 실내조명과 승무원 조명

조종사 머리 위 부분(Overhead)에 돔 라이트(Dome Light)가 있어 조종실 전체를 조명하고, 패널과 조종스탠드(Control Stand)의 국부조명, 회로차단기 패널조명, 스탠바이 컴퍼스(Standby Compass) 조명 및 콘솔박스의 간접 조명 등이 있다. 또한 조종사를 위한 독서조명(Reading lights), 지도조명(Map lights), 차트조명(Chart lights) 등이 구비되어 있다.

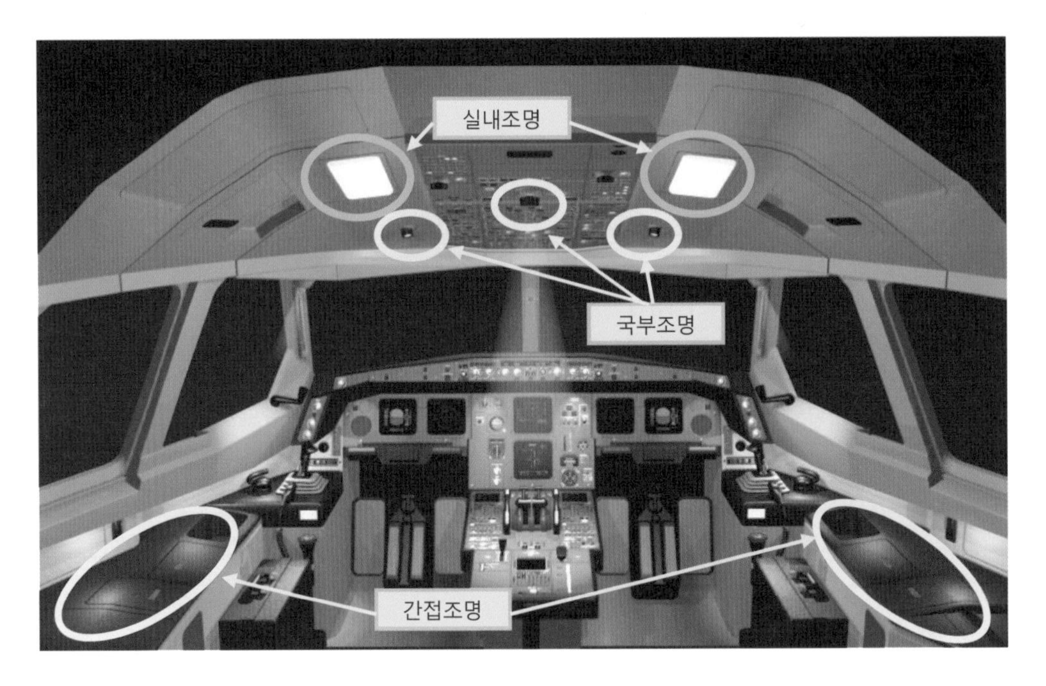


그림 2-29. 조종실 조명

## 6.2. 객실조명(Passenger Cabin Light)

객실은 전체적으로 간접조명 방식으로 편안하고 아늑한 분위기를 연출한다. 승·하기 시, 식사 시, 영화 상영 시, 수면 시 등 상황에 따라 달리 사용하며 독서 등, 주방 작업 등은 필요 부분만 직접 조명하여 사용한다.

### 6.2.1. 천정 등(Ceiling Light)

형광등은 천정을 향해 비추고 천정으로 부터의 반사를 이용한 간접 조명으로 부드러운 빛을 내어 객실 전체를 조명한다. 그밖에 측벽을 비추는 벽면 등(Wall Light), 창을 비추는 윈도우 등(Window Light), 통로를 비추는 통로 등(Aisle Light)이 있다.

### 6.2.2. 출입구 등(Cabin Entry Light)

승·하기 시에 출입구 부근을 특히 밝게 조명한다.

### 6.2.3. 독서 등(Reading Light)

승객의 독서를 위해 좌석의 상부에 설치되어 있고, 다른 승객에게 피해가 되지 않도록 각자의 앞 테이블 면만을 국부조명(Spot Lighting) 한다.

### 6.2.4. 객실 사인 등(Passenger Sign Light)

금연(No Smoking) 및 좌석 벨트 착용(Fasten Seat Belt)등의 안내를 승객에게 알리는 표시등이다.

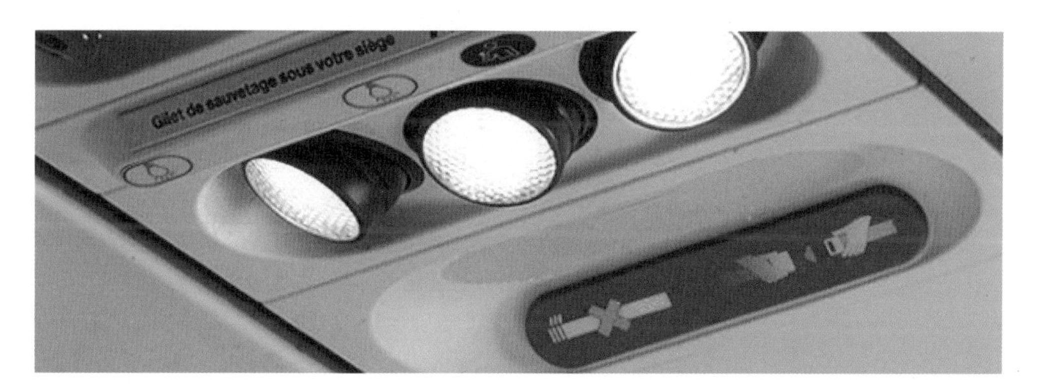


그림 2-30. 독서 등과 객실 사인 등

### 6.2.5. 화장실 조명등(Lavatory Light)

화장실 도어를 닫고 문을 잠그면 자동적으로 형광등이 점등 되어 밝게 조명 된다.

### 6.2.6. 비상등(Emergency Light)

항공기에는 보통 출입구 외에 비상 탈출구가 실치되어 있다. 이들 출입구, 탈출구의 위치는 비상 탈출구 유도 등(Exit)으로 표시된다. 또한 독립된 충전식 건전지에 의해 동작하는 비상등이 있어 항공기의 전체 전원이 끊어졌을 때 자동적으로 점등 되어 적어도 10분 이상은 다음과 같은 장소를 조명한다.

- 객실 전체와 탈출구까지 가는 통로의 조명
- 탈출구 위치 및 탈출구 내외의 조명
- 비상탈출 미끄럼대(Escape Slide)를 이용하여 탈출한 뒤 착지하는 부근의 조명

그림 2-31. 비상탈출구 유도등과 미끄럼대 등

## 6.3. 외부 조명

항공법상 장착이 의무화 되어있는 외부 조명과 항공기의 안전을 위해 사용되는 조명등이 항공기 외부에 장착되어 있다.

### 6.3.1. 항법 등(Navigation Light)

위치 등이(position light)라고도 하며, 오른쪽 날개 끝에 녹색 등, 왼쪽 날개 끝에 적색 등, 항공기 꼬리에 백색 등이 부착되어 다른 항공기에게 해당 항공기의 비행 방향을 알림과 동시에 야간에 조명이 없는 상태에서 주기(Parking) 되어있는 항공기의 위치를 알리기 위해 사용한다.

### 6.3.2. 충돌 방지 등(Anti-Collision Light)

동체 상·하면에 설치되어, 매분 50~60회 정도의 적색 광을 점멸시켜 해당 항공기의 위치를 알려서 충돌을 회피하려는 목적으로 쓰인다.

그림 2-32. 충돌 방지 등(Anti-Collision Light)

### 6.3.3. 착륙 등(Landing Light)

날개 및 날개 루트(Wing Root) 부분 또는 랜딩 기어에 장착되며, 이착륙 시에 항공기 앞쪽 방향을 조명하는 등이다.

그림 2-33. 착륙 등(Landing Light)

### 6.3.4. 결빙 감시 등(Wing and Engine Scan Light)

날개의 앞전(Leading Edge), 엔진 흡입구(Engine Nacelle)의 착빙 상태를 감시하기 위해 사용하는 등이다.

### 6.3.5. 로고 등(LOGO Light)

수직 꼬리 날개의 양면에 그려져 있는 항공사의 로고를 승객이 보기 쉽게 조명하기 위한 등이다.

# 7. 항법계통(NAVIGATION SYSTEM)

항법계통은 항로상의 어떤 지점에서든지 항상 항공기의 정확한 위치를 조종사가 알 수 있도록 해주고, 항공기를 신속하고 정확하게 한 지점에서 다른 지점으로 안내 해주는 계통이다. 항법계통은 여러 하위 계통(Sub-System)으로 구성되어 있다.

본 장에서는 무선항법(Radio Navigation), 관성항법(Inertial Navigation) 및 위성항법(GPS Navigation)으로 구분하여 설명하고자 한다.

## 7.1. 무선항법(Radio Navigation)

무선항법이란 지상 송신국으로부터 보내진 전파를 항공기에 탑재된 수신 장비를 통해 수신하여 현 위치를 파악하고 이를 토대로 비행하는 항법으로서 무선항법에 사용되는 대표적 지상 항행안전시설로는 VOR, NDB, DME, ILS 등이 있다.

### 7.1.1. 초단파 전방향 무선항로표지(VHF Omni-directional Range : VOR)

VOR은 항법의 최우선 지상 항행안전시설로서 VOR 기지국에서는 자북을 기준으로 모든 방향으로 방향지시 전파(Radio Beam)를 내보내는데 이를 레이디얼(Radial)이라고 한다. 실제로는 무수한 방향지시 전파가 전송되지만, 자북을 기준으로 1도 간격의 360개 레이디얼이 사용된다. 거리측정 장비(DME)와 VOR이 같이 설치된 경우에는 VOR/DME가 되고, VOR과 군사용인 TACAN(Tactical Air Navigation)장비가 같이 설치된 경우에는 VORTAC이 된다. VOR/DME와 VORTAC은 방위와 거리정보를 제공한다.

VOR은 초단파(VHF) 108.00~117.95 MHz를 사용해서 전파를 전송한다. VHF는 가시선(Line-of-sight)이라는 특징을 가지고 있어 산과 같은 장애물 뒤쪽으로는 전파가 도달하지 못한다. 이러한 가시선 효과로 인해 VOR의 서

그림 2-34. 항공기 VOR 지상 기지국

비스 지역이 짧아질 수 있고, 험한 산악 지역과 같은 많은 장애물들이 있는 지역에서는 경우에 따라 VOR을 이용한 항법이 불가할 수 도 있다.

VOR 시스템은 지상의 VOR 기지국(Station)과 항공기에 장착된 안테나(Antenna), 수신기(Receiver) 및 계기(Indicator)로 구성되어 있다.

현재 대형 항공기에는 VOR 계기(Indicator)와 방위계(Heading Indicator)를 합친 수평자세지시기(Horizontal Situation Indicator : HSI)가 사용되고 있다. 그림 2-35의 HSI의 경우 현 방향(Heading)은 215°, 코스(Course)는 180°, To the Station 즉, VOR 기지국 쪽으로 비행하고 있으며 현 위치는 360 Radial 상에 있는 것이다. HSI 상에서 한 눈금은 5도 씩 진로가 벗어남을 의미한다.

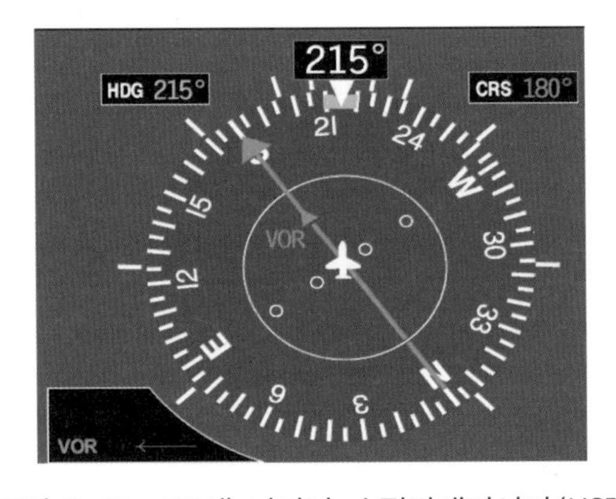


그림 2-35. ND에 나타난 수평자세지시기(HSI)

### 7.1.2. 무지향성 무선 표지(Non-directional Radio Beacon : NDB)

NDB는 무선항법시스템의 초기형태로 무지향성 전파를 전 방향으로 전송하는 지상 항행안전시설로서 지상의 NDB 기지국(Station)과 항공기의 자동방향 탐지기(Automatic Direction Finder : ADF) 안테나, ADF 계기 및 수신기(Receiver)로 구성되어 있다.

VOR이 VHF를 사용하는데 반해 NDB는 190~535 Khz 대역의 중·저 주파수를 사용하기 때문에 가시선의 제한이 없어 장애물 뒤쪽에도 전파가 도달하므로 장거리 전송이 가능하다는 장점이 있는 반면에 중·저 주파의 특성상 전리층과 높은 장애물 등의 반사, 해안선 부근에서의 굴절 수신 및 정전기나 전기적인 간섭 등의 영향에 민감하다.

현용 대형 항공기에는 대부분 ADF와 방향지시기(Heading Indicator)가 결합된 무선 나침 지시계(Radio-Magnetic Indicator : RMI)를 사용하고 있다.

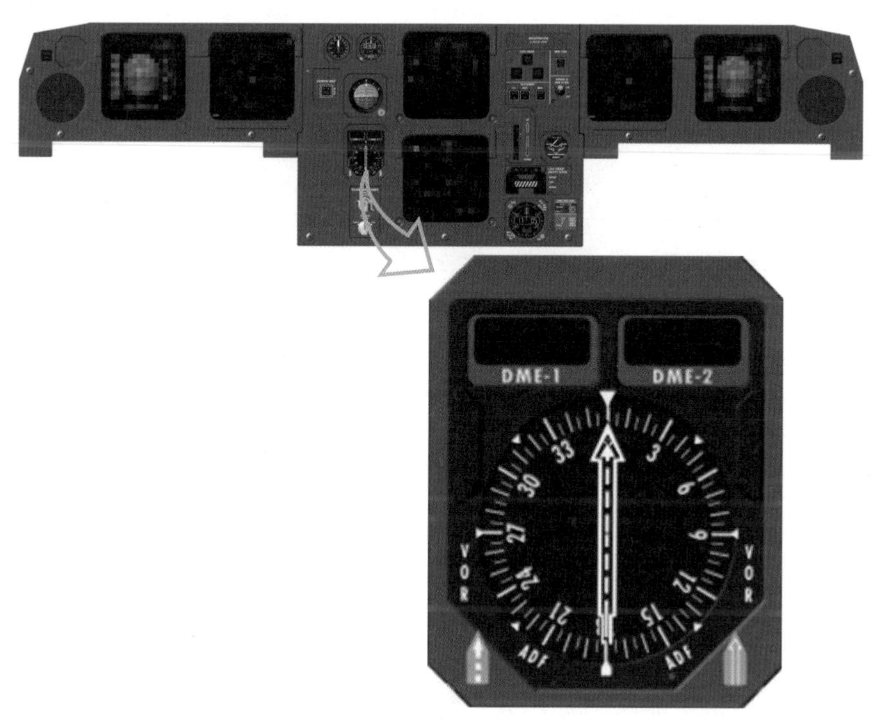


그림 2-36. 무선 나침 지시계(Radio-Magnetic Indicator : RMI)

### 7.1.3. 거리측정 장치(Distance Measurement Equipment : DME)

DME는 거리 측정장치로서 항공기에서 DME 지상국까지의 거리정보를 비행 중인 항공기에 연속적으로 제공해 줌으로써 조종사가 항공기의 위치를 정확히 알 수 있도록 해준다.

항공기에서 전파를 DME 기지국에 송신하면 기지국에서는 항공기에 응답 전파를 보낸다. 항공기에서는 전파를 송신한 후부터 수신하기까지의 시간을 계산하여 DME 기지국으로부터 항공기까지의 경사거리(Slant Range)를 보여준다. 그러므로 DME 기지국 근처를 비행하는 경우 실제 항공기와 기지국간의 수평거리는 지시하는 거리보다 짧다.

그림 2-37. 거리측정 장치 기지국(DME Station)

## 7.2. 관성항법 장치(Intertial Navigation System)

관성항법이란 항공기가 움직일 때 발생하는 가속도를 가속도계(Accelerometer)를 이용하여 측정하고, 그 측정된 가속도를 적분하여 속도와 이동거리를 구한 정보들을 토대로 항공기의 위치를 파악하여 비행하는 항법을 말한다.

이러한 정보들을 토대로 INS(Inertial Navigation System)는 항공기의 위치(위도, 경도), 항공기의 자세, 항공기의 비행방위 등을 계기를 통하여 조종사에게 지시해 줌으로서 해상비행 시 또는 장거리 항행 시 선택된 항로를 비행할 수 있도록 해준다. 최근의 항공기들은 INS와 기능은 유사하지만 정밀도 및 신뢰성을 향상시킨 IRS(Inertial Reference System)를 사용하고 있다.

INS 또는 IRS에 결함이 발생되었을 때는 항공기 자세 및 비행방위 등이 계기에 지시되지 못하므로 조종을 위한 자세, 방위를 알지 못해 비행 안전에 지장을 준다. 또한 INS에 위치오차가 발생되면 항로에서 벗어나는 경우도 있어 INS는 항상 정밀도와 신뢰성이 확보되어야 한다. INS 또는 IRS가 고장이 나면 해당 자동비행 계통과 기상 레이더 등 관련 여러 계통들도 정상 작동할 수 없는 경우가 발생된다.

최근에 개발되어 운용중인 신기종에는 IRS와 ADC(Air Data Computer)의 기능을 동시에 수행하는 ADIRS(Air Data Inertial Reference System)가 장착되어 있다.

## 7.3. 위성항법(GPS Navigation)

위성항법이란 위성으로부터 보내온 신호를 받아 자신의 위치를 구하여 비행하는 항법을 말하며, 그 핵심은 지상 항행안전시설의 위치라는 한계를 극복하고, 기존 항행시스템들 보다 더욱 정확한 위치 정보를 제공하면서 하나의 시스템만으로 전 비행구간을 커버할 수 있도록 개발된 위성위치확인시스템(Global Positioning System : GPS)이다.

GPS는 우주장치(Space Element), 지상장치(Ground Element) 및 사용자장치(User Element)로 세 부분으로 구성되어있다.

### 7.3.1. 우주부문(Space Element)

우주부문에서 위성은 크게 태양전지판(Solar Panels), 외부 구성품(External Components), 내부 구성품(Internal Components)으로 구성되어

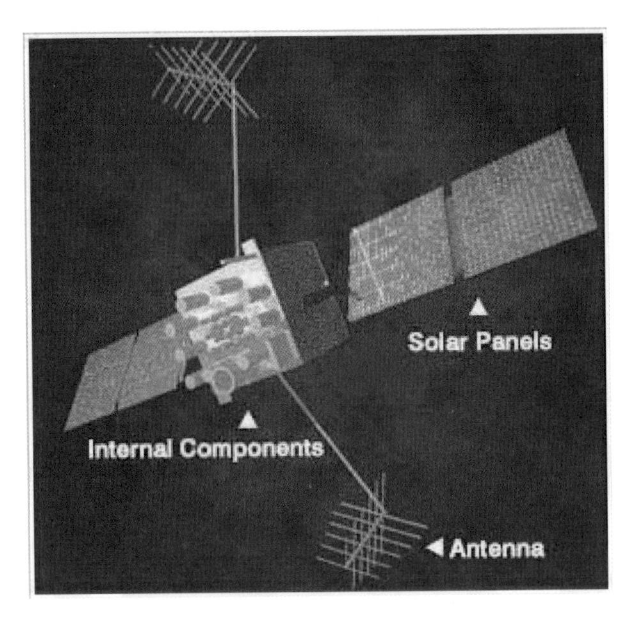


그림 2-38. 위성의 주요 구성품

있다. 태양전지판은 태양으로부터 에너지를 받아 위성에 전원을 공급한다. 또한 외부 구성품인 안테나(Antenna)는 무선 송신기(Radio Transmitter)에서 생산된 신호를 지상으로 전송한다. 끝으로 내부 구성품의 핵심은 원자시계와 무선 송신기이다. 원자시계는 시간정보를 생산하여 무선 송신기에 제공하고, 송신기는 시간 정보를 포함한 신호를 생산해서 송출한다. 각각의 위성에는 4개의 원자시계가 탑재되어 있다.

### 7.3.2. 지상부문(Ground Element)

지상부문은 중앙 제어국(Master Control Station), 감시국(Monitor Stations), 지상안테나(Ground Antennas)로 구성되어 있다. 중앙 제어국은 콜로라도 스프링스(Colorado Springs)의 팰콘(Falcon) 공군기지에 위치해 있으며, 원격감시(Remote Monitoring)와 송신기지(Transmission Sites)에 대한 전반적 관리를 담당하고 있다.

6개의 감시국(Monitor Station)들은 전 세계에 퍼져있으면서, 궤도를 돌고 있는 각 위성들의 정확한 고도, 위치, 속도, 전반적 성능(Health) 상태 등을

그림 2-39. 지상부문의 위성 감시국과 안테나 위치

점검한다. 관제부분(Control Segment)은 감시국들로부터 수집된 측정값을 이용하여 각 위성의 궤도와 시간을 예상하고, 그 예상 데이터를 위성으로 연결(Uplink) 시켜 사용자들에게 전송시킨다.

지상 안테나(Ground Antenna)들은 담당하고 있는 범위 내에 있는 위성들을 감시하고 추적하며, 때대로 각 각의 위성들로 보정(Correction) 정보를 송신한다.

### 7.3.3. 사용자 부문(User Element)

사용자 부문은 GPS 수신기이며, 사용자에 따라 민간용 수신 장비와 군용 수신 장비로 나누어지며, 민간용은 항공(Aviation)부문과 비 항공(Non Aviation)부문으로 나누어진다.

기존의 항법들이 가지고 있던 한계를 극복한 위성항법은 현재 전 세계에서 폭 넓게 사용되고 있다. GPS는 기존의 지상 항행안전시설들과는 달리 항공기가 지구상 어디에 있던 정확한 위치 정보를 제공해주는 것이 큰 장점이다.

## 7.4. 기타 항공전자 장비

항공기 안전운항을 위하여 기상레이더, 지상접근 경보장치, 공중충돌방지장치 및 계기착륙장치 등이 사용되고 있다.

### 7.4.1. 기상 레이더(Weather Radar System)

민간 항공기에 의무적으로 장착하게 되어있는 기상 레이더는 조종사에게 비행전방의 기상상태(구름의 형태, 강우량의 강도, 뇌우의 교란)를 미리 탐지하여 계기를 통해 알려주는 장치로서, 조종사가 악천후 시 멀리 우회하거나 고도를 변경하도록 하여 안전운항에 도움을 준다.

기상 레이더는 기상관측 목적 외에도 조종사가 비행지역 아래의 지형, 지물 등을 판독할 수 있도록 해주어 항법보조기능으로도 사용 가능하다.

기상 레이더의 이점은 다음과 같다.

- 저기압권 내에서도 안전하게 비행할 수 있다.
- 돌풍이나 번개에 의한 항공기의 손상 등을 미연에 방지할 수 있다.
- 우회 비행을 최소로 하게하여 경제적인 비행을 할 수 있다.
- 동요가 적은 안전하고 편안한 비행을 할 수 있다.

기상상태 및 장애물 형태는 전자식 계기장치를 사용하는 항공기에서는 항로표시기(Navigation Display : ND)에 지시된다.

그림 2-40은 비행진행 방향의 기상상태를 ND에 보여주고 있으며, 이때 항공기는 악천후를 비해 우회하여야 한다.

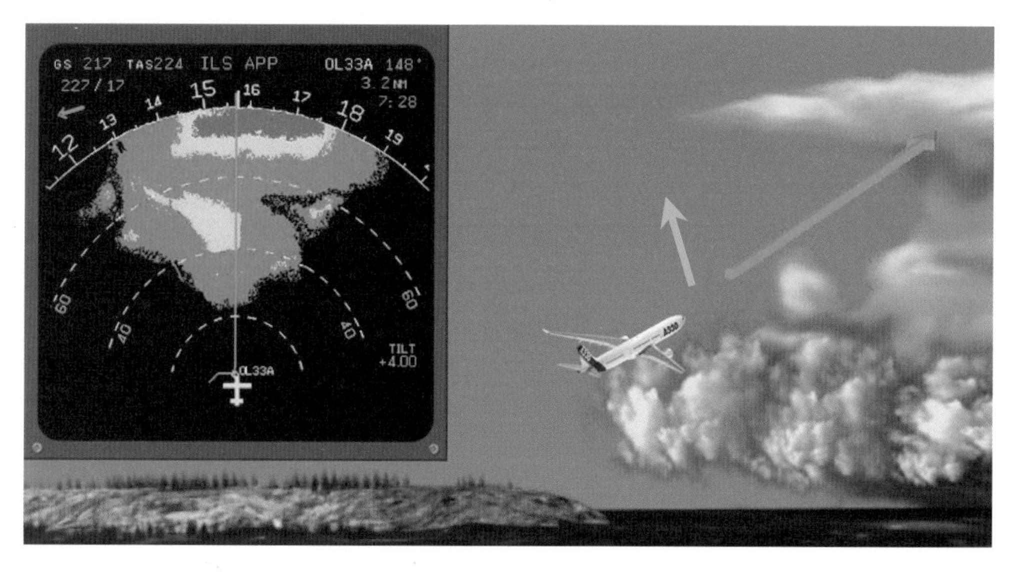


그림 2-40. ND에 지시된 기상상태

### 7.4.2. 지상접근 경보장치(Ground Proximity Warning System : GPWS)

지상접근 경보장치는 항공기가 지면에 가까워졌을 때 산악 또는 지면과의 충돌 가능성과 착륙 시의 위험 요소 등을 사전에 경고 해 줌으로써 충돌사고를 미연에 방지할 수 있도록 해 주는 장치로서 다음 6가지의 위험상황에 대하여 경보를 울려준다.

- MODE 1 : 과도한 하강 율
- MODE 2 : 지형지물(산)에 과도한 접근
- MODE 3 : 이륙 후 저고도에서의 고도상실
- MODE 4 : 착륙 시 부적절한 항공기 상태
- MODE 5 : 글라이드 슬로프 빔(Glide Slope beam) 중심선 아래로의 강하
- MODE 6 : 결심고도 이하로의 강하

그림 2-41. 글라이드 슬로프 빔을 벗어나면 GPWS 작동

### 7.4.3. 계기 착륙 장치(Instrument Landing System : ILS)

ILS는 항공기가 착륙을 위해 활주로에 진입할 때 정확한 진입 코스를 나타내는 장치로서 악천후나 야간에 시계가 불량할 때 항공기상의 계기지시에 따라 안전하게 착륙할 수 있도록 해주며, 자동 착륙 시에도 이용한다.

ILS는 활주로를 중심선으로 유도해 주는 로컬라이저(Localizer)와 활주로 수직면 내의 정확한 진입 각을 유도해주는 글라이드 슬로프(Glide-Slope)로 나뉘어져 있다.

그림 2-42. 글라이드 슬로프 안테나에 의한 무선신호

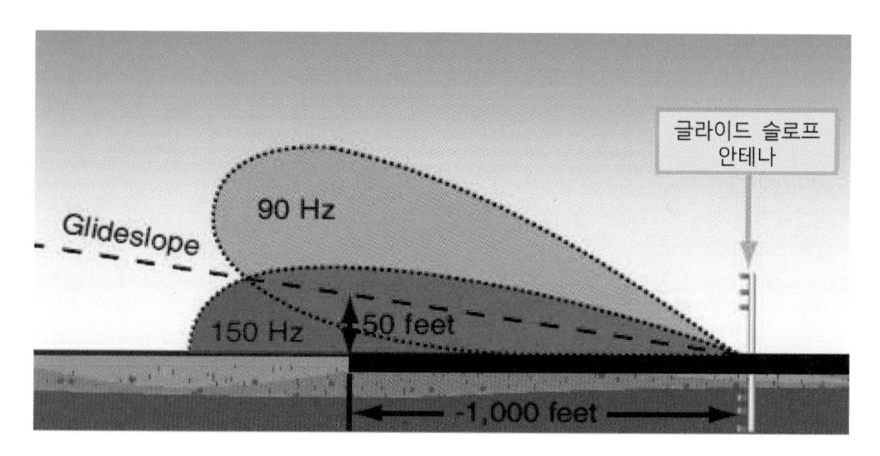


그림 2-43. 로컬라이저 안테나(Localizer Antenna)

### 7.4.4. 공중충돌방지장치 (Traffic Alert and Collision Avoidance System : TCAS)

항공교통량 증가로 인해 항공기와 항공기간의 공중충돌 가능성이 점차 증대됨에 따라 관제와 관계없이 충돌가능성을 사전에 탐지하여 조종사에게 시각(Visual)및 경고음(Aural Warning)을 제공하여 공중충돌을 사전에 방지할 수 있는 장치이다.

미 연방 항공법(FAR 121.356)에 의거 미주노선 항공기 중 30석 이상의 여객기는 1994.1.1부터는 TCAS-II를 의무 장착해야 하므로 국제선을 운항하는 항공기들은 거의 장착하여 운용 중에 있다.

TCAS 경보(ADVISORY)의 종류에는 교통경보(Traffic Advisory)와 결심경보(Resolution Advisory)가 있다.

#### (1) 교통경보(Traffic Advisory)

충돌 35~45초전의 침입기의 위치(침입기의 거리, 방위, 고도)를 표시하고 Traffic, Traffic하는 경고음(Aural Warning)이 울린다.

### (2) 결심경보(Resolution Advisory)

충돌 20~30초전의 지역까지 침입기가 접근하면 충돌 회피를 위하여 회피방향(상 또는 하)과 수직 속도율(Vertical Speed Rate)을 지시하고 회피방향과 관련된 12가지 경고음 중 해당되는 경고음이 울린다.

MEMO

# 제3장. 항공기 구조 [AIRCRAFT STRUCTURE]

항공기는 공기의 작용에 의하여 대기 중에 떠 있을 수 있는 기계로 정의되며, 많은 사람과 화물을 싣고 공중을 고속으로 비행하려면 기체구조가 알맞게 강하면서 또한 가벼워야 한다.

자세한 구조적인 내용들은 항공기 기체구조공학에서 다루므로 본장에서는 각각의 구조부분에 적용되는 신기술들을 중심으로 개요의 수준으로 소개하고자 한다.

# 1. 항공기체 구조(AIRCRAFT STRUCTURE)

일반적으로 대형항공기의 기체는 동체(Fuselage), 날개(Wing), 안정판(Stabilizer), 나셀 & 파일론(Nacell & Pylon), 도어(Door), 창문(Window)등으로 구성된다.

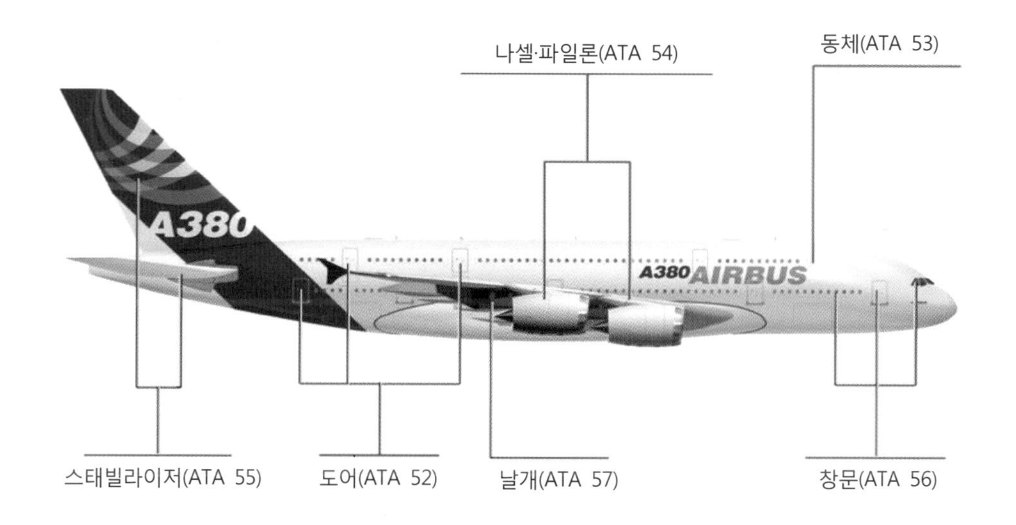


그림 3-1. 항공기체 구조(AIRCRAFT STRUCTURE)

항공기 구조의 구성품은 여러 다른 종류의 재료로 만들어지며, 리벳, 볼트, 너트, 스크류, 용접 또는 접착제 등으로 결합된다.

항공기 구조의 재료로 알루미늄합금을 주로 사용하였으나, 현재 개발되고 있는 모든 항공기의 구조재료는 가볍고 강한 복합소재(Composite Material)를 사용하고 있다. 항공기의 제작사나 항공기를 운영하는 항공사에서 항공기의 재료를 가볍고 강한 것으로 원하는 것은 항공기의 무게가 증가 할수록 연료 소모의 증가 등으로 항공기 운영비 측면에서 많은 제약이 따르기 때문이다.

이에 따라 최근에 개발되어 운용 중인 에어버스 380과 같은 항공기 구조의 경우에는 기존의 복합소재 뿐만 아니라 신소재인 유리섬유(Glass fiber)와 알루미늄 합금을 층층이 결합한 글레어(Glare)를 개발하여 동체 전방 및 후방 상부에 사용함으로써 약 12%의 중량 감소뿐만 아니라 내 부식성을 크게 향상시켰으며, 구조부의 접합 또한 기존의 리벳에 의한 결합방법을 레이저 빔 용접(Laser Beam Welding)으로 대체하여 이음새 부위를 매끄럽게 유지할 뿐만 아니라 항공기 중량을 감소시키는 효과를 보고 있다.

그림 3-2는 글레어의 단층 구조와 빔 용접방법을 보여주고 있다.

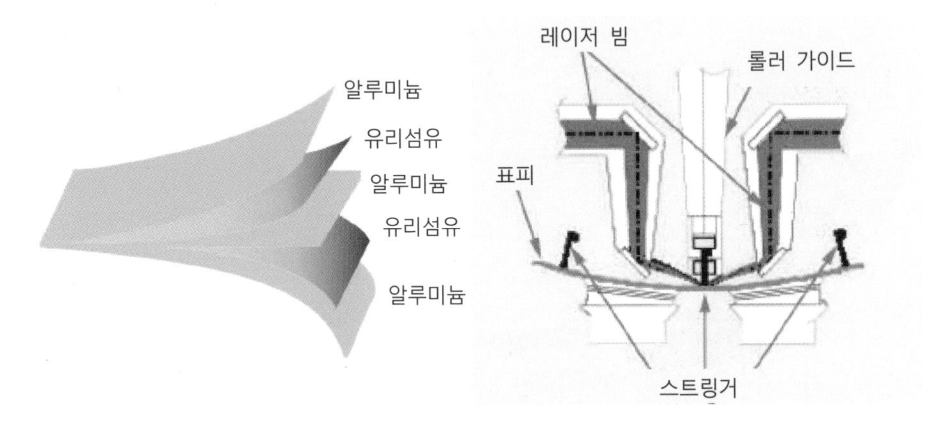


그림 3-2. 글레어 단층구조와 빔 용접방법

그림 3-3과 같이 A380 항공기 구조는 동체와 날개 일부를 제외한 모든 구조부분에 복합소재를 사용하고 있음을 보여주고 있다.

참고로 복합소재란 두 종류 이상의 물질을 인위적으로 결합하여 각각의 물질 자체보다 뛰어난 성질 또는 아주 새로운 성질을 갖도록 만들어진 재료로서 알루미늄을 복합소재로 대체하면 약 30% 이상의 인장과 압축강도가 증가하고, 약 20% 이상의 무게가 절약될 정도로 무게 당 강도비율이 높은 반면에 습기침투로 인한 들뜸 현상(Delamination)에 대한 검사방법이 어려우며, 일부제품에서 유해성분이 있다는 취약점이 있다.

복합소재의 구성은 하중을 주로 담당하는 고체형태인 보강재(Reinforcing Material)와 이들을 결합시키는 액체형태인 모체(Matrix)로 되어있으며, 보강재에는 유리섬유(Glass Cloth), 탄소섬유(Carbon/Graphite), 아라미드(Aramid) 및 보론(Boron)섬유 및 세라믹 섬유 등이 사용되며, 모체에는 열경화성(Thermoset)수지(Resin), 열가소성(Thermoplastic)수지(Resin), 금속(Metallic) 및 세라믹(Ceramic)등이 사용되고 있다.

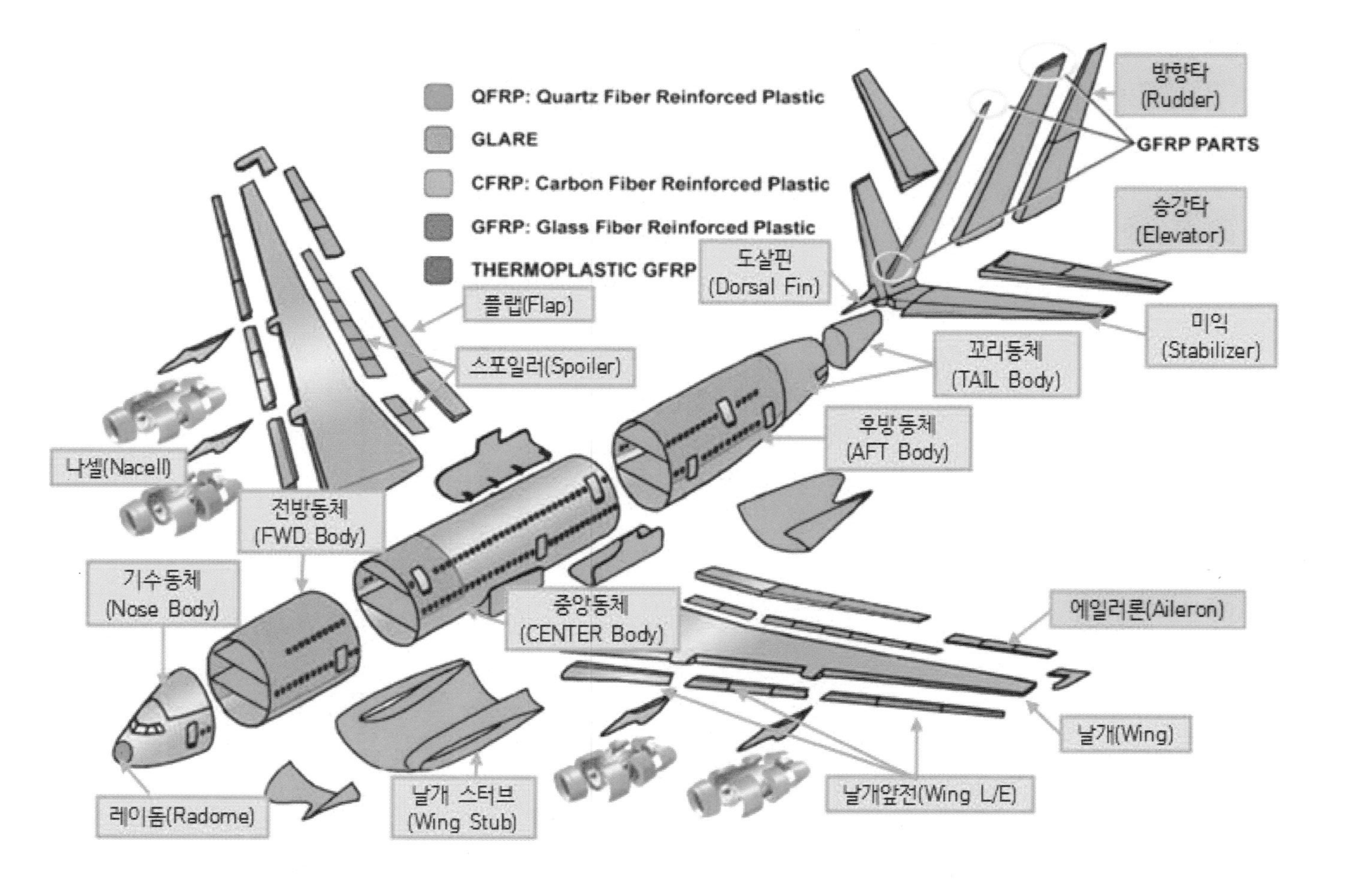


그림 3-3. 항공기 구조 및 복합소재 사용분포

# 2. 동체(FUSELAGE)

항공기 동체는 승무원, 승객, 화물 등을 수용하는 공간을 제공하는 부분으로서 바닥 층(Floor)을 기준으로 상부와 하부로 나누어져 있으며, 상부에는 조종실, 주 객실(또는 주화물실)이 있고, 하부에는 착륙장치가 접어 들어갈 수 있는 바퀴실(Wheel well), 전자장비실(E&E Compartment), 화물칸(Cargo Compartment)등이 있다.

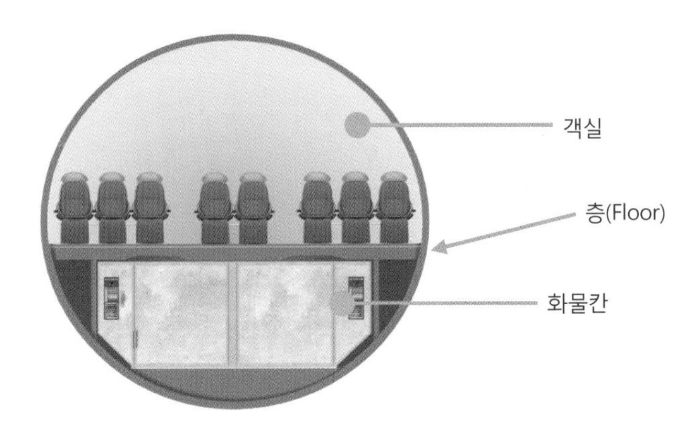


그림 3-4. 동체(Fuselage) 단면

## 2.1. 동체구조(Fuselage Structure)

항공기는 동체내부의 여러 가지 구조(Structure)와 외부 표피(Skin)가 동체에 걸리는 힘을 같이 받음으로써 모든 힘에 견디도록 설계되어 있다. 또한, 하나의 구조물이 파손 되어도 남은 구조물이 지지할 수 있도록 패일세이프구조(Fail Safe Structure) 개념으로 설계되어 있다.

운송용 항공기는 동체 구조가 여압(Pressurized) 구조로서 고고도를 비행하는 항공기에 적합한 형태인 세미모노코크(Semi-Monocoque) 구조로 되어 있다. 객실 여압장치에 따른 차압(Differential Pressure)과 금속피로(Metal Fatigue)에 대비하여 보강재가 추가되어있고, 기내 압력이 새지 않도록 밀봉(Sealing) 되어 있다.

동체의 구조는 현대 항공기에서는 대부분이 응력-외피 구조(Stressed-Skin Structure)로서 외부에서 가해지는 모든 응력이 표피(Skin)가 전담하는 항공기 구조형태로 되어있다. 응력-외피 구조에 가해지는 응력은 내부구조에 미치는 영향을 최소로 만들어주는데 달걀을 예로 들면 달걀은 완전한 응력-외피구조중의 하나이다.

이러한 응력-외피구조는 모노코크 구조(Monocoque Construction)와 세미모노코크 구조(Semi-Monoque Construction)등이 있는데 현재 세미모노코크 구조가 대부분을 차지하고 있다.

### 2.1.1. 세미모노코크 구조(Semi-Monocoque Construction)

세미모노코크 구조는 항공기구조에 사용하는 응력 외피구조로서 항공기에 걸리는 모든 하중을 외피가 전담하며, 동체 또는 날개모양을 만들기 위하여 스트링거(Stringer) 또는 프레임(Frame)으로 보강되어있다.

그림 3-5와 같이 동체의 단면 모양은 프레임이 만들어주고, 스트링거는 프레임과 프레임 사이를 연결해주는 찬넬(ㄩ) 또는 앵글 형태의 구조이며, 스트링거는 세미모노코크 구조에서 외부 판을 씌우기 위한 구조이다.

인장력은 외피(Skin), 세로대(Longeron), 스트링거가 전담하며, 굽힘 하중(Bending Moment)에 의한 압축력은 외피 대신 세로대와 스트링거가 분담하고 있다.

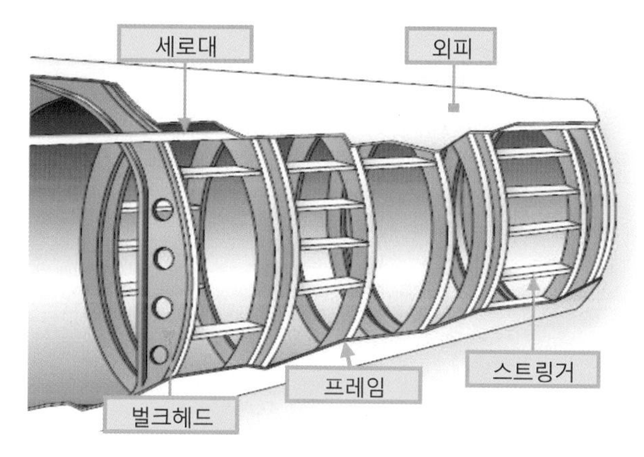


그림 3-5. 세미모노코크 구조(Semi-Monocoque Construction)

### 2.1.2. 모노코크 구조(Monocoque Construction)

모노코크 구조는 동체에 가해지는 여러 하중에 견디어 낼 수 있는 구조로서 설계나 제작이 간단한 것이 특징이지만 이중안전(Fail Safe)의 관점에서 볼 때 고속의 기체 혹은 대형기에는 적당하지 못하며, 기후의 영향을 받기 쉬우므로 극히 일부의 소형기에 이용되는데 불과하다.

이러한 응력 외피 구조(Stressed Skin Structure)에 대해서 이전에는 프레임 구조(Frame Structure) 같은 정형재(Former)가 이용되었다. 이것은 동체에 가해지는 하중을 파이프(Pipe)나 각(Angle)재로 구성한 골격으로 지지되며, 외피(Skin)는 단순히 형태를 이루는데 이용되고 하중을 전혀 부담하지 않는 구조이다.

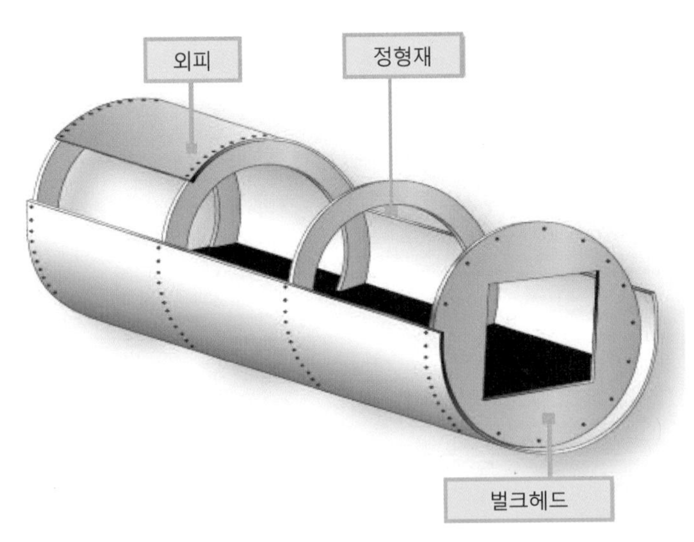


그림 3-6. 모노코크 구조(Monocoque Construction)

# 3. 출입문(DOOR)

항공기 동체에는 항공기 객실로 출입하기 위한 출입문(Door)이 비상탈출에 적합한 수 및 크기로 제작된다. 구조적으로는 문틀(Door Frame) 보다 크게 제작되어서 고 고도 비행 중 객실여압(Cabin Pressurization)이 될 경우 항공기 외부보다 높은 내부압력에 의해 틀(Frame)에 꽉 끼이는 형태의 플러그 타입(Plug Type)으로 제작된다. 또한 항공기의 객실이 지면으로부터 높은 위치에 있으므로 비상 탈출을 위한 통로 및 비상착수에 대비한 장비로서 각 출입문에는 비상탈출 미끄럼대 또는 미끄럼대/구명정(Escape Slide/Raft)을 갖추고 있다.

항공기 출입문(Door)은 승객 및 승무원 출입문(Passenger/Crew Entry Door), 화물칸 문(Cargo Door)및 각종 서비스 도어(Service Door)로 구분된다.

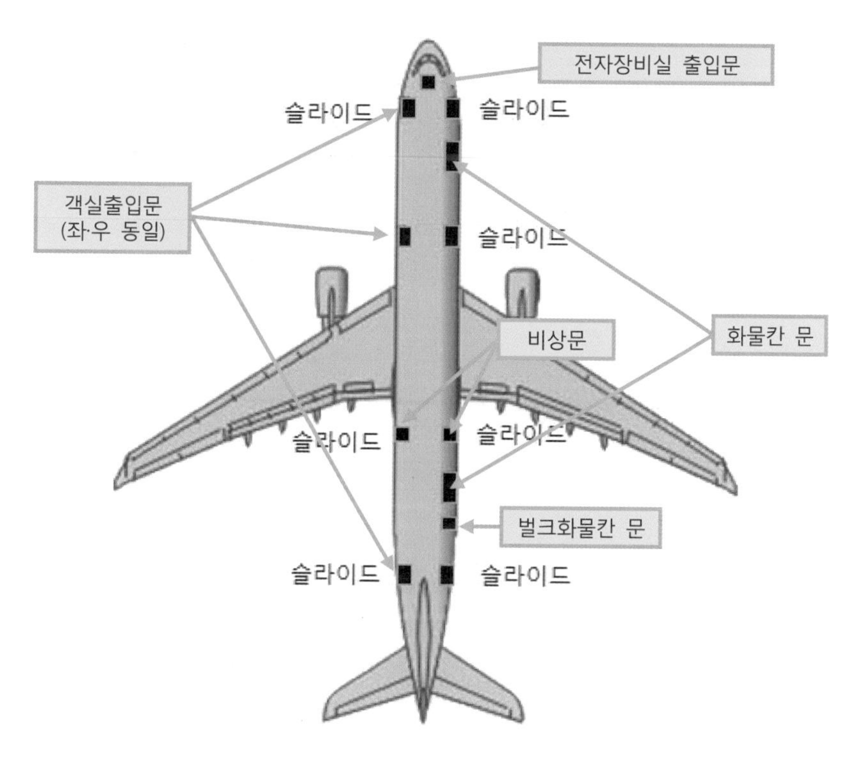


그림 3-7. 항공기 도어장착 위치

## 3.1. 주 출입문(Main Entry Door)

주 출입문은 동체의 양쪽에 위치하고 있으며, 항공기 종류에 따라 위치, 개수, 모양 및 작동 방법이 다르다. 주로 플러그 타입 도어(Plug Type Door)가 장착되어 있으며, 이러한 도어는 열고 닫을 때 일단 도어가 안쪽으로 들어왔다가 열고 닫을 수 있도록 되어 있고, 비행 중 도어에 가해지는 객실압력 하중(Cabin Pressure Load)을 출입문 주변의 동체 구조 부분에 전달한다. 또한, 각각의 주 출입문에는 비상탈출 미끄럼대(Escape Slide)가 장착되어 있다.

그림 3-8. 플러그 타입의 주 출입문(Plug Type Main Entry Door)

## 3.2. 비상출입문(Emergency Exit Door)

비상출입문은 항공기에 긴급 사태가 발생했을 때 승객 및 승무원이 탈출하기 위한 출구로써 보통 주 출입문(승하기용)도 비상구에 포함되어 있지만, 승객 수에 따라 추가되어 비상시 비상 탈출구로서의 역할만하는 도어이다.

그림 3-9. 비상출입문(Emergency Exit Door)

도어의 크기는 부착되어 있는 수에 의해 그 비행기의 최대 승객수가 정해져 있다. 최근의 여객기에서는 주 출입문을 포함하여 탈출구 전부를 사용했을 경우 탑승자 전원이 90초 이내에 탈출할 수 있도록 설계 기준에서 요구하고 있다.

## 3.3. 화물칸 출입문(Cargo Door)

화물칸 출입문(Cargo Door)은 동체하부 화물칸 도어(Lower Cargo Door)와 화물기의 메인 덱 화물도어(Main Deck Cargo Door)로 구분된다.

동체하부의 화물칸 도어는 전방 및 후방 화물칸과 벌크 화물도어(Bulk Cargo Door)가 있다.

메인 덱 화물도어는 화물기에 장착된 도어로서 항공기 종류 및 형식에 따라 동체기수 부분의 화물도어(Nose Cargo Door)와 동체 측면도어(Side Cargo Door)가 장착되어 있다. 이러한 종류의 화물도어는 전기나 유압(Hydraulic Power)에 의해 작동되며 만약 전기나 유압 계통에 고장이 발생하면 수동으로 도어를 열고 닫을 수 있도록 되어 있다.

그림 3-10. 동체하부 화물칸 도어(Lower Cargo Door)

그림 3-11. 동체기수 화물도어(Nose Cargo Door)

# 4. 창문(WINDOW)

대형 항공기의 창(Window)은 조종실에 6개의 창문이 서로 대칭되어 설치되어 있으며, 객실창문은 객실 양쪽 측면에 설치되어 있다. 또한, 주 출입문에도 외부나 안쪽을 살펴볼 수 있는 창문이 설치되어 있다.

모든 창은 객실여압에 견딜 수 있는 패일 세이프(Fail Safe)구조로 되어있다. 보잉사에서는 창 유리의 강도를 시험하기 위하여 객실 창에는 직경 3mm 정도의 얼음과 조종실 창에는 무게 2kg 정도의 조류를 압축공기로 쏘아서 안전을 확인하고 있다.

## 4.1. 조종실 창(Flight Compartment Window)

조종석 전면의 방풍 창(Windshield)은 조류충돌과 내부로부터의 여압하중이나 열응력에 충분히 견디도록 설계되어 있다. 또한, 비행 중 조종사의 시계가 방해받지 않게 방수장치 또는 김서림 방지장치가 설치되어 있다.

보잉 747의 경우 조종실 전방에는 좌우합계 6개의 창이 있는데 중앙에서 좌우로 향해 No.1, No.2, No.3 로 부르며, 중앙정면의 No.1 창은 7겹의 층으로 구성되어 바깥쪽의 강화유리가 깨져도 압력을 견딜 수 있도록 되어있다. 바깥쪽의 안쪽 면은 전도체로 코팅(Coating)되어있으며 전기적으로 가열(Heating)하여 방빙 역할을 한다.

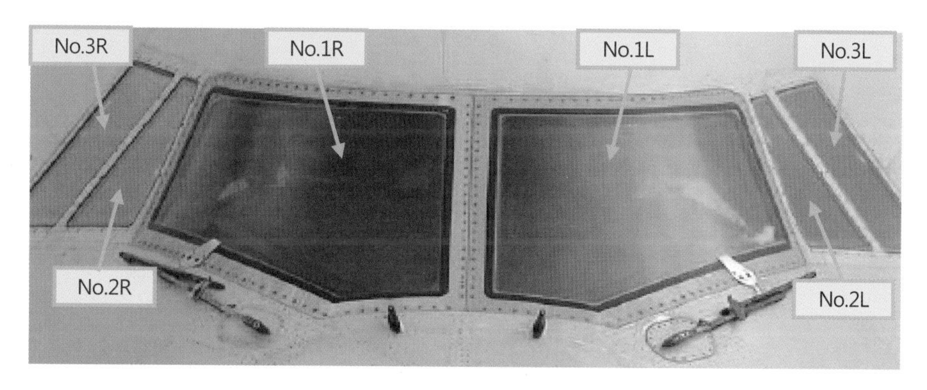


그림 3-12. 조종실 창(WINDSHIELD)

## 4.2. 객실 창(Passenger Compartment Window)

객실 창은 객실의 동체프레임(Fuselage Frame)사이에 있으며, 이 부근에는 승객의 좌석이 설치되어 있다.

3개의 아크릴 판(Acrylic Pane)으로 구성된 객실 창은 객실의 여압 하중을 지탱하는데 판과 판 사이에는 작은 구멍(Vent Hole)이 있어서 김서림(Forging) 및 결빙을 방지한다. 또한, 바깥 쪽 판(Outer Pane)이 손상되었을 때 충격하중(Shock Load)을 중간 판(Middle Pane)이 흡수하도록 되어있다.

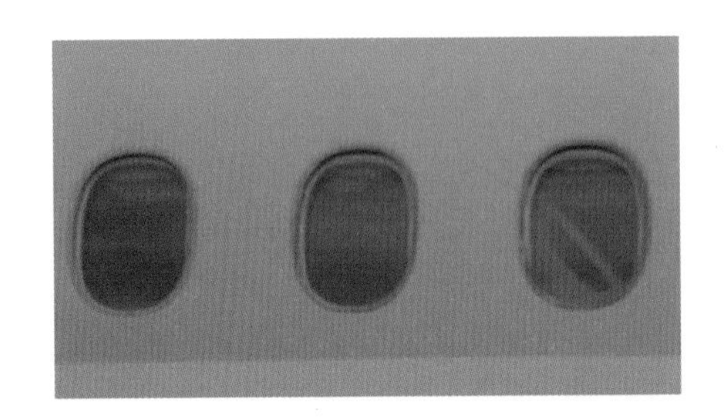

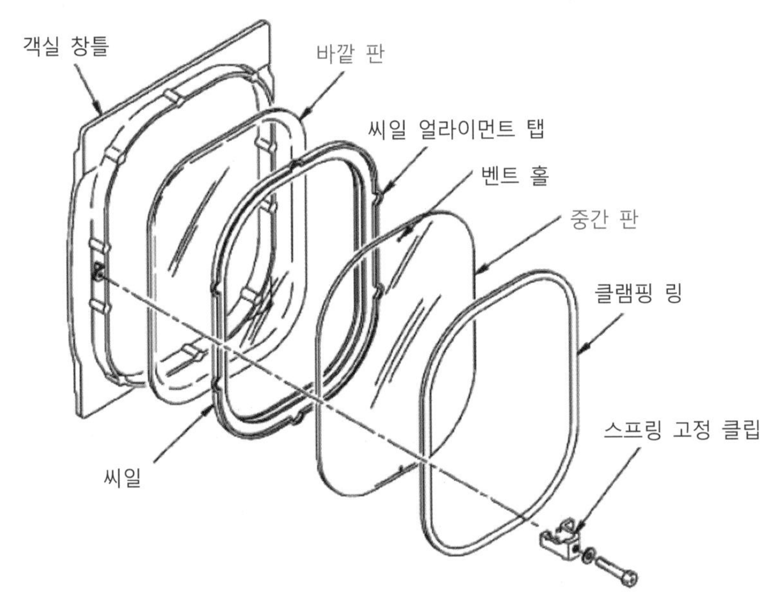


그림 3-13. 객실 창(Passenger Compartment Window)

# 5. 날개(WING)

항공기의 날개는 비행 중 그 주위에 미치는 공기력에 의해 항공기를 공중에 지탱시키는 구조물로서 구조는 항공기의 크기, 중량, 항공기의 용도 및 비행속도 등 많은 요소에 의해 정해진다. 항공기날개는 후방에서 봐서 좌측날개와 우측날개로 구분된다.

항공기의 날개는 주 날개 또는 주익(Main Wing)과 꼬리날개 또는 미익(Tail Wing)으로 나누어진다. 대형 항공기의 경우에는 날개에 항공기가 비행을 위해 필요로 하는 연료를 저장할 수 있는 공간을 가지고 있으며, 최근의 대형 항공기들의 경우에는 꼬리날개 부분에도 연료 탱크가 있어서 무게 중심의 역할을 같이 할 수 있도록 되어있다.

## 5.1. 주 날개(Main Wing)

주 날개에는 에일러론(Aileron), 플랩(Flap), 스포일러(Spoiler)등의 조종면이 있으며, 주 날개에 부착되어있는 동력장치는 항공기가 앞으로 나가거나 이륙 시 날개에 양력을 발생시킬 수 있는 초기에너지를 공급하는 역할을 한다.

### 5.1.1. 날개구조

날개의 구조는 스파(Spar)와 리브(Rib)에 외피(Skin)를 결합시킨 형태로 되어 있다.

스파(Spar)는 동체로부터 날개 끝까지 뻗어나간 빔(Beam)으로서 2개(전방과 후방 스파) 혹은 3 개(전방, 중간, 후방 스파)로 구성된다.

리브(Rib)는 날개의 외부형태(Airfoil)를 이루는 모양을 가지고 있으며, 대부분 스파(Spar)에 직각방향으로 결합되어 격자 형태를 이룬다. 여기에 상부 및 하부 부분을 금속판(Metal Sheet)으로 덮어서 외피(Skin)도 하중을 담당하도록 구성되어 있다.

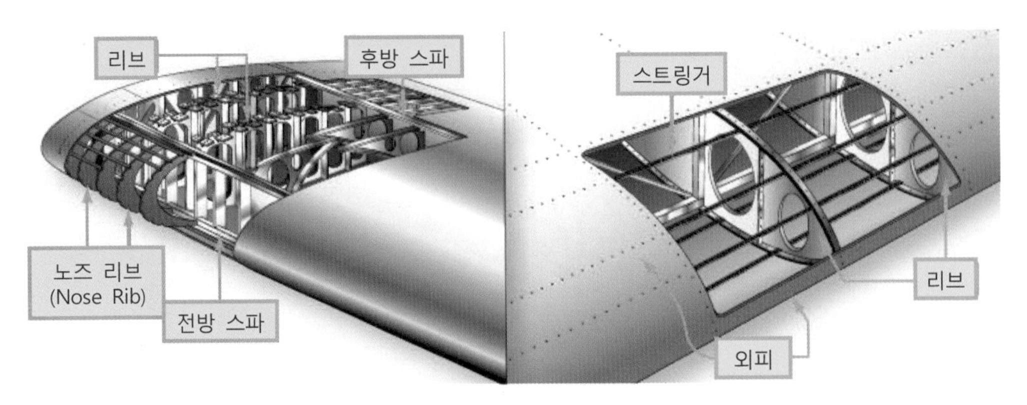

그림 3-14. 날개구조명칭(Wing Structure Nomenclature)

## 5.1.2. 상자 보 구조(Box Beam Structure)

최근 항공기의 날개구조는 상자 보 구조(Box beam structure)에 의한 것이 많다. 주 날개에 걸리는 토크(Torque) 및 모멘트(Moment)를 전후방의 스파(Spar)와 그 사이에 상하외피 및 스트링거(Stringer)에 의해서 분담하는 구조로써 단면이 상자(Box)형으로 되어있고, 박스내부에는 씨일(Seal)을 설치하여 연료탱크로 사용한다.

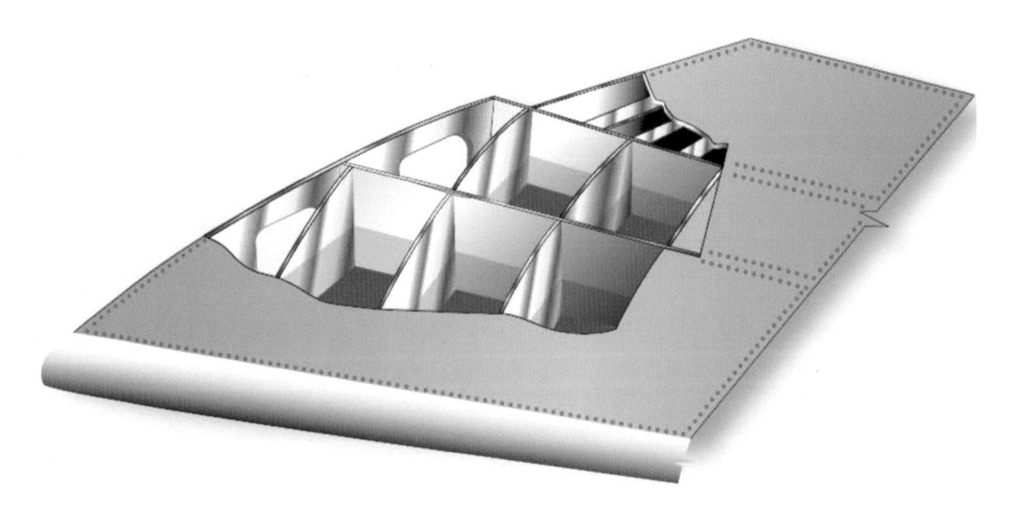
그림 3-15. 상자 보 구조(Box Beam Structure)

### 5.1.3. 윙렛(Winglet)

윙렛(Winglet)은 날개끝의 수직 판으로서 주 날개 끝 부위에서 발생하는 공기 소용돌이를 감소시켜서 날개 효율을 증가시킨다. 보잉사의 자료에 따르면 윙렛의 효과는 항력을 감소시켜 B737 항공기의 경우, 이륙 시 3% 정도의 추력을 감소시키고, 순항 시에는 4% 정도의 추력을 감소시킴에 따라 약 5% 이상의 연료절감효과가 나타나는 것으로 발표하고 있다.

그림 3-16. 윙렛(Winglet) 장착항공기

## 5.2. 꼬리날개

꼬리날개는 동체 후방 쪽에 수직안정판(Vertical Stabilizer)에는 방향타(Rudder), 수평안정판(Horizontal Stabilizer)에는 승강타(Elevator)가 부착되어 요잉(Yawing)과 피칭(Pitching) 운동을 하도록 돕는다.

일반적인 꼬리날개의 모습은 기본적인 안정성을 제공하기 위하여 수평 및 수직방향으로 2개의 고정된 안정판(Stabilizer)으로 구성되며 여기에 항공기의 비행조종을 위한 움직일 수 있는 부분을 장착하고 있다.

수평방향의 앞쪽 고정부분은 수평안정판(Horizontal Stabilizer)이라 하고

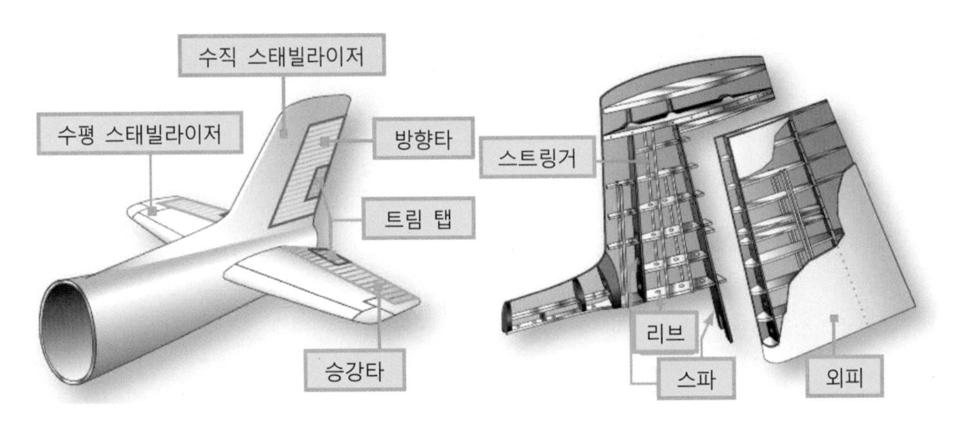


그림 3-17. 항공기 꼬리날개의 구성품과 내부구조

뒤쪽의 움직일 수 있는 조종면은 승강타(Elevator)라고 한다.

수직방향의 앞쪽 고정부분은 핀(Fin) 또는 수직안정판(Vertical Stabilizer)이라 하고 움직이는 조종면은 방향타(Rudder)라고 한다. 이 부분들은 각 항공기별 특성에 맞추어 다양한 크기와 모양으로 되어있으며 일부 초음속 항공기의 경우에는 항공기 앞쪽에 위치하기도 한다. 내부 구조는 주 날개구조와 유사하다.

MEMO

# 제4장. 항공기 추진장치 [PROPULSION SYSTEM]

항공기가 이륙하기 위해서는 항공기 무게보다 더 큰 양력을 발생시켜야하는데 이를 위해 항공기는 충분한 속도와 추력이 필요하다. 이륙 후에도 항공기가 수평등속비행을 유지하기 위해서는 항공기의 항력과 똑같은 양의 추력이 항력이 작용하는 방향과 반대방향으로 작용해야한다.

추진력은 항공기가 진행하는 반대 방향으로 작동되는 유체를 배기시킴으로써 얻어진다. 이것은 뉴턴(Newton)의 제3법칙 작용과 반작용의 법칙을 응용한 것이다.

본 장에서는 추진력을 발생시키는 프로펠러, 왕복엔진 및 가스터빈 엔진들의 개요 정도로 소개하고자 한다.

**1. 프로펠러(Propeller)**

**2. 왕복엔진(Reciprocating Engine)**

**3. 가스터빈 엔진(Gas Turbine Engine)**

# 1. 프로펠러(PROPELLER)

초기 항공기의 대부분은 추력을 발생시키기 위하여 프로펠러를 사용하였다. 이러한 프로펠러는 간단한 우포(Fabric)를 씌운 목재의 노(Paddle) 형태로부터 철심을 넣은 다중 블레이드까지 다양하였다. 그러나 항공역학이 발달하면서 프로펠러 설계는 단순하게 공기를 뒤로 밀어내는 평판형태로부터 비행기를 앞으로 끌기 위해 양력을 발생시키는 날개(Airfoil) 형태로 발전하게 되었다.

최근의 프로펠러는 날개형상, 복합재료(Composite Materials), 다중 블레이드 형상 등을 통하여 그 기술이 향상되고 있고, 복합재를 이용한 층류흐름 대칭날개(Laminar Flow Symmetrical Airfoils) 등이 사용되고 있다.

프로펠러를 회전하는데 필요한 힘은 엔진에서 얻는다. 저 마력 엔진의 프로펠러는 크랭크(Crank)축의 연장선에 직접 장착되고, 대부분의 고 마력 엔진은 엔진 크랭크축에 기어를 통하여 프로펠러축에 장착된다.

## 1.1. 프로펠러의 기본구조

항공기 프로펠러는 2개 이상의 블레이드(Blade)와 블레이드가 장착되는 중앙에 한 개의 허브(Hub)로 구성되어있다. 그림 4-1은 비교적 간단한 두 개의 블레이드로 되어있는 고정 피치형 프로펠러를 보여주고 있다.

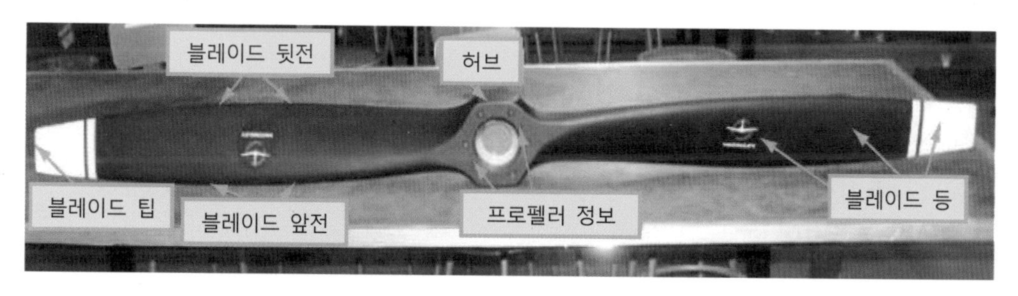


그림 4-1. 프로펠러의 기본구성

### 1.1.1. 블레이드(Blade)

항공기 프로펠러 블레이드는 기본적으로 허브(Hub), 블레이드 생크(Blade Shank : 블레이드 뿌리), 블레이드(Blade), 블레이드 끝(Blade Tip)으로 구성되며, 회전하는 날개라고 생각할 수 있다. 따라서 프로펠러 블레이드는 항공기를 끌거나 밀어주는 추력을 발생시킨다.

그림 4-2와 같이 블레이드의 단면은 날개 꼴(Airfoil) 형상으로 모든 프로펠러 블레이드는 앞전(Leading Edge), 뒷전(Trailing Edge), 시위선(Chord Line)을 가진다.

블레이드 앞전(Leading Edge)은 둥근 모양을 하고 있으며, 공기를 직접 가르는 부분이다. 블레이드 등(Blade Back)은 추력이 작용하는 면이고, 블레이드 뒷전은 날카로운 끝으로 되어 있다.

여기서 시위선이란 비행기 날개에서처럼 앞전과 뒷전을 연결한 가상선을 말하는 것이다.

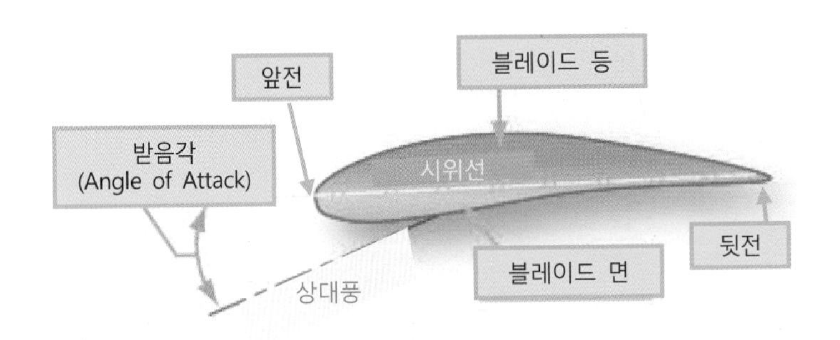


그림 4-2. 프로펠러 블레이드 에어포일의 단면

블레이드 생크(Blade shank)는 그림 4-3과 같이 허브(Hub) 부근의 둥글고 두툼한 부분으로서 허브에 연결되며, 추력은 발생되지 않는다. 또한 블레이드 베이스(Blade base) 또는 블레이드 루트(Blade root)라고도 말하는 블레이드 버트(Blade butt)는 허브에 고정되는 블레이드 부분을 말한다. 그리고 블레이드 팁(Blade tip)은 허브로부터 가장 먼 블레이드의 끝 부분으로서 회전반지름이 가장 크며, 그림 4-1과 같이 특별한 색을 칠해 회전범위나 회전여부를 나타낸다. 일반적으로 블레이드의 가장 끝의 6 인치에 표시한다.

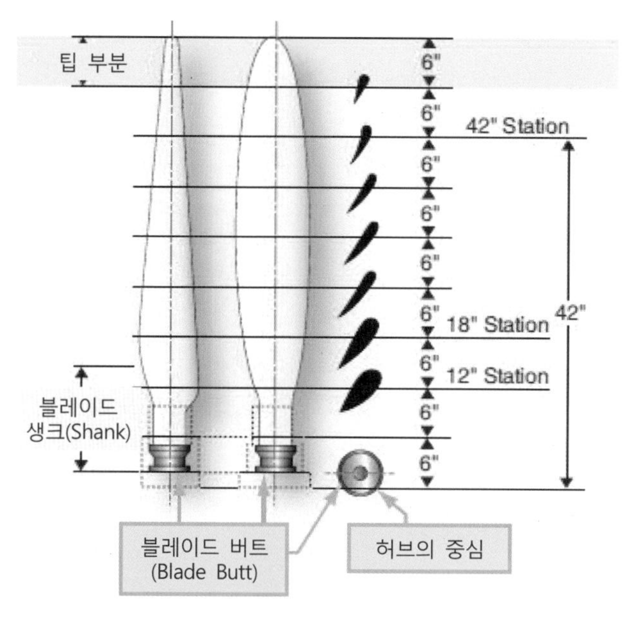


그림 4-3. 프로펠러 블레이드 스테이션

또한, 블레이드의 위치(Blade Station)는 그림 4-3의 우측과 같이 허브의 중심으로부터 블레이드를 따라 위치를 표시한 것으로 일정한 간격으로 나누어서 정하는데 블레이드의 성능이나 블레이드의 결함, 블레이드의 각도를 측정할 때 그 위치를 알기 쉽게 한다.

### 1.1.2. 블레이드 각(Blade Angle)

블레이드 각이란 그림 4-4와 같이 날개골 모양의 단면 시위선에 프로펠러 회전면과 이루는 각으로 정의 한다.

프로펠러의 각 단면은 위치에 따라 두께와 폭이 다르고, 블레이드 각은 선속도가 최소인 허브근처(중심부분)에서 블레이드 각이 가장 크고, 선속도가 최대인 프로펠러 끝에서 블레이드 각은 최대이다. 이처럼 블레이드 각으로 블레이드 중심에서 블레이드 끝으로 갈수록 블레이드 각이 작아지도록 비틀어져 있는데, 이 비틀어진 각을 블레이드 각(Blade Angle)이라 한다.

피치(Pitch)는 블레이드 각과 똑같지는 않지만 블레이드 각에 따라 피치가 크게 좌우되므로 피치와 블레이드 각은 대개 혼용하여 사용한다. 즉, 블레이드 각이 증가하거나 감소하면 피치 또한 증가하거나 감소하기 때문이다.

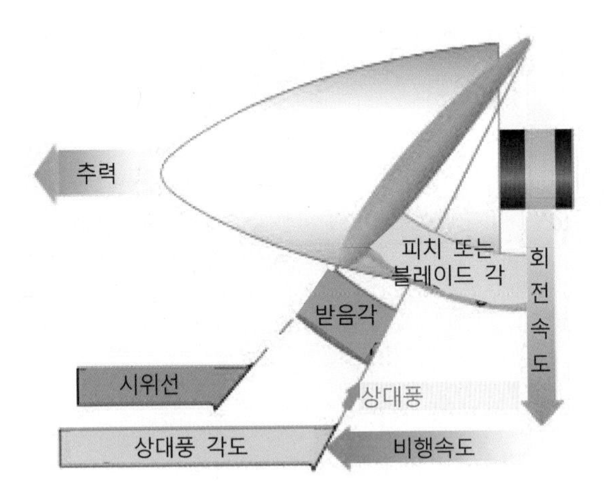


그림 4-4. 프로펠러 공기역학적인 요소

## 1.2. 프로펠러에 작용하는 힘

프로펠러는 극히 큰 힘(응력)에 견딜 수 있도록 설계되어야 하며, 특히 허브(Hub) 부분은 원심력과 추력 때문에 더욱 큰 힘에 견딜 수 있도록 설계되어야 한다. 그 응력은 회전속도에 정비례한다. 블레이드 전면은 원심력으로 인하여 인장력을 받고 추가로 추력으로 인한 굽힘(Bending)에 의해 인장력을 받는다. 이러한 이유로 블레이드에 찍힘(Nicks)이나 긁힘(Scratch) 등은 매우 위험한 결과를 가져오는 수가 있다. 또한 프로펠러는 플러팅(Fluttering)을 방지할 수 있도록 충분히 견고해야 한다.

플러팅(Fluttering)은 블레이드 끝(Blade Tip)에서 일어나는 진동의 일종으로 회전속도가 높을 때 일어나며 엔진 크랭크(Crank) 축의 수직면으로부터 전후로 블레이드 끝이 움직이면서 나선형으로 회전하는 형태를 말한다.

플러팅은 특색 있는 소음을 수반하여 흔히 이것을 배기로 인한 소음과 같이 착각을 하는 경우가 있다. 계속적으로 일정한 진동이 반복되면 블레이드가 약화되어 예측할 수 없는 사고를 유발할 수 있다.

### 1.2.1. 원심력에 의한 인장응력

프로펠러에 작용하는 힘들 가운데 원심력이 가장 큰 응력을 발생시킨다. 원심력은 그림 4-5(A)에 나타나 있는 것처럼 프로펠러를 허브로부터 뽑아내려는 힘이다. 이 원심력에 의하여 발생되는 응력의 크기는 프로펠러 블레이드 무게의 7,500배 정도로 작용한다.

### 1.2.2. 회전력(Torque)에 의한 굽힘응력

토크 굽힘응력(Torque Bending Force) 그림 4-5(B)와 같이 프로펠러 블레이드가 공기저항으로 인하여 회전하는 반대방향으로 휘여 지려는 힘이다. 프로펠러가 고속으로 회전하는 경우 공기저항을 뚫고 지나가야 한다. 이로 인해 프로펠러가 회전하는 경우 프로펠러 회전 반대방향으로 공기저항에 의한 힘이 작용하여 프로펠러 회전방향의 반대방향으로 그림 4-5(B)와 같이 굽힘응력을 발생시킨다.

### 1.2.3. 추력에 의한 굽힘응력

추력 굽힘응력(Thrust Bending Force)은 그림 4-5(C)와 같이 프로펠러에서 발생되는 추력이 항공기를 앞으로 끌기 때문에 프로펠러 블레이드는 항공기 전방으로 휘어지려는 현상을 말한다.

프로펠러에서 발생하는 추력에 의하여 비행기가 앞으로 전진하는 현상은 결국 추력을 발생시키는 프로펠러가 비행기를 앞으로 끄는 것과 마찬가지로 그림 4-5(C)에서처럼 프로펠러 블레이드에는 추력 발생으로 인한 힘이 추력방향으로 작용하게 된다. 따라서 프로펠러 블레이드에는 추력으로 인한 굽힘응력이 작용하게 된다. 이 힘에 의해 프로펠러 블레이드가 휘어지는 경우 이 힘이 작용하는 방향은 원심력에 의한 힘이 작용하는 방향의 반대가 될 수 있기 때문에 원심력에 의한 응력을 줄여주는 기능을 하기도 한다.

### 1.2.4. 공기력에 의한 비틀림 응력

공기력 비틀림 응력(Aerodynamic Twisting Force)은 그림 4-5(D)와 같이 블레이드 각을 크게 만들려는 모멘트가 발생하는 현상이다.

프로펠러 블레이드에서 추력이 발생되는 경우 대부분의 추력은 앞전부근에서 발생하기 때문에 풍압중심(Center Of Pressure)은 프로펠러 블레이드 회전축 앞에 위치하게 된다. 따라서 프로펠러 블레이드는 그림 4-5(D)처럼 비틀림 힘이 작용하게 된다. 프로펠러 회전속도에 비해 비행속도가 빠른 하강비행 시에는 풍압중심이 뒷전 쪽으로 이동하기 때문에 비틀림 힘은 정상비행 시에 발생하는 방향과 반대방향으로 일어나게 된다.

### 1.2.5. 원심력에 의한 비틀림 응력

원심 비틀림 응력(Centrifugal Twisting Force)은 그림 4-5(E)와 같이 공기력 비틀림 응력보다 더 크며 블레이드 각을 적게 만들려는 경향이 있다.

이 힘은 공기력에 의한 비틀림 힘과 반대방향으로 작용하여 블레이드 각을 작게 한다. 프로펠러가 회전하는 경우 발생되는 원심력은 프로펠러의 질량중심이 프로펠러 회전중심으로 이동되도록 한다. 프로펠러의 질량중심은 대개 회전중심의 앞에 놓이게 된다. 그러므로 프로펠러가 회전하는 동안 원심력에 의하여 블레이드 각이 작아지게 된다. 일반적으로 원심력에 의한 비틀림 힘은 공기력에 의한 비틀림 힘보다 크기 때문에 일부 프로펠러의 경우 블레이드 각이 작아지도록 하는데 사용되기도 한다.

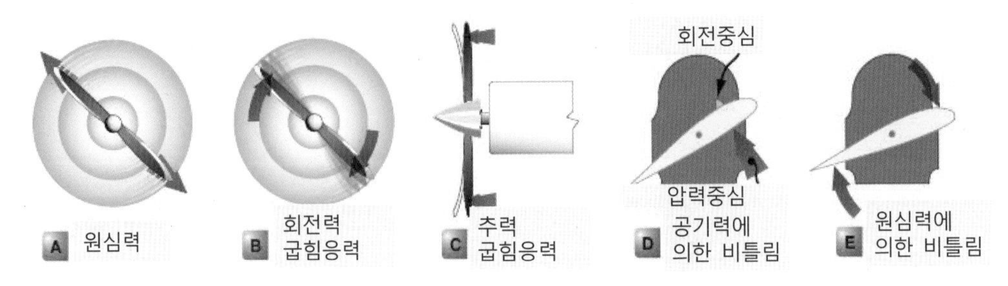


그림 4-5. 프로펠러에 작용하는 힘

## 1.3. 프로펠러의 공력특성

프로펠러의 작용을 이해하기위한 첫째로 회전운동과 전진 운동을 고려하여 보기로 하자.

프로펠러 피치란 엄격한 의미에서 프로펠러가 한 바퀴 회전하는 경우 프로펠러가 앞으로 전진하게 되는 이론적 거리를 의미한다. 피치와 블레이드 각은 서로 다른 개념으로 사용되지만 가끔은 서로 바뀌어 사용될 정도로 가깝게 연관되어 있다. 예를 들면, 프로펠러가 고정피치를 가진다는 것은 프로펠러 블레이드의 블레이드 각이 고정된다는 것을 의미하는 것이다.

프로펠러 블레이드 각은 블레이드의 전 길이에 걸쳐 일정하지 않고 블레이드 뿌리(Blade Root)에서 블레이드 끝으로 갈수록 작아진다. 일반적으로 프로펠러의 블레이드 각을 대표하여 표시할 때는 프로펠러 허브 중심에서부터 75%되는 지점의 위치의 블레이드 각을 말한다.

그림 4-6. 프로펠러 유효피치와 기하학적 피치

### 1.3.1. 기하학적 피치(Geometric Pitch)

기하학적 피치는 프로펠러가 고체 속에서 1회전했을 때 프로펠러가 앞으로 전진한 거리로서 프로펠러의 슬립(Slip)을 고려하지 않은 거리이다.

기하학적 피치의 측정은 프로펠러 허브로부터 블레이드 길이의 75% 되는 지점에서의 블레이드 각을 기준으로 한다. 나사의 피치와 같으며, 보통 피치라고 하면 이 기하학적 피치를 말한다.

공기를 강체로 가정하여 프로펠러가 효율 손실이 전혀 없이 이동하는 경우 한 바퀴 회전하였을 때 이론적인 진행거리를 말한다.

### 1.3.2. 유효피치(Effective Pitch)

유효피치는 프로펠러가 공기 중에서 한 바퀴 회전할 때 실제로 움직인 거리로서 유효피치는 기하학적(geometric)피치에서 슬립(slip)을 뺀 거리이다.

즉, 프로펠러가 한 바퀴 회전하는 동안 프로펠러가 실제로 앞으로 전진한 거리로서 유효 피치는 기하학 피치보다 작다. 실제로 프로펠러가 공기 속에서 이동하는 경우 효율이 떨어지게 되어 프로펠러가 기하학적 피치와 같은 비율로 전진할 수는 없게 된다. 유효피치는 비행기가 지상에 정지해 있는 상태에서 0이며, 가장 효율적인 비행을 하는 경우 기하학적 피치의 90%까지 변하게 된다.

기하학적 피치와 유효피치 차이를 슬립(slip)이라 한다. 따라서 프로펠러 슬립이란 총 손실을 의미하는 것이다.

프로펠러 슬립(slip)=(기하학적피치-유효피치)/기하학적피치×100(%)

만약 50인치의 기하학적 피치를 가지는 프로펠러가 있다면 프로펠러가 한 바퀴 회전하는 동안에 이론적으로 50인치를 전진해야 한다는 것이다. 그러나 실제로 프로펠러가 한 바퀴 회전하는 동안 35인치를 전진했다면 유효피치는 35인치이고 프로펠러의 효율은 70%가 된다. 이 경우 슬립은 15인치며, 30%의 효율손실이 동반되는 것이다. 실제로 대부분의 프로펠러 효율은 75~85% 정도이다.

## 1.4. 프로펠러 장착위치(Propeller Location)

프로펠러가 항공기 엔진의 전방 또는 후방에 장착되는 위치에 따라 견인식과 추진식으로 분류된다.

### 1.4.1. 견인식 프로펠러(Tractor Propeller)

견인식 프로펠러(Tractor Propeller)는 엔진 앞에 설치되어 공기 속으로 비행기를 끌어주는 형태이다. 대부분의 비행기는 견인식 프로펠러를 장착하고 있다. 견인식 프로펠러의 가장 큰 장점은 비교적 교란을 받지 않은 공기 속을 회전하기 때문에 프로펠러에 더 적은 응력이 작용한다는 것이다.

그림 4-7. 견인식 프로펠러(Tractor Propeller)

### 1.4.2. 추진식 프로펠러(Pusher Propellers)

추진식 프로펠러(Pusher-Type Propeller)는 비행기 뒷부분에 장착되어 공기 속으로 비행기를 밀어주는 형태이다. 수상기나 수륙양용기는 추진식 프로펠러를 채택하고 있다.

육상기에서는 프로펠러와 지상사이의 간격이 수상기의 프로펠러와 수면사이의 간격보다 더 적으므로 추진식 프로펠러를 사용할 경우 견인식 프로펠러에 비해 더 크게 상하기 쉽다. 모래, 자갈 및 작은 이물질이 타이어에 의해 뒤로 튕겨서 자주 추진식 프로펠러에 딸려 들어간다.

마찬가지로 추진식 프로펠러를 장착한 항공기는 수상에서 착륙이나 이륙하는 동안 동체에 의해 물보라를 뒤로 뿌려 올리므로 프로펠러를 상하게 하기 쉽다. 그러므로 추진식 프로펠러는 이와 같은 손상을 방지하기 위하여 일반적으로 날개보다 높게 뒤쪽에 장착한다.

그림 4-8. 추진식 프로펠러(Pusher Propellers)

## 1.5. 프로펠러의 형식(Type of Propeller)

프로펠러는 여러 형식과 등급이 있다. 가장 간단한 것은 고정피치와 지상에서 조절 가능한 프로펠러이다.

프로펠러의 복잡성은 간단한 형태로부터 조절 가능한 피치 그리고 복잡한 자동조정 계통을 갖춘 것까지 다양하게 발전해왔다.

본장에서는 프로펠러의 모든 형식을 다루지 않고, 중요한 몇 가지 프로펠러의 형식 및 제반성능을 논하기로 한다.

### 1.5.1. 고정피치 프로펠러(Fixed-Pitch Propeller)

가장 간단한 형태의 프로펠러로서 이름에서 의미하듯이 고정피치 프로펠러는 블레이드 피치나 블레이드 각이 고정되어있다. 블레이드 각은 프로펠러를 일단 제작하고 난 이후로는 변화시킬 수 없다.

일반적으로 고정피치 프로펠러는 나무나 알루미늄 합금 재료로 하나의 부품으로 제작되며, 1회전 당 효율이 최대이고 전진속도가 최대가 되도록 설계되어 있다. 즉, 항공기와 엔진속도의 어느 한 상태로 고정되었기 때문에 이 상태가 변화하면 프로펠러나 항공기의 효율은 감소한다.

고정피치 프로펠러는 저출력, 저속도, 단거리비행 또는 저 고도로 비행하는 항공기에 사용한다.

그림 4-9. 고정피치 프로펠러(Fixed-Pitch Propeller)

### 1.5.2. 시험 클럽 프로펠러(Test Club Propeller)

테스트 클럽은 왕복 엔진을 시험하는데 사용된다. 엔진을 시험하기위한 정확한 양의 부하를 제공하기 위하여 만들어졌으며, 시험하는 동안 추가적인 냉각공기 흐름을 제공하기 위하여 멀티 블레이드로 설계되어 있다.

그림 4-10. 시험 클럽 프로펠러(Test Club Propeller)

### 1.5.3. 지상 조절가능 프로펠러(Ground-Adjustable Propeller)

지상 조절가능 프로펠러는 고정피치 프로펠러와 작동방법은 동일하지만 항공기가 지상에 있으면서 엔진이 정지된 상태에서는 프로펠러 블레이드 피치나 각도를 변화 시킬 수 있다. 블레이드를 움직이지 못하게 잡고 있는 고정장치를 느슨하게 풀어주어 바꿀 수 있는데 이 고정 장치가 일단 다시 고정되면 비행 중에는 변경 시킬 수 없다. 고정피치 프로펠러와 마찬가지로 저출력, 저속도, 단거리비행 또는 저고도 비행에 적당한 형태이다.

### 1.5.4. 조정가능 피치 프로펠러(Controllable-Pitch Propeller)

조정 가능한 프로펠러는 프로펠러가 회전하는 동안도 블레이드의 피치 또는 각도를 바꿀 수 있다. 이런 형태의 프로펠러는 특수한 비행 상태에서도 최대의 성능을 갖도록 블레이드 각을 변화시킬 수 있다. 피치의 조절 위치는 두 지점으로 제한되어 있는 것과 최소 각과 최대 각 사이에서 요구에 따라 적당한 임의의 각으로 조절 될 수 있는 것이 있다. 조절 가능한 프로펠러는 또한 특수한 비행 상태에 대해서도 그 때 요구되는 엔진회전속도로 조절할 수 있도록 설계되었다.

### 1.5.5. 정속 프로펠러(Constant-Speed Propellers)

정속프로펠러는 가변피치프로펠러(Variable-Pitch Propeller) 또는 조종피치프로펠러(Controllable-Pitch Propeller)라고도 불리며, 현재 항공기에 사용되고 있는 가장 일반적인 조절가능 피치 프로펠러(Adjustable-Pitch Propeller)이다. 정속 프로펠러의 가장 큰 장점은 넓은 회전속도(RPM)와 비행속도 영역에서 엔진 동력을 추력(Thrust)으로 가장 많이 변환시킬 수 있다는 것이다. 정속프로펠러가 다른 프로펠러에 비해서 더 효율적인 이유는 주어진 조건에서 조종사가 가장 효율적인 엔진속도(RPM)를 선택할 수 있다는 것이다. 일단 특정 회전수(엔진속도)가 정해지면 조속기(Governor)는 자동적으로 선택된 회전수를 유지시키기 위하여 프로펠러 블레이드 각(Blade Angle)을 조정한다. 예를 들어 순항비행(Cruising Flight)에 적합한 회전수가 선택된 후에 비행속도를 증가시키거나 프로펠러 부하(Load)를 감소시키면 선택된 회전수를 유지시키기 위하여 프로펠러 블레이드 각이 커지게 된다. 이와 반대로 비행속도를 줄이거나 프로펠러 부하를 증가시키면 프로펠러 블레이드 각이 작아지게 된다.

이렇듯이 엔진 속도는 블레이드 각을 증가 또는 감소시킴으로써 조절할 수 있게 되는 것이다. 이 프로펠러의 피치를 증가 또는 감소시키는 장치에는 프로펠러 조속기(Governor)가 일반적으로 사용된다.

항공기가 상승을 계속할 때는 프로펠러 블레이드 각은 충분히 감소하여 엔진속도의 감소를 방지하므로 스로틀(Throttle)의 위치가 변화하지 않더라도 엔진의 출력은 일정하게 유지된다. 항공기가 급강하 할 때는 블레이드 각은 충분히 증가해서 회전속도가 초과되는 것을 방지한다. 그래서 똑같은 스로틀 위치에서 출력을 변화하지 않고 일정하게 유지시킨다.

일반적으로 피치 변환장치(Pitch-Changing Mechanism)는 오일압력(유압)에 의해 작동하고 피스톤과 실린더를 가진 장치를 사용하고 있다.

피스톤의 선형 운동은 몇 개의 다른 형식의 기계적인 연결을 통해 블레이드 각을 바꾸는데 필요한 회전운동으로 변환한다. 기계적인 연결은 기어를 통해서 이루어지며 각각의 블레이드 버트(Blade Butt)에 장치된 기어에 물리어 피치 변환 기계장치를 회전시켜서 이루어진다.

그림 4-11. 허브의 블레이드 베어링 부분

각각의 블레이드는 블레이드가 회전하여 피치를 바꿀 수 있도록 그림 4-11과 같이 베어링에 장착되어 있다.

일반적으로 유압 피치 변환장치에 사용되는 작동유는 엔진 윤활계통으로부터 직접공급 받는다. 엔진 윤활계통이 작동 중일 때 엔진 오일의 압력은 프로펠러를 작동하기 위하여 별도로 조속기(Governor) 내부에 장착된 펌프에 의해 승압된다. 유압 프로펠러 피치변환 장치를 조정하기 위해 사용되는 조속기는 엔진 크랭크축에 연결되어 회전속도 변화를 감지하고, 프로펠러 유압 피치 변환장치를 작동하기위한 압축유를 직접 제어한다.

회전속도가 조속기의 선택된 값보다 그 이상으로 증가하려할 때는 조속기는 프로펠러 피치 변환장치를 통해 블레이드를 큰 각도로 만든다. 이각의 증가는 엔진의 부하를 증가시켜 회전속도를 감소하게 한다. 또한 회전속도가 조속기의 선택된 값 이하로 떨어질 때는 조속기는 피치 변환장치를 돌려서 블레이드 각을 감소시키면 엔진의 부하는 감소하여 회전속도를 증가하게 한다. 이렇듯 프로펠러 조속기는 회전속도를 일정하게 유지하려는 경향이 있다.

### 1.5.6. 페더링 프로펠러(Feathering Propellers)

비행 중에 엔진이 정지하는 경우 프로펠러는 블레이드 사이로 공기가 흘러지나감에 따라 풍차(windmill)처럼 회전한다. 이 경우 비행기의 비행특성에 반대효과를 나타내는 큰 항력이 발생할 뿐만이 아니라 엔진이 손상될 염려가 발생하게 된다. 이렇게 프로펠러의 풍차작용에 의해서 발생되는 항력을 없애주기 위하여 프로펠러 블레이드 각을 90°회전시키는 방법이 개발되었다. 이 방법은 프로펠러를 페더링하는 것으로 알려져 있으며, 앞에서 불어오는 바람에 대해서 프로펠러 형상을 가장 작게 할 수 있기 때문에 발생되는 항력이 제거되는 것이다. 또한 페더링 블레이드의 페이스(face)와 그 반대 면에 작용하는 압력이 같아지면 프로펠러 블레이드는 회전을 멈추게 된다. 오늘날 모든 현대식 다발(multiple engine) 프로펠러 구동 항공기는 페더링 프로펠러를 장착하고 있다.

### 1.5.7. 역 피치 프로펠러(Reverse-Pitch Propeller)

역 피치 프로펠러는 작동하는 동안 블레이드 각이 마이너스 값까지 변화될 수 있도록 조절 가능한 프로펠러이다.

역 피치의 목적은 저속도에서 엔진 출력을 이용하여 높은 마이너스 추력을 생산하여 항공기 착륙 시 공기역학적 제동장치 역할을 함으로써 항공기의 착륙속도를 줄여서 항공기 제동장치(brake)의 손상을 최소화하면서 착륙거리를 단축한다.

# 2. 왕복엔진(RECIPROCATING ENGINE)

실린더 내에서 연료와 공기의 혼합 가스를 단속적으로 연소·폭발시켜서 피스톤을 움직이며, 그 피스톤의 왕복운동을 커넥팅 로드와 크랭크축 등의 기구를 이용하여 회전운동으로 바꾸어 추진을 행하는 형식을 왕복엔진(Reciprocating Engine) 또는 피스톤 엔진(Piston Engine)이라고 한다.

왕복엔진은 군용기 및 운송용 항공기에서는 사실상 쓰이지 않고, 주로 소형 경량항공기에 사용되고 있으며, 엔진이 비교적 싸고 제작이 쉽지만 연료값이 비싸고 가스터빈 엔진과 비교하면, 힘에 비해 무게가 무거운 편이다.

## 2.1. 왕복엔진의 유형(Types of Reciprocating Engines)

왕복엔진은 크랭크축에 연결된 실린더의 배열에 따라 직렬형(In-Line), V형(V-Type), 방사형(Radial) 및 대향형(Opposed)등으로 분류할 수도 있고, 냉각방법에 따라 액랭식과 공랭식으로 분류할 수도 있다.

실제로 모든 엔진은 주위의 공기에 다량의 열을 전달시켜서 냉각되어 진다. 공랭식 엔진에서는 이열전달은 직접 실린더에서 공기로 행해진다. 열은 액체에 전달되는 것보다 공기에 전달되는 속도가 더 느리므로 충분한 열전달을 위한 표면적을 넓히기 위해 공랭식 엔진의 실린더에는 얇은 금속 핀(Fin)을 만들 필요가 있는 것이다. 일부 고출력 엔진에서 액냉식을 사용하기도 하지만 대부분의 항공기 엔진은 공랭식을 사용하고 있다.

액랭식 엔진에서는 실린더에서 냉각제로 열이 전달되어 관을 통해 보내진 다음 공기흐름 속에 놓인 라디에이터(Radiator) 내부에서 냉각되어진다. 라디에이터는 액체를 효과적으로 냉각시킬 수 있을 만큼 커야한다. 주요 문제점으로는 냉각제, 열교환기(라디에이터) 및 구성품을 연결하는 관 등으로 인하여 엔진의 무게가 증가한다는 것이다.

### 2.1.1. 직렬형 엔진(Inline Engines)

직렬형 엔진은 비록 3개의 실린더를 가진 엔진도 만들어 지지만 일반적으로 짝수 실린더를 갖는다. 이러한 엔진은 액랭식으로 또는 공랭식으로 냉각될 수 있으며, 실린더 위 또는 아래쪽에 한 개의 크랭크축을 가지고 있다.

크랭크 축 아래쪽에 실린더가 장착된 엔진의 경우에는 도립엔진(Inverted Engine)이라고 부른다. 이러한 도립엔진의 경우에는 착륙장치(Landing Gear)가 더욱 짧아 질 수 있으며, 조종사의 시계가 더욱 좋아진다는 장점이 있다. 직렬형 엔진은 전방 면적이 작으며, 공기흐름을 더 잘 이끌 수가 있는 반면에 엔진이 커지면 공랭식의 경우 냉각효과가 줄어들기 때문에 경항공기에 사용되는 저 마력 또는 중간마력 엔진에 제한된다.

### 2.1.2. V형 엔진(V-Type Enigne)

V형 엔진에서는 실린더들이 일반적으로 60°로 떨어져서 2열로 놓여있다. 대부분의 엔진은 12개의 실린더를 가지고 있으며 액랭식이거나 공랭식이다.

엔진은 실린더가 V자형으로 놓여있어 V 다음에 대시(-)를 붙이고 피스톤의 용량을 $inch^3$으로 표시하여 나타내어진다. 예를 들면 V-1710이 있다. 이러한 유형의 엔진들은 2차 세계대전 중에 많이 사용되었으며, 대부분 구형 항공기에서 제한적으로 사용하고 있다.

### 2.1.3. 대향형 또는 O-형 엔진(Opposed or O-Type Engine)

그림 4-12와 같이 대향형 엔진은 중앙에 크랭크축을 가지고 있고, 그 양쪽으로 실린더가 2열로 놓여있다. 양쪽의 실린더 열들의 피스톤들은 한 개의 크랭크축에 연결되어 있다.

엔진은 공랭식 또는 액랭식을 사용할 수 있지만, 항공기에서는 대부분 공랭식을 사용하고 있다. 공랭식 형태는 실린더와 함께 수직으로 또는 수평으로 장착할 수가 있다.

대향형 엔진은 중량 마력 비(Weight-To-Horsepower ratio)가 낮으며, 좁

그림 4-12. 4기통 대향형 엔진

은 윤곽으로 인해서 쌍발엔진의 경우 항공기 날개에 수평으로 장착하는데 아주 이상적이다. 또 다른 장점으로는 낮은 진동 특성이다.

### 2.1.4. 성형 엔진(Radial Engine)

성형 엔진은 중앙에 있는 축에 방사형으로 실린더들이 1열 또는 2열로 구성된다.[그림 4-13 참조] 이러한 형태의 엔진은 아주 견고하고 믿을 수 있는 엔진으로 입증되었다. 1열로 구성된 실린더의 수는 3개, 5개, 7개 또는 9개로 될 수 있다.

어떤 성형 엔진은 크랭크축을 중심으로 7개 또는 9개의 실린더가 2열로 되어 있는 것도 있다.[그림 4-14 참조] 이러한 엔진을 이열 성형엔진이라고 부른다. 성형엔진 중의 하나의 유형으로 7개의 실린더가 4열로 되어있어 28기통을 갖고 있는 엔진도 있다.

성형 엔진은 여전히 일부의 구형 화물기, 전투기(War Birds) 및 농약살포 비행기 등에 제한적으로 사용되고 있다.

그림 4-13. 성형 엔진

그림 4-14. 이열 성형 엔진

## 2.2. 왕복엔진의 작동원리(Operating Principles)

기체(gas)의 압력, 부피 그리고 온도사이의 관계를 다루는 원리가 엔진 작동의 기본적인 원리이다. 내연기관은 열에너지를 기계적 에너지로 변환시키는 장치이다. 가솔린이 기화하여 공기와 혼합되고, 실린더 안으로 유입되어 피스톤에 의해서 압축되고, 전기 불꽃으로 점화된다. 열에너지가 기계적 에너지로 바뀌지고, 일을 하게 되는 변환이 실린더 안에서 이루어진다.

왕복엔진의 작동 사이클은 4행정(Four stroke), 2행정(Two stroke), 로터리(Rotary) 및 디젤(Diesel) 등의 여러 유형의 작동 사이클이 있다.

### 2.2.1. 4 행정 사이클(Four-Stroke Cycle)

대부분의 항공기 왕복엔진은 4 행정 사이클이며, 발명자인 독일의 물리학자의 이름을 따서 오토 사이클(Otto Cycle)이라고 불리어진다.

4 행정 엔진을 항공기에 사용하면 많은 장점이 있다. 장점 중의 하나는 과급(Supercharging)을 통하여 쉽게 고성능을 얻을 수 있다는 것이다.

이런 형태의 엔진에서는 그림 4-15와 같이 필요한 연속작용 즉, 각 실린더의 작동 주기를 완성하기 위해서 4행정이 요구되는 것이다. 4행정에는 크랭크축의 완전한 2회전(720°)이 필요하다. 즉, 각 실린더는 크랭크축의 매 2회전 마다 한번 씩 점화한다.

#### (1) 흡입행정(Intake Stroke)

흡입행정에서 피스톤은 크랭크축의 회전에 의해서 실린더 내에서 아래쪽으로 내려가게 되고, 실린더내의 압력은 대기압 이하로 감소되어 공기는 기화기(Carburetor)로 흘러 들어가서 연료를 필요한 양 만큼 정확하게 흐르게 한다.

모든 고출력 항공기 엔진에서 흡입 및 배기밸브는 흡입행정의 초기에 피스톤 상사점에서 모두 밸브시트(Valve Seat)에서 떨어져 있다. 위에서 언급한 바와 같이 흡입밸브는 배기행정의 상사점 전에 열리며(Valve Lead), 배기 밸브의 닫힘은 피스톤이 상사점을 통과하여 흡입 행정을 시작한 후에도 상당한 동안 열려있다(Valve Lag).

이와 같이 흡입밸브와 배기밸브가 동시에 열려있는 시기를 밸브 오버랩(Valve Overlap)이라고 하는데 흡입되는 차가운 연료/공기의 혼합기의 순환에 의해서 실린더 내부를 냉각시키는 것을 돕고, 실린더 안으로 유입되는 연료/공기 혼합기의 양을 증가시키며, 연소의 결과로 생겨난 부산물을 배출하는 것을 돕도록 설계되었다.

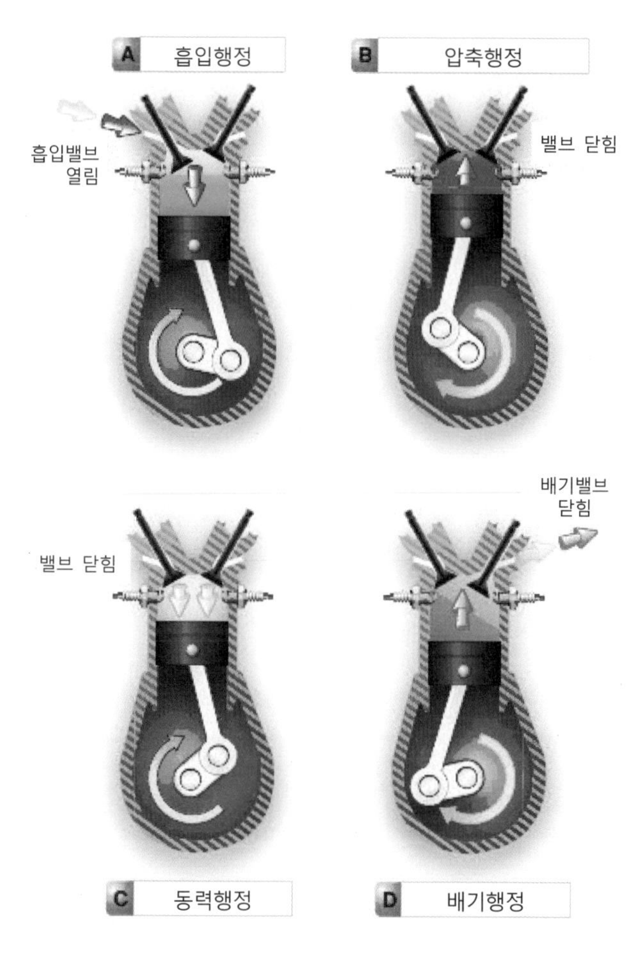


그림 4-15. 4 행정 사이클

### (2) 압축행정(Compression Stroke)

흡입밸브가 닫힌 후, 피스톤의 계속적인 상향 운동은 바람직한 연소와 팽창의 특성을 얻기 위하여 연료/공기 혼합기를 압축한다.

연료/공기 혼합기는 피스톤이 상사점에 도달하면 전기불꽃에 의해서 점화된다. 점화시기(Ignition Timing)는 피스톤이 상사점을 약간 지날 때까지 연료/공기 혼합기를 완전히 연소시켜야 하기 때문에 일반적으로 상사점 전 25°~ 35°사이에서 이루어진다.

### (3) 동력행정(Power Stroke)

압축행정의 끝에서 피스톤이 상사점을 지나면 동력(또는 폭발, 팽창)행정이 시작되는데 실린더 상부에서 연소가스의 급속한 팽창으로 인해 피스톤은 엔진의 출력이 최대일 경우 15톤(30,000 psi)이상의 힘으로 아래쪽으로 밀려 내려간다. 이때 연소가스의 온도는 3,000°~ 4,000°F 정도가 된다.

연소가스의 압력 때문에 동력행정에서 피스톤이 아래로 내려가면 커넥팅 로드는 아래쪽으로 움직이고, 크랭크축에 의해서 회전 운동으로 바뀌어 프로펠러축에 전해져서 프로펠러를 구동시킨다.

### (4) 배기행정(Exhaust Stroke)

피스톤이 동력행정의 하사점을 지나서 배기행정의 상향운동을 시작하면, 피스톤은 연소된 배기가스를 배기포트 밖으로 밀어내기 시작한다. 실린더를 빠져나가는 배기가스 속도는 실린더 내부에 낮은 압력을 형성한다. 이러한 낮은 즉, 감소된 압력은 흡입밸브가 열리기 시작할 때 새로운 연료/공기 혼합기가 실린더 내부로 흘러 들어가는 것을 촉진시킨다. 흡입밸브의 열림은 엔진의 종류에 따라 차이가 있지만 배기행정이 상사점에 도달하기 전 8°~ 55°에서 열리도록 설계되어있다.

## 2.3. 왕복엔진 구조(Reciprocating Engine Construction)

왕복엔진의 기본 구성부품으로는 크랭크 케이스(Crankcase), 실린더, 피스톤, 커넥팅 로드(Connecting Rods), 밸브(Valves), 밸브작동 기구 및 크랭크축이 있다.

각 실린더 헤드(Head)에는 밸브들과 점화 플러그(Spark Plug)가 있다. 밸브 중 하나는 공기유도계통에서 오는 통로에 있고, 다른 하나는 배기계통으로 가는 통로에 있다. 실린더 내부에는 커넥팅 로드에 의해 연결되어 있는 움직이는 피스톤이 있다. 그림 4-16은 왕복엔진의 기본 구성부품을 보여주고 있으며, 그림 4-17은 일반적으로 경량항공기에 많이 사용하는 대향형 엔진의 구성품을 보여주고 있다.

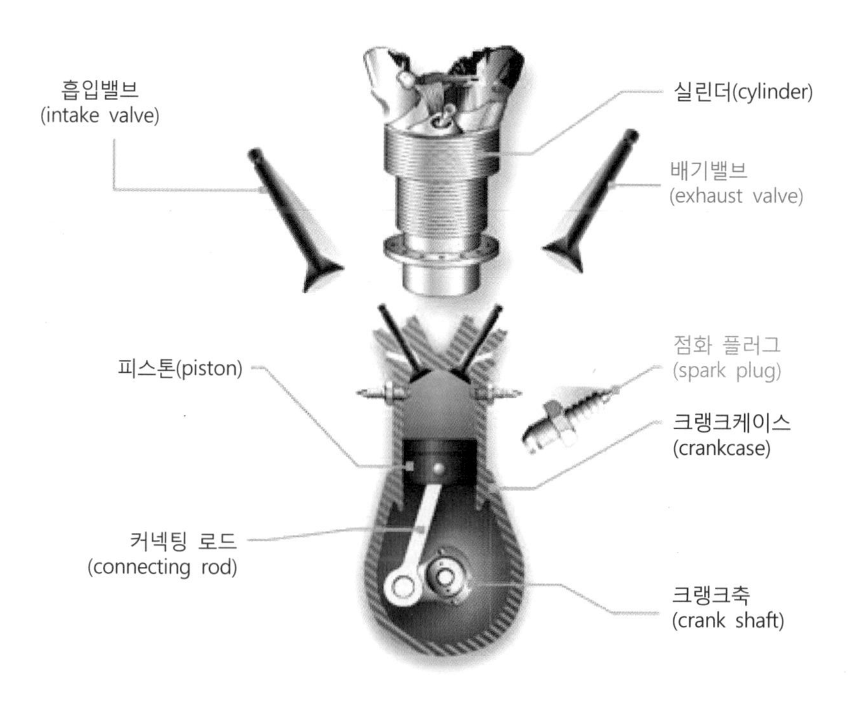


그림 4-16. 왕복엔진 기본 구성부품

## 2.3.1. 크랭크케이스 부분(Crankcase Sections)

크랭크케이스(Crankcase)는 엔진의 기본 골조라고 할 수 있으며, 크랭크축(Crank Shaft)이 회전할 수 있도록 해주는 베어링(Bearing)들이 포함되어 있고, 그 자체를 지지하는 것 외에 윤활유를 위해 기밀이 잘되어져야 하며, 엔진의 다양한 내부와 외부 기계장치들을 지지해주어야 한다.

또한 크랭크 케이스는 실린더 어셈블리 장착을 지지해주고 항공기의 동력장치도 지지해주어야 한다. 크랭크 케이스는 크랭크축과 베어링들이 어긋나지 않도록 단단하고 튼튼해야 한다. 크랭크 케이스는 일반적으로 주물 또는 단조 된 알루미늄 합금을 사용하는데 이유는 가볍고 단단하기 때문이다.

크랭크 케이스는 기계적 하중과 여러 형태의 힘들을 받고 있다. 실린더들이 크랭크 케이스에 고정되어 있기 때문에 굉장한 팽창력이 실린더를 크랭크 케이스로부터 빠져나가도록 작용한다. 주 베어링을 통해 작용하는 크랭크축

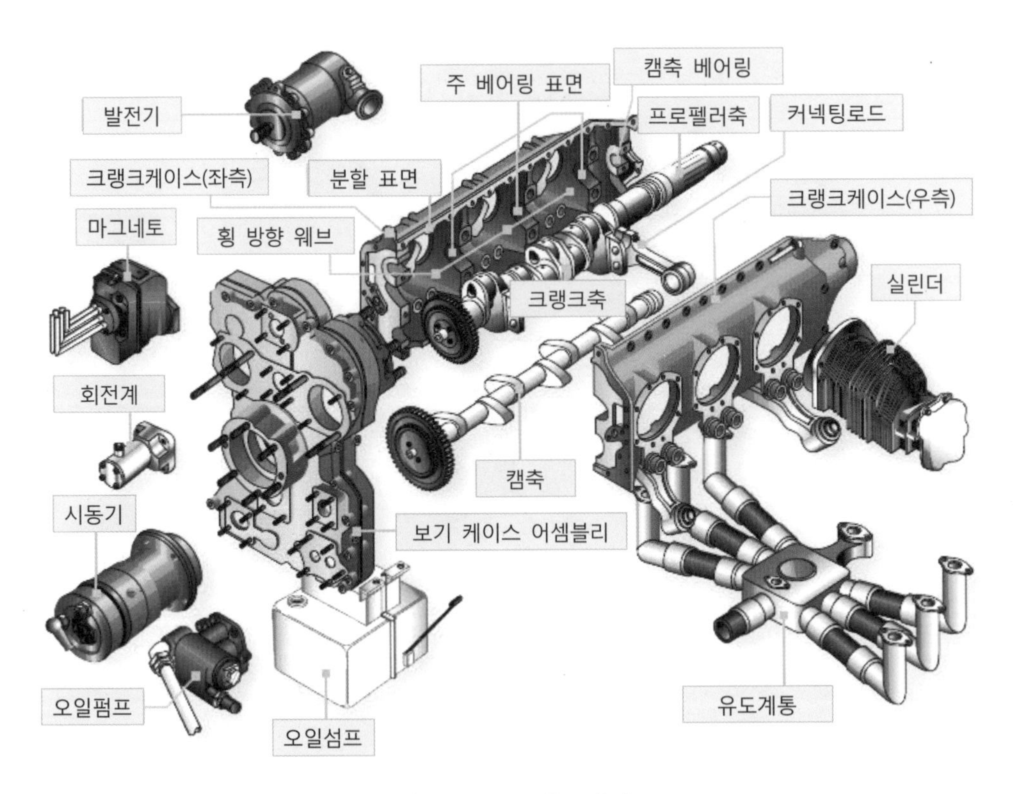


그림 4-17. 크랭크케이스

의 불균형적인 원심력과 관성력은 크랭크 케이스에 계속하여 작용하여 작용하는 방향을 달리하면서 굽힘 모멘트(Bending Moment)를 준다. 크랭크 케이스는 외부변형 없이 이러한 굽힘 모멘트를 견디어 낼 수 있을 정도로 단단해야 한다.[그림 4-17]

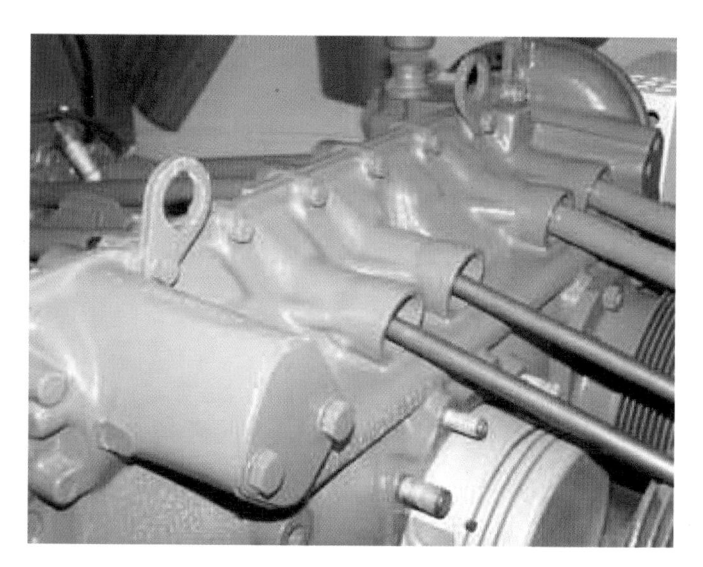

그림 4-18. 대향형 엔진의 구성부품 분해도

## 2.3.2. 보기부분(Accessory Section)

보기(후방)부분은 알루미늄 합금 또는 마그네슘 주물로 되어있다. 일부엔진에서는 하나의 몸체(One Piece)로 주물 제작되어 마그네토(Magneto), 기화기(Carburetor), 연료펌프(Fuel Pump), 오일펌프(Oil Pump), 진공펌프(Vacuum Pump), 시동기(Starter), 발전기(Generator)등과 같은 보기들을 편리하게 장착 할 수 있도록 되어있다. 다른 개조형태는 알루미늄 합금 주물과 보기장착대가 배열된 두 쪽으로 나누어진 마그네슘 주물 덮개 판(Cover Plate)으로 구성되어 있다.

보기 구동축(Accessory Drive Shaft)은 보기장착 패드(Pad)에 동력을 전달할 수 있도록 알맞은 구동 배열로 장착되어있다. 여러 가지 기어 비(Gear

Ratio)에 의해 적절한 속도를 마그네토, 펌프 그리고 다른 보기들에 제공하고 정확한 타이밍(Timing) 또는 기능을 얻을 수 있도록 되어 있다.

### 2.3.3. 크랭크축(Crankshafts)

크랭크축은 크랭크케이스의 세로축과 나란히 놓여 져 있으며, 일반적으로 주 베어링(Main Bearing)에 의해 지지되고 있다. 크랭크축의 주 베어링은 크랭크케이스 내에서 견고하게 지지되어져야 한다. 이것은 크랭크케이스 안에 주 베어링마다 하나씩의 횡 방향 웨브(Transverse Webs)로 이루어진다.

주 베어링을 지지하도록 추가된 내부 구조의 부분 형태로 된 웨브(Web)는 전체 케이스의 강도를 더 해준다. 크랭크 케이스는 종 방향으로 2개의 부분으로 나누어져 있다. 크랭크축을 중심으로 2개로 나뉘어 져서 주 베어링의 반쪽은 케이스의 한쪽부분에 놓여지고, 다른 반쪽은 반대편에 놓이게 된다.

### 2.3.4. 커넥팅 로드(Connecting Rod)

커넥팅 로드(Connecting Rod)는 피스톤과 크랭크축 사이에서 힘을 전달시켜주는 연결부이다.[그림 4-19]

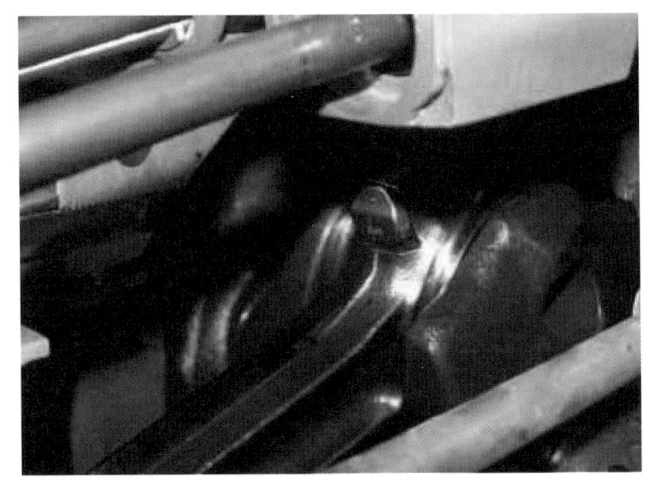

그림 4-19. 피스톤과 크랭크 축 사이의 커넥팅 로드

커넥팅 로드는 부하를 견딜 수 있을 만큼 강해야하며, 로드(Rod)와 피스톤이 정지하고 방향을 바꿀 때와 각 행정 끝에서 다시 시작될 때 생겨나는 관성력을 줄일 수 있을 만큼 가벼워야 한다.

### 2.3.5. 피스톤(Piston)

왕복엔진의 피스톤은 강철 실린더 내에서 앞뒤로 왔다갔다 움직이는 원통형으로 된 구성품이다.[그림 4-20]

그림 4-20. 피스톤

피스톤은 연소실내에서 움직이는 벽과 같은 역할을 한다. 피스톤이 실린더 내에서 아래로 움직이면 연료/공기 혼합가스를 끌어들이게 되고, 위로 움직이면 혼합가스를 압축하고, 점화되어 혼합가스가 팽창되면 피스톤을 아래로 밀어내게 된다. 이러한 힘은 커넥팅 로드를 통해서 크랭크축에 전달된다. 다시 피스톤이 올라가는 행정이 되면 피스톤은 배기가스를 실린더에서 밀어 내보낸다.

### 2.3.6. 실린더(Cylinders)

왕복엔진에서 동력이 나오는 부분을 실린더 또는 기통이라고 한다. [그림 4-21] 실린더는 연소와 가스팽창이 일어나는 연소실 역할을 하며, 피스톤과 커넥팅 로드의 집 역할도 한다. 실린더 어셈블리의 설계와 구성에 있어서 고려되어야 할 것에는 다음 4가지 주요 요소가 있다.

① 엔진 작동 중에 나오는 내부 힘에 충분히 견딜 만큼 강해야한다.

② 엔진 무게 감소를 위해서 경금속으로 구성되어야 한다.

③ 효율적인 냉각을 위해서 좋은 열전도율을 가진 재질이어야 한다.

④ 제작, 점검 및 유지하기가 비교적 쉬워야 한다.

공랭식 엔진의 실린더 헤드(Cylinder Head)는 보통 알루미늄 합금으로 만들어진다. 알루미늄 합금은 열을 잘 전달하는 도체이며, 무게가 가벼워 엔진무게를 감소시킬 수 있다.

그림 4-21. 왕복엔진 실린더

## 2.3.7. 밸브(Valve)

연료/공기혼합 가스는 흡입밸브 포트(Intake Valve Port)를 통하여 실린더로 들어가고, 연소 가스는 배기밸브 포트(Exhaust Valve Port)를 통하여 배출된다.

각각의 밸브헤드(Valve Head)는 이 실린더 포트를 열고 닫는다. 항공기 왕복엔진에 사용되는 밸브는 전형적인 버섯모양의 포핏밸브(Poppet Type)이다. 밸브 형상에 따라 버섯(Mushroom) 혹은 튤립(Tulip) 모양이라고 부른다.

그림 4-22는 밸브들의 각가지 모양과 형상을 나타내고 있다.

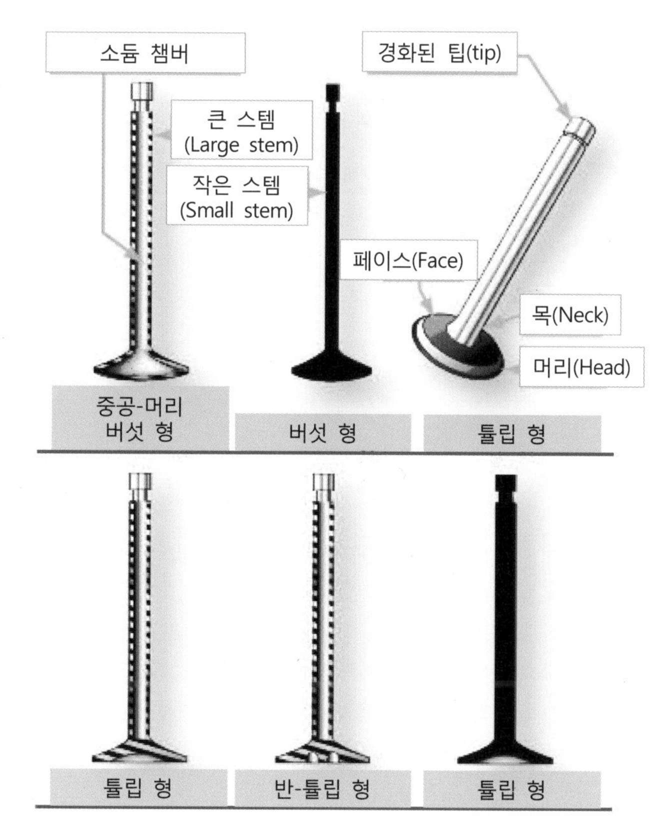


그림 4-22. 여러 형상의 밸브유형

## 2.4. 왕복엔진 연료계통(Fuel System)

엔진의 연료계통은 지상 작동(Ground Operation)이나 비행 중의 어떠한 조건에서도 기화기(Carburetor) 또는 다른 조절장치(metering device)에 연료(Fuel)를 보내줄 수 있어야 한다. 즉, 연료계통은 항상 변화하는 고도(Altitude)와 어떤 기후 조건에서도 적절한 작동을 할 수 있어야 한다.

왕복엔진 항공기에서의 연료조절계통은 공기 제어장치(Air Control Device)와 연료제어장치(Fuel Control Device)로 구성되어 있으며, 연료가 처음 제어장치로 들어가서 흡입 파이프(Intake Pipe), 또는 실린더로 주입될 때 까지를 말한다. 예를 들어, 전형적인 엔진의 엔진연료계통은 엔진구동펌프

(Engine-driven Fuel Pump), 연료/공기 제어장치(Fuel/Air Control Unit), 연료 매니폴드 밸브(Fuel Manifold Valve), 그리고 연료 방출노즐(Fuel Discharge Nozzle)로 구성되어 있다.

현재의 왕복엔진에 장착되는 연료 조절계통은 연료를 공기흐름(Airflow)에 따라 정해진 비율로 흐르도록 조절하고 있다. 엔진으로 흐르는 공기흐름은 기화기(Carburetor) 또는 연료/공기 제어장치에 의해 조절된다.

### 2.4.1. 기화기 계통(Carburetor Systems)

기화기는 실린더에 연료-공기 혼합기를 공급하는 장치로서 엔진 내부로 흐르는 공기는 기화기의 벤트리를 통하여 지나가며, 이 벤트리를 지나는 공기 압력의 변화량을 측정하여 공기흐름양에 맞는 연료량을 조절하여 실린더로 공급해준다. 그 종류는 부자식 기화기와 압력식 기화기 등의 여러 가지 형태가 있다.

#### (1) 부자식 기화기(Float-Type Carburetors)

그림 4-23은 연료가 엔진구동 펌프에서 기화기 입구로 들어와서 기류(Airstream) 속으로 연료를 분사시켜주는 부자식 기화기를 보여준다.

부자실(Float Chamber)은 기화기의 연료공급(fuel supply)과 주 미터링 계통(Main Metering System) 사이에 장치되어 있으며, 기화기에 연료를 위해 저장소(Reservoir)의 대용이 된다.

부자식으로 작동되는 니들밸브(Float-operated Needle Valve)는 입구를 통해 들어오는 연료를 조절하여 연료 챔버(Fuel Chamber)에 정해진 연료량으로 유지시켜준다.

이 연료 레벨은 엔진이 작동하지 않을 때 넘쳐흐르는 것을 방지하기 위해 분사노즐(discharge Nozzle)의 출구(Outlet) 보다 약간 낮게 유지되도록 해야 한다.

분사노즐(Discharge Nozzle)은 공기가 기화기를 지나 엔진의 실린더로 들어갈 때 압력이 가장 낮아지는 지점인 벤투리 목(Venturi Throat)에 위치하고 있다. 따라서 기화기에 작용하는 두 가지의 다른 압력이 있는데 하나는

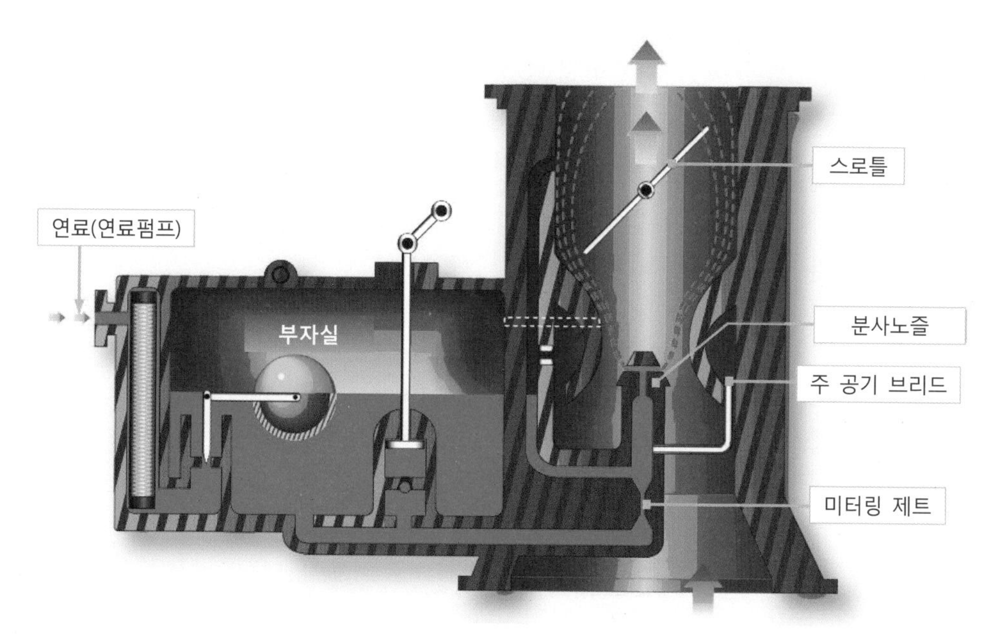


그림 4-23. 부자식 기화기

분사노즐에는 저압(low Pressure)이 걸리고, 부자실(Float Chamber)에는 대기압인 고압(High Pressure)이 걸리게 된다.

### (2) 압력분사식 기화기(Pressure Injection Carburetors)

압력분사식(pressure injection) 기화기는 벤트(Vent)가 되는 부자실 또는 벤투리관에 있는 분사노즐(Discharge Nozzle)에서 흡입(Suction)을 빼내는 장치가 필요하지 않기 때문에 부자식 기화기와는 완전히 다르다. 반면에 엔진 연료펌프(Engine Fuel Pump)로부터 분사노즐에 접속되어 있는 가압된 연료계통을 갖추고 있다. 벤투리는 단지 엔진에서 공기흐름에 맞추어 미터링 제트(Metering Jet)로 가는 연료량을 제어하는데 필요한 압력 차이를 만들어 주는 역할만 한다.

분사 기화기(Injection Carburetor)는 연료펌프에서 분사노즐로 밀폐된 이송계통(Closed Feed System)을 채용한 유압기계식 장치(Hydro-Mechanical Device)이다. 스로틀 보디(Throttle Body)를 통과하는 공기흐름양에 따라 조정된 제트(Jet)를 통해 연료를 계량하여 정압(Positive

Pressure)으로 연료를 분사 시킨다.

그림 4-24에서는 단지 기본적인 부분만을 간단하게 보여주는 정도의 압력식 기화기(Pressure-Type Carburetor)를 보여주고 있다. 그림에서 2개의 작은 통로(Passage)를 볼 수 있는데, 하나는 기화기의 공기입구(Air Inlet)에서 유연한 다이어프램(Flexible Diaphragm)의 왼쪽으로 가는 통로이고, 다른 하나는 벤투리 목(Venturi Throat)에서 다이어프램의 오른쪽으로 가는 통로이다.

공기가 기화기를 통해 엔진으로 지나갈 때, 벤투리 목(Venturi Throat)에서 압력이 감소하기 때문에 다이어프램의 오른쪽의 압력이 낮아진다. 그 결과로 다이어프램은 오른쪽으로 움직여서 연료밸브(Fuel Valve)를 열어준다. 그때 엔진구동 펌프에 의한 압력이 연료를 열려있는 밸브를 통해서 기류(Airstream) 속으로 연료를 분사시키는 분사노즐(Discharge Nozzle)로 가도록 힘을 가해준다. 연료밸브가 열리는 간격(Distance)은 다이어프램에 작용하는 2개의 압력 차이에 의해 결정된다.

이러한 압력 차이는 기화기를 통과하는 공기흐름에 비례하게 된다. 그러므로 공기흐름양은 연료분사의 비율을 결정하게 된다.

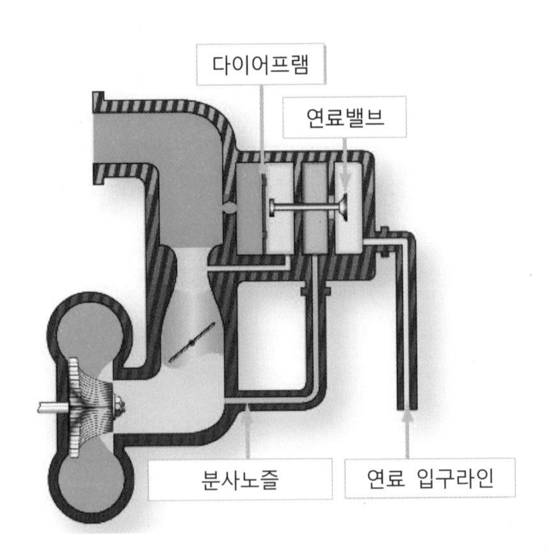


그림 4-24. 압력식 기화기

### 2.4.2. 연료분사 계통(Fuel-Injection Systems)

연료분사 계통(Fuel-Injection System)은 전통적인 기화기 계통보다 많은 장점을 가지고 있다. 특히 유도계통(Induction System)의 결빙 위험이 적은데 그 이유는 연료가 기화함으로써 일어나는 온도의 강하가 실린더 내부에서 또는 그 근처에서 일어나기 때문이다.

연료분사계통의 확실성 있는 작용 때문에 가속(Acceleration)이 향상되고, 연료분사로 인해 연료 분배(distribution)를 향상시키기도 한다.

연료분배의 향상은 불규칙한 분배로 인해 혼합비의 변화가 자주 생겨서 발생하는 실린더의 과열(Overheating)을 줄일 수 있다. 또한, 대부분의 실린더

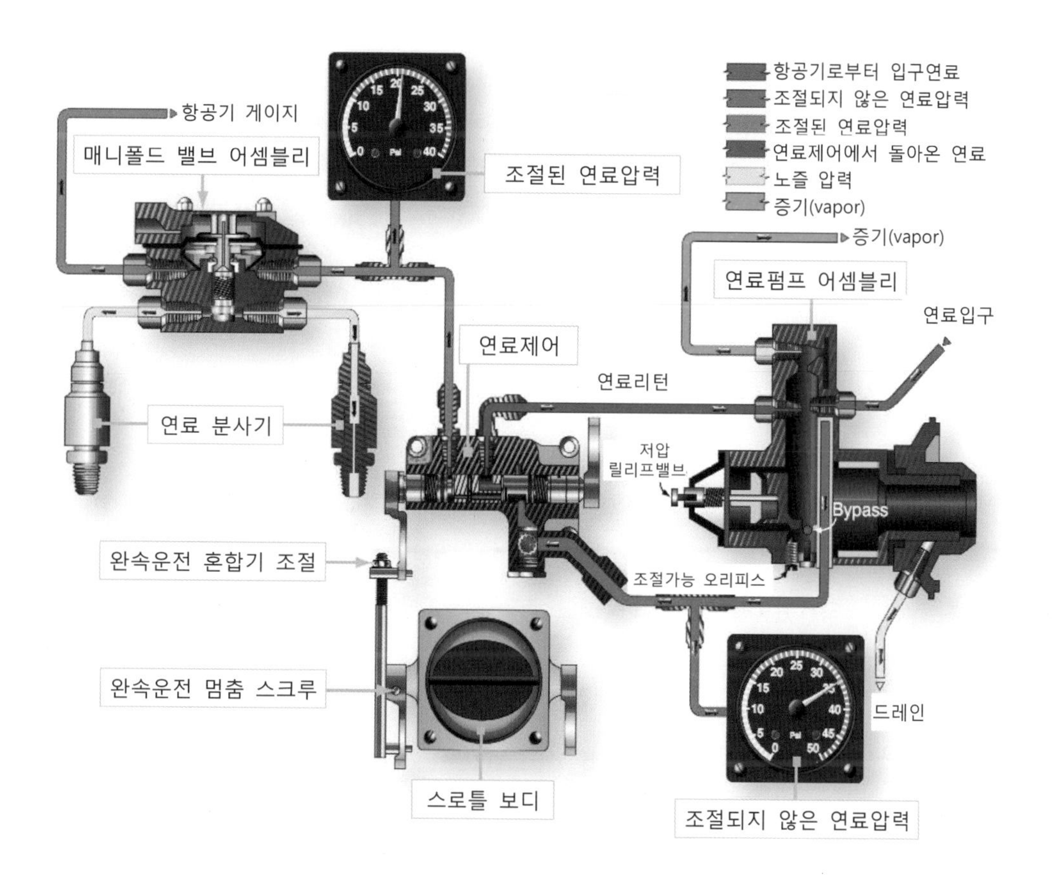


그림 4-25. 콘티넨탈/TCM 연료분사계통

혼합비가 필요이상으로 농후해져야 희박 혼합비를 가진 실린더가 잘 작동하게 되는 시스템에서 보다 더 많은 연료절약을 기할 수 있다.

연료분사계통은 직접분사계통과 연속흐름 분사계통의 두 가지 유형이 있다. 직접분사계통은 디젤엔진에서와 같이 높은 압력의 연료를 실린더에 분사시켜 분무되어 증기로 만들어 연소시키는 방법이고, 연속흐름 분사계통은 현대 항공기 수평대향형 엔진에 사용하는 것으로 저압의 연료를 흡입밸브 앞쪽에 분사시켜 밸브가 열려 공기가 실린더 안으로 들어갈 때 공기와 혼합되어 들어가도록 되어 있다.

그림 4-25는 연속흐름 분사계통 중의 하나인 콘티넨탈 연료분사계통으로서 연료를 각 실린더 헤드(Head)에 있는 흡입밸브 포트(Intake Valve Port)로 주입시키며, 연료분사기 펌프(Fuel Injector Pump), 제어장치(Control Unit), 연료 매니폴드(Fuel Manifold) 및 연료분사노즐(Fuel Discharge Nozzle)로 구성되어 있다.

또한, 연료흐름을 공기흐름에 맞도록 조절하는 연속흐름 형식(Continuous-flow Type)이다. 연속흐름 계통은 엔진에서 타이밍(Timing)을 필요로 하지 않는 회전식 베인 펌프(Rotary Vane Pump)를 사용한다.

## 2.5. 공기유도와 배기계통(Induction and Exhaust Systems)

왕복엔진의 흡·배기계통은 엔진 실린더로 공기가 들어가는 흡입계통인 유도계통과 실린더로부터 나오는 배기가스를 모아 엔진 덮게 밖으로 배출시키는 배기계통을 구성되어 있다.

### 2.5.1. 엔진공기 유도계통(Induction Systems)

항공기 왕복엔진의 기본적인 유도계통(Induction System)은 입구공기(Inlet Air)를 수집하기 위해 사용되는 공기 스쿠프(Air Scoop)와 입구 필터(Inlet

그림 4-26. 엔진 카울링에 있는 공기 스쿠프

Filter)에 공기를 이송시켜 주는 덕트(Ducting)로 구성된다.

공기필터는 보통 기화기 히트박스(Carburetor Heat Box)에 들어가 있거나 또는 기화기 또는 연료 분사 조절기(Fuel Injection Controller)에 부착되어 있는 근처에 다른 하우징(Housing)에 들어가 있다.

경항공기에서 사용되는 엔진은 보통 기화기이거나 또는 연료 분사계통(Fuel Injection System)을 구비하고 있다. 공기가 연료 미터링 장치(Fuel Metering Device)를 거쳐 지나간 후, 길게 휘어있는 파이프 또는 통로로 되어있는 흡입 매니폴드(Intake Manifold)는 실린더로 연료/공기 혼합기를 보내주기 위해 사용된다.

그림 4-26은 유도 공기 스쿠프(Induction Air Scoop)를 보여주고 있다.

공기 스쿠프는 엔진의 유도계통 안으로 최대 공기흐름이 되도록 엔진 카울링(Cowling)에 위치한다.

## 2.5.2. 왕복엔진 배기계통(Exhaust Systems)

왕복엔진 배기계통은 엔진에서 배출되는 고온, 유독가스를 함께 모아서 처리하는 배출계통(Scavenging System)이다. 주요 역할은 항공기 기체와 부분품이 손상되지 않도록 배기가스를 안전하게 처리하는 것이다.

배기계통은 여러 가지 유익한 기능을 수행할 수 있다. 그러나 첫 번째 역할은 배기가스의 잠재적인 유해 요소에 의한 피해를 막는데 있다. 최신의 배기계통은 비록 비교적 가볍지만 최소의 정비로서 오랫동안 결함 없이 작동할 수 있도록 고온, 부식 및 진동에 강하게 설계되어있다.

항공기 왕복엔진에 사용하는 배기계통은 일반적으로 두 가지 유형이 사용되고 있다. 즉 쇼트 스택 계통(Short Stack System)과 컬렉터 계통(Collector System)이다.

쇼트 스택계통은 일반적으로 소음이 별로 없고, 과급기가 없는 엔진과 저출력 엔진에 주로 사용된다. 컬렉터 계통은 대부분의 과급기가 없는 대형엔진과 모든 터보-과급기(Turbo-Supercharger)엔진에 사용되고, 나셀(Nacelle)에 유선형의 상태로 개선하였거나 또는 나셀 부근에서 더 용이한 정비를 할 수 있는 곳에 장착된다.

터보-과급기에서 배기가스는 과급기의 터빈 압축기를 구동시키기 위해 한 곳으로 모아야 한다. 그러한 계통은 오직 1개의 출구를 가진 공통의 컬렉터 링(Collector Ring)으로 배기가스를 보낼 수 있는 배기가스 헤더(Exhaust Header)를 가지고 있다.

컬렉터 링의 출구로부터 나온 뜨거운 배기가스는 테일파이프(Tailpipe)를

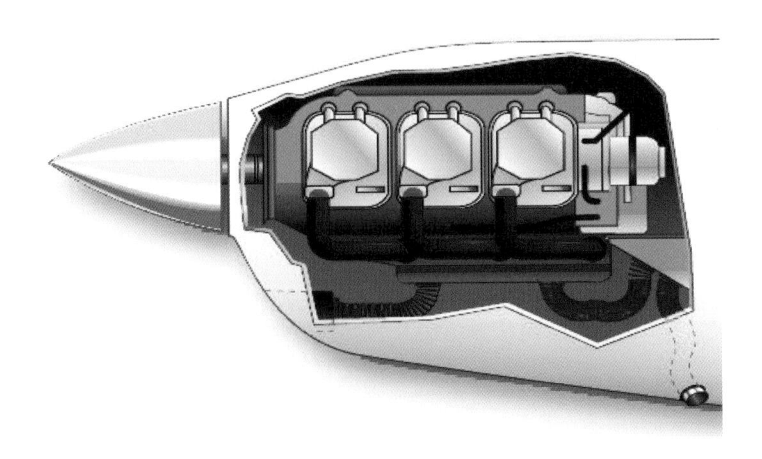

그림 4-27. 전형적인 컬렉터 배기계통의 위치

지나 터빈을 구동시키기 위해 터보-과급기의 노즐 박스(Nozzle Box)로 들어간다. 비록 컬렉터 계통은 배기계통의 배압(Back Pressure)을 높여주지만, 그로 인한 마력의 손실보다는 터보-과급기의 사용으로 인한 마력의 이득이 더 크다.

쇼트 스택계통은 비교적 구조가 간단하고, 꺽쇠 너트(Hold-Down Nut)와 클램프(Clamp)의 사용만으로도 쉽게 장탈과 장착을 할 수 있다.

그림 4-27에서는 수평 대향형 엔진(Horizontally Opposed Engine)의 배기계통 구성품의 위치를 나타내는 측면도를 보여주고 있다.

이와 같이 장착된 배기계통은 각 실린더에 있는 다운-스택(Down-Stack), 각 엔진의 양쪽에 있는 배기 컬렉터 튜브(Exhaust Collector Tube) 그리고 방화벽(Firewall)의 양쪽에서 뒤쪽과 아래쪽으로 배기가스를 분사하는 배기 이젝터 어셈블리(Exhaust Ejector Assembly)등으로 구성되어 있다.

다운-스택(Down-Stack)은 고온의 고정너트(Locknut)로 실린더에 연결되어 있고, 링 클램프(Ring Clamp)에 의해 배기 컬렉터 튜브(Exhaust Collector Tube)에 고정되어 있다.

## 2.6. 왕복엔진 점화계통(Reciprocation Engine Ignition System)

왕복엔진 점화계통의 기본적이 요건은 관련된 엔진의 형태나 점화계통의 구성품에 관계없이 동일하다. 모든 점화계통은 피스톤이 상사점에 이르기 전에 정해진 각도에서 점화순서대로 엔진의 각 실린더에 고압 방전불꽃(High-Tension Spark)을 튀겨줘야 한다. 또한 점화계통의 출력전압은 엔진의 모든 작동조건하에서 점화 플러그의 간격사이로 방전불꽃을 일으킬 수 있어야 한다.

점화계통은 마그네토 점화계통(Magneto-Ignition Systems) 또는 왕복엔진을 위한 전자식 전 자동 디지털 엔진 제어계통(Full Authority Digital Engine Control : FADEC)의 두 가지로 크게 나눌 수 있다.

## 2.6.1. 마그네토 점화계통(Magneto-Ignition Systems)

마그네토 점화계통은 단식 마그네토 점화계통(Single Magneto-Ignition System과 복식 마그네토 점화계통(Dual Magneto-Ignition System)으로 구분할 수도 있다. 단식 점화계통은 일반적으로 한 개의 마그네토와 이에 수반되는 도선으로 구성되며, 같은 엔진에 또 다른 단식 마그네토가 사용된다. 복식 마그네토는 일반적으로 하나의 회전 마그네트(Rotating Magnet)를 사용하여 하나의 마그네토 하우징에 있는 두 개의 마그네토를 작동시킨다. 각 형식의 마그네토들이 그림 4-28에서 보여주고 있다.

또한, 항공기 마그네토 점화계통은 고압계통(High-Tension)과 저압계통(Low- Tension)으로 구분할 수 있다.

저압 마그네토 계통은 일반적으로 저전압을 발전하여 각 점화 플러그 근처에 있는 변압코일(Transformer Coil)에 공급한다. 이 계통은 점화 플러그를 통해서 방전될 때까지도 고전압을 가지고 있는 고압계통의 고질적인 문제점을 제거하는 장점이 있다.

과거의 고압 마그네토 계통의 점화 리드(Ignition Leads)는 사용되는 재질이 고전압에 견딜 수가 없었으며, 실린더에서 점화되기 전에 그라운드로 누출되기가 쉬운 문제점들이 있었으나, 최근, 새로운 재료의 발달과 차폐(Shielding) 기술의 발전 등으로 고압 마그네토의 문제들이 해결되었다. 이로 인해 고압 마그네토 계통은 가장 널리 항공기 점화계통에 사용되고 있다.

그림 4-28. 단식과 복식 마그네토

## 2.6.2. 배터리 점화계통(Battery- Ignition System)

소수의 일부 구형 항공기에는 아직까지도 배터리 점화계통(Battery-Ignition System)이 사용되고 있다. 이 계통의 전력 공급원은 마그네토가 아니고 축전지(Battery) 혹은 발전기(Generator)로서 대부분의 자동차에 사용되는 점화계통과 비슷하다.

엔진에 의해 구동되는 캠(Cam)이 일차회로의 전류를 차단하도록 접점(Contact Point)을 열어준다. 그 결과 끊어진 자장이 점화코일의 2차 회로에 고전압을 유기시킨다. 이 고전압은 배전기(Distributor)에 의해 해당 실린더에 공급된다. 그림 4-29는 배터리 점화계통의 개략도이다.

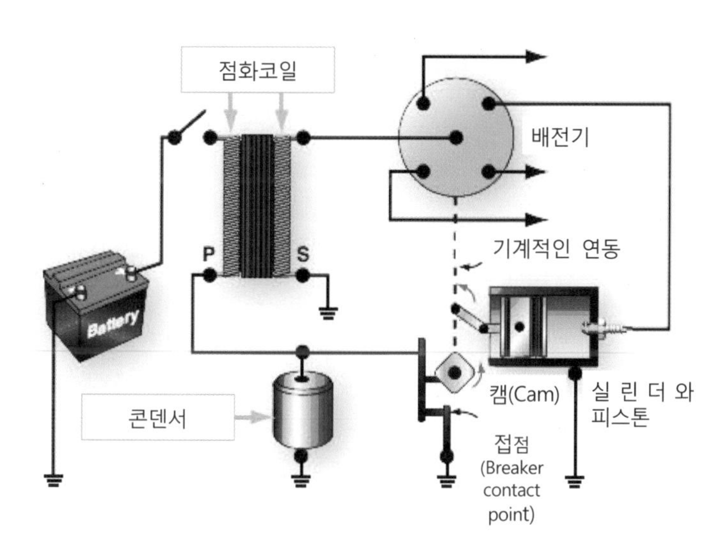


그림 4-29. 배터리 점화계통

## 2.6.3. FADEC 시스템

Fadec은 반도체 디지털 전자식 점화 및 전자연료분사장치(Electronic Sequential Port Fuel Injection System )이며, 통합된 제어계통으로서 점화,

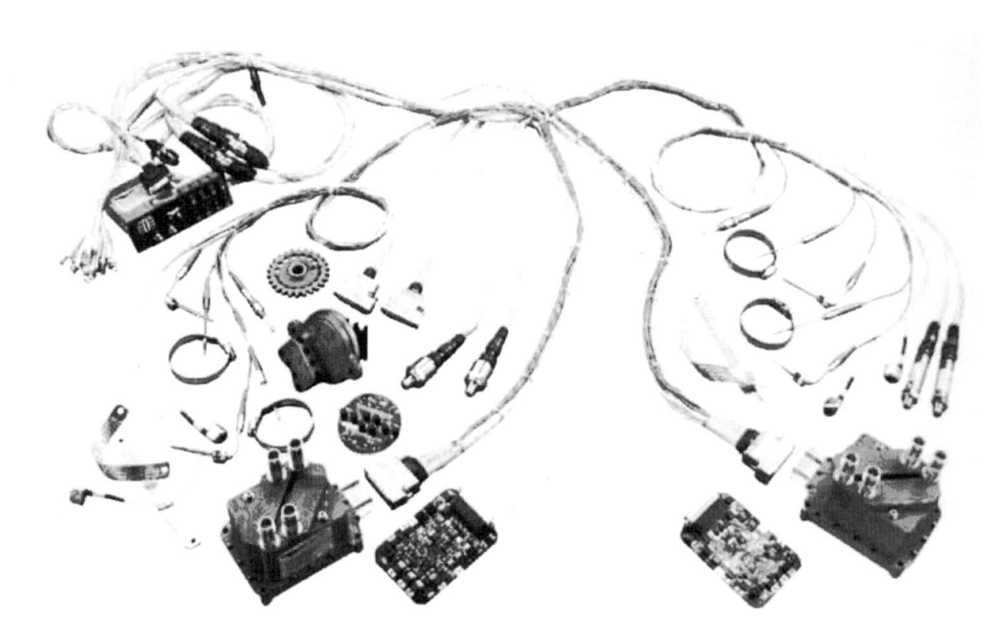

그림 4-30. 파워링크(PowerLink) 시스템 구성품

점화시기(Timing), 연료의 혼합/이송/분사 및 불꽃 점화를 지속적으로 모니터하고 제어한다. 또한, FADEC은 엔진 작동 상태(크랭크 축 속도, 상사점의 위치, 흡입 매니폴드 압력 및 흡입 공기온도)를 모니터하고, 설정된 출력 설정에 따라 연료-공기 혼합비와 점화시기를 자동으로 조절하여 최적의 엔진 성능을 유지시켜준다. 그러므로 FADEC이 장착된 엔진은 마그네토 뿐 만아니라 수동 혼합 조종 장치(Manual Mixture Control)도 필요가 없다.

이러한 마이크로프로세서를 기반으로 한 시스템은 엔진 시동 시 점화시기(Ignition Timing), 엔진속도와 매니폴드 압력에 따른 다양한 타이밍을 제어한다. 그림 4-30과 같은 파워링크(PowerLink)는 특정한 작동상태와 결함 상태를 모두 제어하는 기능을 제공하며, 출력 또는 추력의 비정상적인 변화를 방지하기 위해 설계되었다.

## 2.7. 왕복엔진 시동계통(Starting System)

대부분의 항공기 엔진들은 시동기라는 장치에 의해 시동되며, 시동기는 엔진을 돌아가게 하는데 사용되는 대량의 기계적 힘을 낼 수 있는 기계장치이다. 항공기 초기 발달단계에서는 비교적 낮은 동력의 소형엔진들은 손으로 프로펠러를 몇 바퀴 돌림으로서 시동되었다.

윤활유 온도가 거의 응고점(Congealing Point)에 가까운 추운 날에는 시동이 어려운 경우가 자주 있었다. 매우 낮은 크랭크(Cranking)속도에서 약한 시동점화를 하는 마그네토 계통(Magneto System)에 있어서는 더 했다. 이것은 승압코일(Booster Coil), 유도전동기(Induction Vibrator) 또는 임펄스 커플링(Impulse Coupling)과 같은 점화계통 장치를 이용하여 고 점화(Hot Spark)를 개발하여 보상되었다.

대부분의 왕복 엔진 시동기는 직접 구동 전기식(Direct Cranking Electric Type)이다. 일부 구형 항공기는 여전히 관성 시동기(Inertia Starter)를 갖추고 있다.

### 2.7.1. 관성 시동기(Inertia Starters)

관성시동기(Inertia Starters)는 일반적으로 수동식(Hand), 전기식(Electric) 및 수동과 전기의 결합식(Combination Hand And Electric) 등 세 가지 유형이 있다.

이러한 유형의 관성 시동기 작동은 크랭크를 돌리는 힘을 위해 빠르게 돌아가는 회전속도조절바퀴(Fly Wheel)내에 저장된 운동에너지(Kinetic Energy)에 달려있다. 운동 에너지는 선을 따라 이동하거나 또는 회전운동을

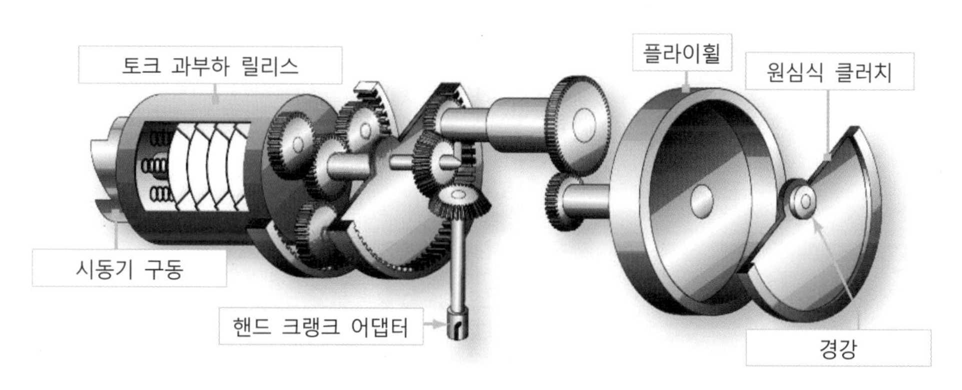


그림 4-31. 수동과 전기 결합식 관성시동기

할 수 있는 물체가 운동할 때 지니는 에너지이다.

관성시동기에서 에너지는 수동 핸드 크랭크(Hand Crank) 또는 작은 모터(Motor)에 의한 전기적인 것에 의해 통전과정(Energizing Process)에서 서서히 저장된 것이다.

그림 4-31에서 수동과 전기의 결합식 관성시동기의 플라이 휠(Fly Wheel)과 움직이는 기어(Movable Gear)를 보여주고 있다.

## 2.7.2. 직접 구동 전기시동기(Direct Cranking Electric Starter)

모든 형식의 왕복엔진에서 가장 널리 사용되는 시동계통은 직접 크랭크를 돌리는 전기식 시동기이다. 이런 형식의 시동기는 자화(Energized) 됐을 때 즉각적이고 계속적으로 크랭크를 돌려준다.

직접 구동 전기 시동기는 기본적으로 전기모터와 감속기어 그리고 조절되는 토크 과부하 릴리스 클러치(adjustable torque overload release clutch)를 통해 작동되는 자동으로 결합했다가 풀어주는 기계장치(engaging and disengaging mechanism)로 구성되어 있다.

직접 구동 전기 시동기의 대표적인 회로가 그림 4-32에서 보여주고 있다. 엔진은 시동기 솔레노이드가 자화될 때 직접 크랭크를 돌려준다. 직접 구동 전기 시동기에는 플라이휠(flywheel)이 사용되지 않기 때문에 관성 시동기의 경우와 같이 에너지의 예비적인 축적이 없다.

그림 4-32와 같이 시동기에서 배터리로 가는 주요 전선은 요구되는 시동

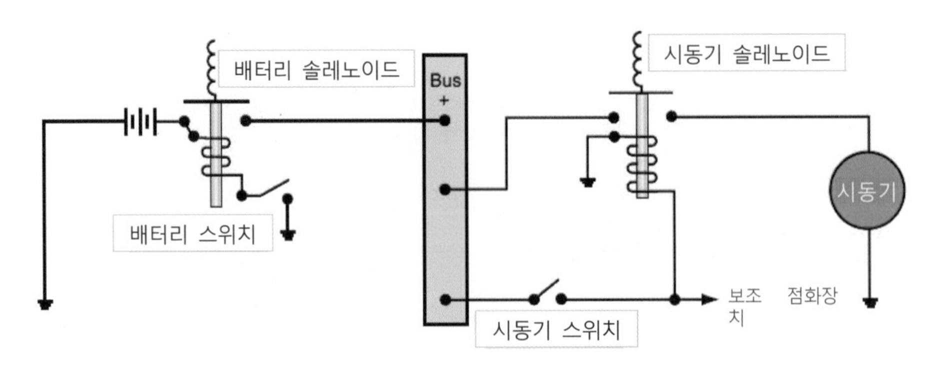


그림 4-32. 직접 구동 전기시동기에 사용하는 일반적인 시동회로

토크에 따라서 350 ~ 100 암페어 정도의 높은 전류를 흐르게 하는 중요한 역할을 하고 있다. 원격조작 스위치를 갖고 있는 솔레노이드와 굵은 전선을 사용함으로써 전반적인 전선의 무게와 총 전압의 강하를 감소시킨다.

## 2.8. 왕복엔진 윤활계통(Lubrication Systems)

항공기 왕복엔진 압력 윤활계통은 기본적으로 습식섬프(Wet Sump)와 건식섬프(Dry Sump)로 분류된다. 주요 차이점은 습식섬프계통은 엔진 내부에 오일을 저장하고 있다는 것이다. 즉, 엔진을 순환하고 난 오일은 크랭크케이스에 있는 저장소로 돌아온다.

건식섬프 엔진 펌프는 엔진의 크랭크 케이스의 오일을 엔진 외부에 장착되어있는 오일탱크에 저장한다. 건식섬프계통은 배유펌프(Scavenge Pump)를 사용하여 오일을 외부 탱크에 저장한다.

이러한 차이점을 제외하고 구성품은 유사한 형태를 사용한다. 습식섬프 계통의 모든 구성품들이 건식섬프계통에 포함되어 있음으로 이 장에서는 건식섬프계통을 가지고 설명하고자 한다.

### 2.8.1. 스플래시(Splash)와 압력(Pressure) 윤활

윤활유는 다음 세가지중 한 가지 방법에 의해 전형적인 내연엔진의 여러 활동부분에 공급되는데, 압력(Pressure), 스플래시(Splash) 또는 압력과 스플래시의 조합 등 세 가지 중 하나의 방법으로 내연기관의 여러 형태로 움직이는 부분에 공급된다.

압력 윤활계통(Pressure Lubrication System)은 항공기 엔진을 윤활 시켜주는 기본적인 방법이다. 항공기 엔진에서는 압력 윤활(Pressure Lubrication)에 추가로 스플래시 윤활(Splash Lubrication) 방법을 사용할 수도 있지만, 스플래시 방법 자체만으로 사용되는 일은 없다. 그래서 항공기 엔진 윤활계통은 항상 압력형태(Pressure Type)이거나 압력과 스플래시 조합 형태로서 통상적으로 조합형태가 많이 사용된다.

압력윤활(Pressure Lubrication)의 장점은 다음과 같다.

① 베어링으로 오일을 적극적으로 유입시킨다.

② 베어링을 통해 순환되는 오일의 양이 많기 때문에 냉각효과가 좋다.

③ 여러 비행자세에서도 만족스럽게 윤활 시켜준다.

### 2.8.2. 건식섬프 오일계통(Dry Sump Oil System)

대부분의 항공기 왕복엔진과 터빈엔진은 압력 건식섬프(Pressure Dry-Sump) 윤활계통을 가지고 있으며, 오일 공급은 탱크에서 이루어진다. 압력펌프(Pressure Pump)는 엔진을 통해 오일 을 순환시킨다.

배유펌프(Scavenger Pump)는 오일이 엔진섬프(Engine Sump)에 모이는 대로 탱크로 되돌려 보낸다. 엔진 크랭크케이스(Crankcase)에 많은 양의 오일 이 몰려들어오게 될 때 발생할 수 있는 복잡성을 생각해 볼 때 공급탱크가 별도로 있어야 한다는 사실이 분명해진다. 다발 항공기에서 각 엔진은 엔

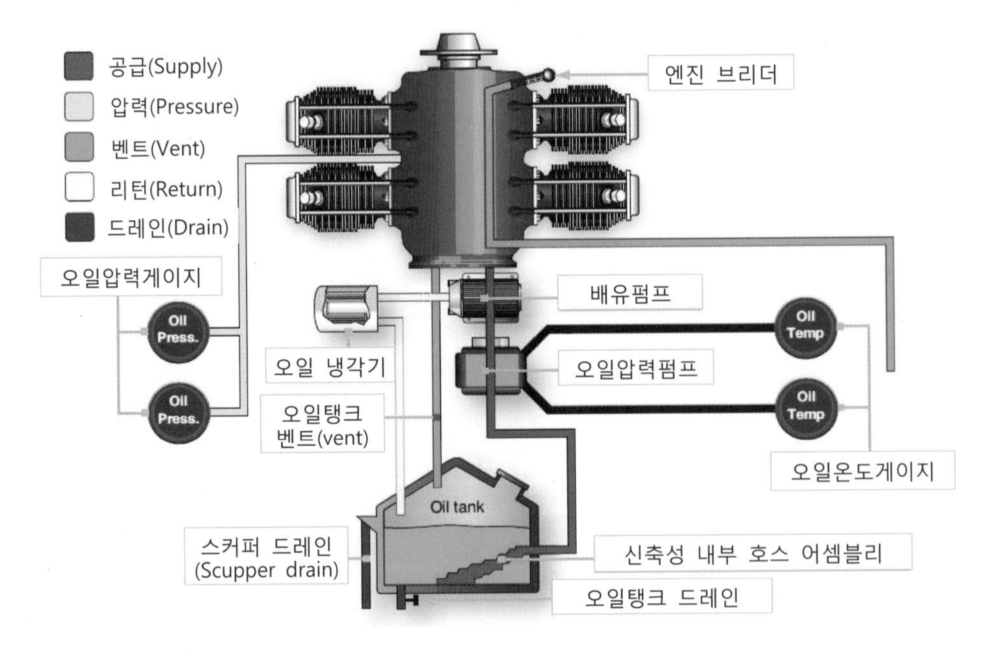


그림 4-33. 오일시스템 계통도

진마다 가지고 있는 자체의 독자적인 시스템으로부터 오일을 공급받는다.

전형적인 왕복엔진 건식섬프 오일계통(Dry-Sump Oil System)의 주 구성품으로는 그림 4-33과 같이 오일 공급탱크(Oil Supply Tank), 엔진으로 구동되는 엔진 오일펌프(Engine Oil Pump), 배유펌프(Scavenge Pump), 오일 냉각조절 밸브(Oil Cooler Control Valve)를 갖춘 오일 냉각기(Oil Cooler), 오일 탱크 벤트(Vent), 필요한 튜브들과 압력과 온도를 나타내는 계기들로 구성되어있다.

# 3. 가스터빈 엔진(GAS TURBINE ENGINE)

항공기의 추진장치, 즉 엔진은 항공기의 추력장치로서의 작용뿐만 아니라, 항공기에서 사용하는 모든 전기 시스템을 작동하는데 사용되는 전원을 공급하고, 항공기 냉난방을 위한 공기를 제공하며, 항공기 중요 부위의 큰 힘을 필요로 하는 곳을 움직일 수 있는 유압 시스템을 작동하는 힘을 제공한다.

제트 추진은 뉴톤(Newton)의 제 3 운동법칙(작용과 반작용)을 실용적으로 적용시킨 것이다. 이것은 물체를 전방으로 이동시키기 위해 오리피스(Orifice)나 노즐(Nozzle)을 통한 유체의 가속에 의해 생성되어진 반작용을 이용하는 추진방법이다.

## 3.1. 터빈엔진(Turbine Engine)의 형식

과거로부터 현재에 이르기 까지 반작용의 원리는 항공에 사용되는 여러 추진 장치에 적용되어 왔다. 모든 추력의 생산은 엔진 내에서 공기의 질량을 가속 시켜서 생산하는데, 이런 엔진들은 로켓(Rocket), 램제트(Ram Jet), 펄스제트(Pulse Jet), 가스터빈 엔진(Gas Turbine Engine)등으로 분류할 수 있다. 또한, 가스터빈 원리는 항공기의 추진에 있어서 하나 또는 두 가지 방법으로 적용되는데, 엔진이 토크(Torque)를 생산하여 이 토크를 추력으로 변환시키기 위한 헬리콥터 로터(Helicopter Rotor)나 프로펠러(Propeller) 같은 장치와 결합하여 사용하거나, 직접적으로 추력을 생산한다.

### 3.1.1. 토크 생산 엔진

(1) 터보샤프트 엔진(Turboshaft Engine)

프로펠러 이외의 다른 어떤 것들을 구동시키기 위하여 축(Shaft)을 통하여 힘을 전달하는 가스터빈 엔진을 터보샤프트 엔진(Turboshaft Engine)이라고 한다. 이것은 전력을 생산하는 설비와 지상운반 계통과 같은 산업용에 널리 사용되어지고 있다. 항공에 있어서의 터보 샤프트 엔진은 헬리콥터를 구동 시키는데 사용되고 있다. 터보 샤프트의 동력을 발생 시키는 것은 압축기를 구동 시키는 터빈과 결합되어 직접 구동되어 질수도 있지만, 터빈 자신에 의해서 구동 되어질 수도 있는데, 동력 발생을 위한 분리된 터빈을 사용하는 엔진을 프리 터빈 엔진(Free-Turbine Engine)이라고 한다.

프리 터빈 엔진은 가스제너레이터(Gas Generator)와 프리 터빈 부분(Free-Turbine Section)으로 구분되는데, 가스제너레이터의 기능은 프리 터빈 시스템을 구동시키기 위해 요구되는 에너지를 생산하는 것이며, 연소과정으로부터 약 2/3의 이용 가능한 에너지를 추출해낸다.

### (2) 터보 프롭 엔진(Turbo Prop Engine)

터보 프롭(Turbo Prop) 엔진은 그림 4-34와 같이 프로펠러를 구동시키기 위해 감속기어(Reduction Gear)장치를 사용하는 것을 제외 하고는 터보 샤프트 엔진과 유사하다. 프로펠러는 가스 제너레이터 터빈(Gas Generator Turbine)으로부터 구동되어지거나 터보 샤프트 엔진과 같은 방법으로 프리 터빈을 사용할 수 있는데, 프리 터빈 배열은 압축기 터빈이 효과적인 압축을 위해 최고의 속도로 구동되고 있을 때, 터빈으로 구동되는 프로펠러가 최적의 속도를 찾을 수 있게 해준다.

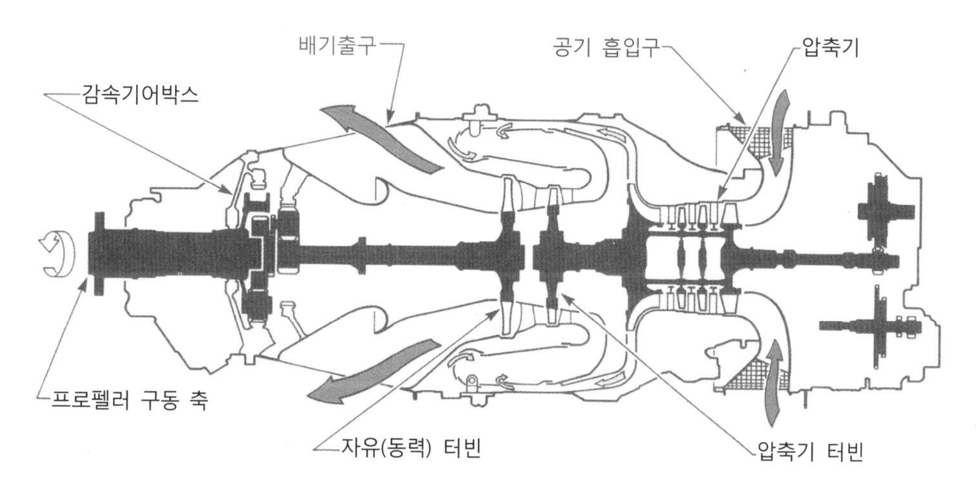


그림 4-34. 캐나다 Pratt and Whitney사의 Pt6 터보프롭엔진

### 3.1.2. 추력생산 엔진

(1) 램 제트엔진(Ram Jet Engine)

램 제트엔진은 가동부분이 없는 간단한 형태의 제트엔진으로서 구성은 큰 원통에 배기부분의 면적이 작은 형태로 되어 있다. 즉, 연료 노즐, 점화 플러그 및 불꽃을 모아놓기 위한 연소실만 있을 뿐이다. 램 제트는 속도가 250 mph(402.3 ㎞/h)나 되며, 화염 안정기(Flame Holder)는 연소실 안에서 연료와 공기를 혼합하는 장소로 사용된다.

점화 후에는 서서히 배기부분으로 통과시키는 역할을 한다. 연료 조절계통은 엔진으로 들어가는 연료의 량을 조절한다. 이러한 램 제트엔진은 터보제트 엔진의 후기 연소기(After Burner)와 같은 형태이다. 즉, 터보제트 엔진의 배기 부분에 연료를 추가시켜 연소시키는 장치와 같은 원리로 구성되어 있다.

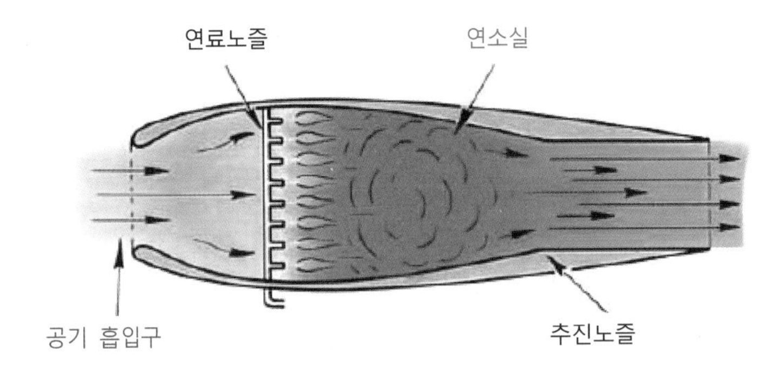


그림 4-35. 램제트 엔진

(2) 펄스제트 엔진(Pulse Jet Engine)

가스터빈엔지의 하나인 펄스제트 엔진은 램제트 엔진에 그림 4-36과 같이 공기 흡입구 부분에 그릴(grill) 또는 셔터(shutter)가 있는 복합엔진이다.

공기를 흡입할 때에는 스프링 힘으로 열려있어 흡입된 공기가 연소실로 들어가도록 하며, 혼합기가 연소되어 압력이 높아지면 셔터는 닫히게 되고, 연소된 가스는 테일 파이프(Tailpipe)를 통하여 배기된다. 이때 셔터는 다시 열려 외부 공기를 흡입하게 된다.

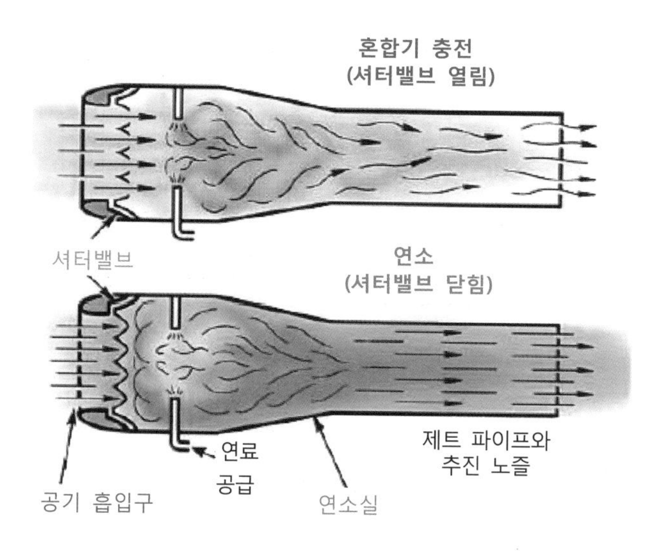


그림 4-36. 펄스제트 엔진

이러한 과정이 연속적으로 일어나며 테일 파이프의 길이에 따라 추력이 형성 된다. 이러한 펄스제트는 유도미사일 등에 사용된다.

### (3) 터보 제트 엔진(Turbojet Engine)

현대의 터보 제트 엔진은 뜨거운 가스의 흐름을 가속시킴으로써 추력을 생산한다. 공기가 엔진 흡입구로 들어가서 압축기를 통과 하면서 압력이 증가

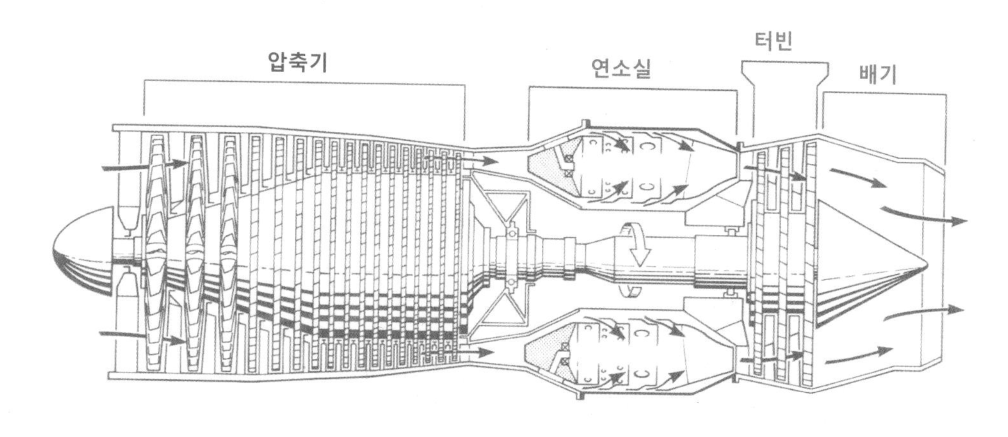


그림 4-37. 현용 터보 제트 엔진의 주요 구성

되어 연소실로 들어가게 되고, 여기에 연료가 더해지면서 점화와 연소가 일어나서 가스를 팽창 시킨다.[그림 4-37]

팽창된 가스는 터빈을 통해서 흘러 나가는 에너지의 일부분이 압축기를 구동시키는 터빈을 회전시키는데 사용되고, 나머지 가스의 에너지는 테일 파이프(tail pipe)를 벗어나면서 우리가 추력으로 알고 있는 반작용을 일으킨다.

### (4) 터보 팬 엔진(Turbofan Engine)

터보 팬 엔진은 기본적으로 터보 제트와 터보 프롭의 가장 좋은 특징들을 절충하여 개발되었다. 즉, 터보팬은 터보 제트의 순항속도 능력과 터보 프롭의 단거리 이륙성능을 약간 유지하고 있다.[그림 4-38]

팬은 압축기와 직접 볼트로 연결되어 같은 속도로 회전하거나, 감속기어장치를 통해서 압축기와 연결할 수 있으며, 분리된 터빈에 의해 구동되고 압축기와 독립적으로 회전된다. 일부 엔진의 팬은 터빈 블레이드가 확장된 형태의 터빈부분에 장착되어 있기도 하다.

터빈부분에 팬이 있는 엔진을 후방 팬(After-Fan) 엔진이라 하고, 전방에 팬이 있는 엔진을 전방 팬(Forward-Fan) 엔진이라 한다.[그림 4-39]

후방 팬 엔진은 팬이 압축기의 압축비에 기여하지 않기 때문에 오늘날 대중적인 설계형태는 아니다.

그림 4-38. 터보 팬 엔진

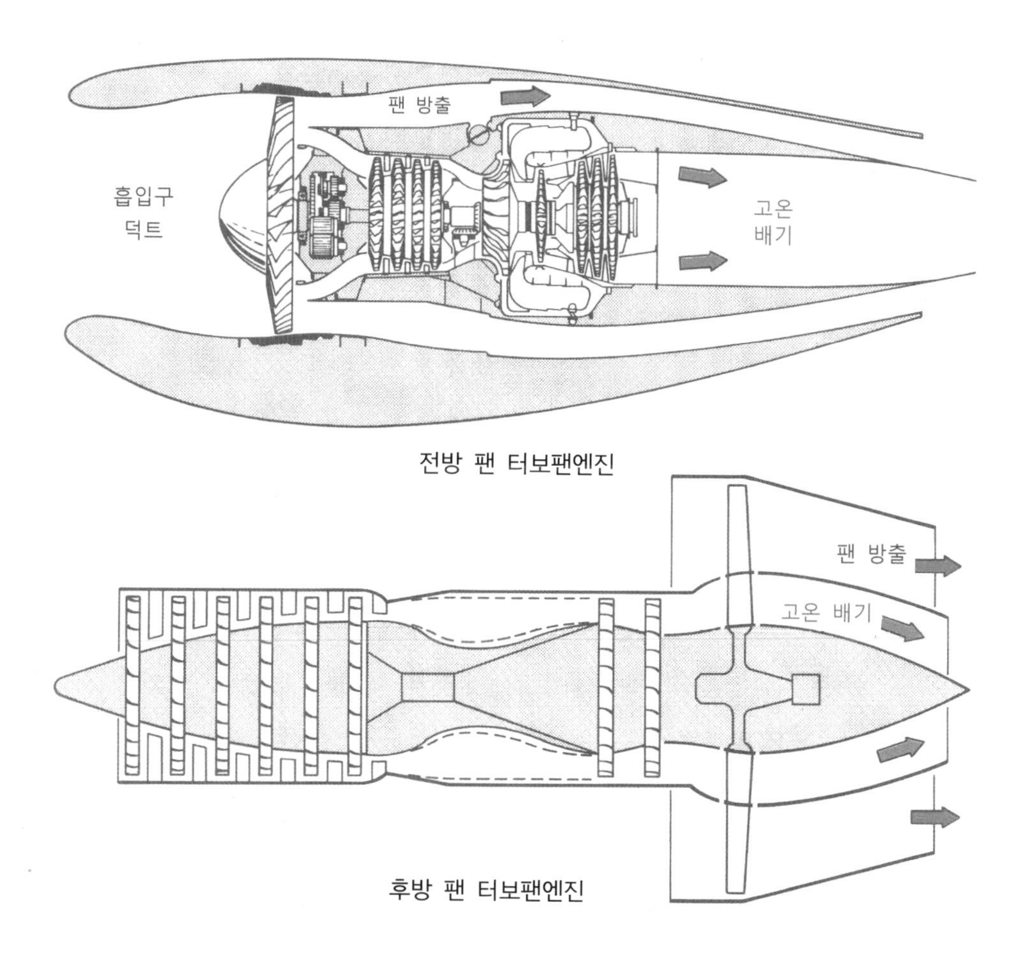


그림 4-39. 전방 팬과 후방 팬(After-Fan) 엔진

## 3.2. 가스터빈 엔진구조(Gas Turbine Engine Construction)

보통의 가스 터빈 엔진은 다음과 같은 부분으로 되어 있다.

- 공기 흡입구(Air Inlet)
- 압축기 부분(Compressor Section)
- 연소실(Combustion Section)
- 터빈 부분(Turbine Section)
- 배기 부분(Exhaust Section)
- 시동, 윤활, 연료공급계통, 그리고 방빙, 냉각, 여압과 같은 보조기능 등에 필요한 계통 등

### 3.2.1. 엔진 공기 흡입구 덕트(Engine Air Entrance Ducts)

Air Entrance Duct 혹은 Air Inlet Duct라고도 불리어지는 공기흡입구는 엔진 부분품이라기보다는 기체구조에 속하고 있는 부분이라고 할 수 있다.

압축기에 공기가 들어갈 때 항력(Drag) 또는 램(Ram) 압력에 의해 생기는

그림 4-40. 아음속 공기 흡입 덕트(CFM56-7 엔진)

에너지의 손실을 최소로 하도록 설계되어 있다. 즉 압축기로 들어가는 공기의 흐름은 최대 작동효과를 얻도록 난류(Turbulence)가 없어야 한다. 설계가 잘되면 압축비를 증가시켜 항공기 성능을 높일 수 있다.

### 3.2.2. 압축기(Compressor)

압축기의 1차적인 역할은 연소에 필요한 공기를 충분히 공급하는 일을 한다. 이 목적을 달성하기 위해서는 공기 흡입구 덕트(Air Inlet Duct)에서 받은 대량 공기의 압력을 증가시켜서 확산통(Diffuser)으로 보내고, 이것을 적절한 속도, 온도, 압력으로 연소실에 보내 주어야 한다.

압축기의 형식은 압축기를 통과하는 공기흐름 방향에 따라 식별되는데, 원심압축기(Centrifugal Compressor)와 축류압축기(Axial Flow Compressor)로 크게 두 종류로 분류된다.

#### (1) 원심 압축기(Centrifugal Compressor)

방사형 외부흐름 압축기(Radial Outflow Compressor)로도 불리어지는 원심압축기는 가스터빈 보조동력장치(Gas Turbine Auxiliary Power Unit)와 같은 소형엔진에 주로 사용되고 있다.

원심 압축기는 그림 4-41과 같이 임펠러(impeller), 디퓨저(diffuser) 및 매니폴드(manifold)로 구성되어 되어 있으며, 원심력을 이용하여 공기를 압축시킨다.

알루미늄 합금 주물로 만들어진 임펠러는 고속으로 회전하면서 임펠러의 중심(hub) 근처의 공기 흡입구로부터 공기를 흡입하여 회전에 의한 원심력을 이용하여 바깥으로 밀어내면서 속도를 증가시켜 디퓨져 부분으로 들어간다.

압축기를 떠난 공기는 디퓨저에서 공기의 속도에 의한 운동에너지를 위치에너지(압력)로 변환되어 매니폴드에서 연소실로 보내진다.

원심 압축기에는 임펠러의 한쪽 면에서 공기를 흡입하는 단면 흡입식

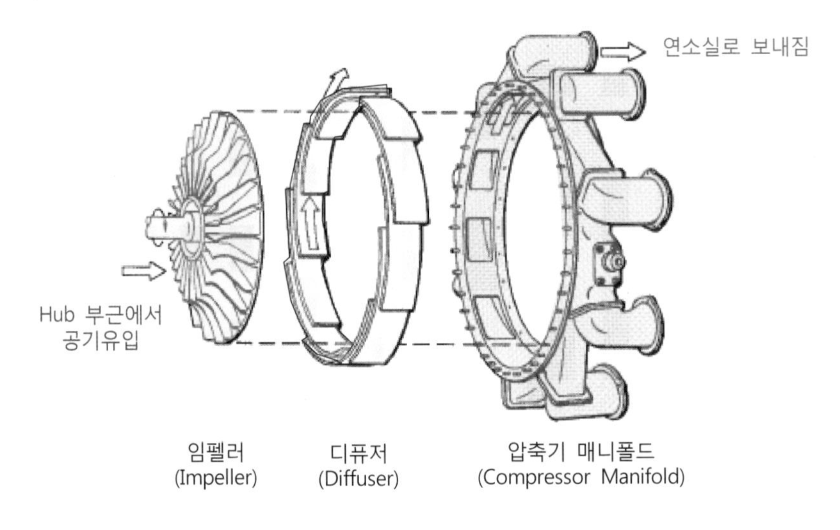


그림 4-41. 원심 압축기의 주요 구성품

(Single Entry Type)과 양면에서 공기를 흡입하는 양면 흡입식(Dual Entry Type)이 있다.

### (2) 축류 압축기(Axial Flow Compressor)

축류 압축기는 로터(Rotor)와 스테이터(Stator) 2개의 중요한 부분으로 구성되어 있다. 로터는 디스크(Disk)와 블레이드(Blade) 세트로 구성되며, 디스크의 원주면에 다수의 로터 블레이드(Rotor Blade)와 결합되어 있다. 이 디스크는 축 방향으로 배열되어 있고, 디스크에 장착된 블레이드들은 공기 역학적인 작용에 의해서 프로펠러(Propeller)와 같은 방식으로 고속으로 회전하면서 공기를 후방으로 밀어 보낸다.

고속으로 회전하는 로터는 속도 에너지를 압력 에너지로 바꾸는 역할을 하는데, 압축기 입구에서 공기를 받아서 공기의 압력을 증가 시켜서 다음의 여러 단계를 통해서 뒤로 보내진다. 고정된 스테이터는 디퓨저(Diffuser)로서 역할을 하고 부분적으로 높은 속도를 압력으로 변환 시킨다. 연속적으로 배열된 로터 블레이드와 스테이터 베인(Stator Vane)의 한 쌍은 압력단

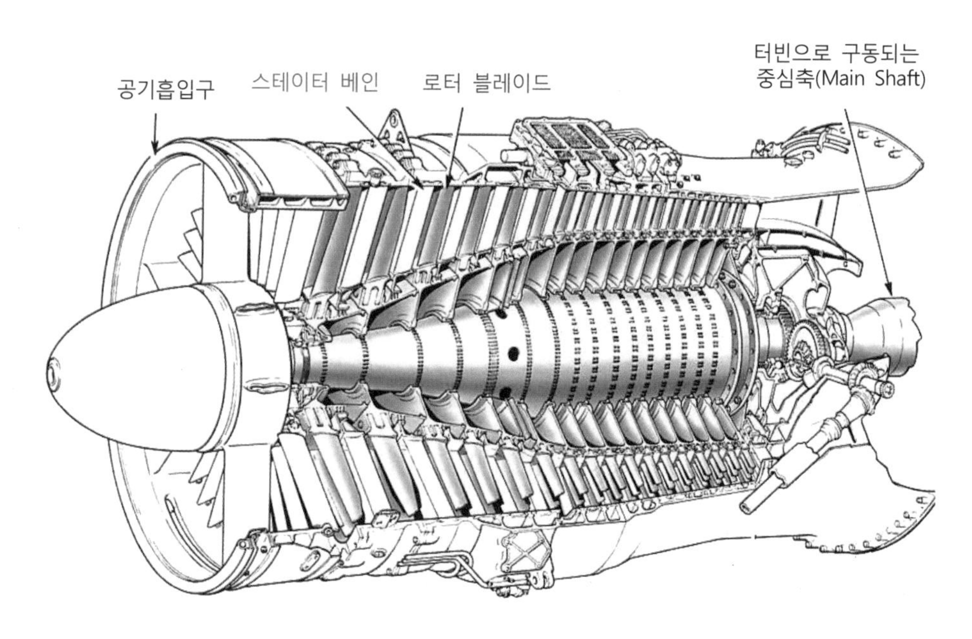


그림 4-42. 축류 압축기의 주요 구성

(Pressure Stage)을 구성한다.

축류 압축기에는 1열(Row)의 로터와 1열의 스테이터를 합하여 1단(Stage)이라 부르며, 단수를 증가시킴으로써 높은 압력을 얻을 수 있다.

블레이드 단(Stage)의 수는 필요로 하는 공기량과 총 압력에 의해서 결정된다. 매우 높은 압축비를 가지고 있는 원심 압축기와 달리 축류 압축기의 단당 압축비는 대략 1.25에 불과하다.

만족할 만한 압축비는 압축기의 단 수를 증가시키는 것에 의해 얻을 수 있다. 즉 단계가 많으면 많을수록 압축비는 높아지게 된다.

축류 압축기는 대량의 공기를 처리할 수 있고 다단화가 용이해서 고 압력비를 얻을 수 있으며, 또한 압축기 효율이 높은 점 등의 장점을 갖기 때문에 최근에는 모든 형식의 엔진에 사용되고 있다. 그러나 구조가 복잡해서 제작비가 비싸고 이물질의 흡입으로 블레이드가 손상을 받기 쉽고, 다 단화와 압력비를 크게 하면 작동의 불안정성이 커지는 등의 문제도 있다.

### 3.2.3. 연소실(Combustion Section)

연소실(Combustion Chamber) 혹은 연소기(Burner)는 압축기에서 유입된 고압공기에 연료를 연속적으로 주입하여 연소시키는 장치이다.

연소실의 앞쪽에 장치된 연료분사 노즐(Nozzle)에서 연료를 연속적으로 분사시켜 고압공기와 연료의 혼합기를 만들고, 여기에 점화 플러그에 의한 점화로서 연속적으로 연료와 공기 혼합기를 연소한다.

또한, 연소실은 기본적으로 캔 형(Can Type), 애뉼러 형(Annular Type) 그리고 캔과 애뉼러를 조합한 캔-애뉼러 형(Can-Annular Type) 등 3가지로 분류할 수 있다.

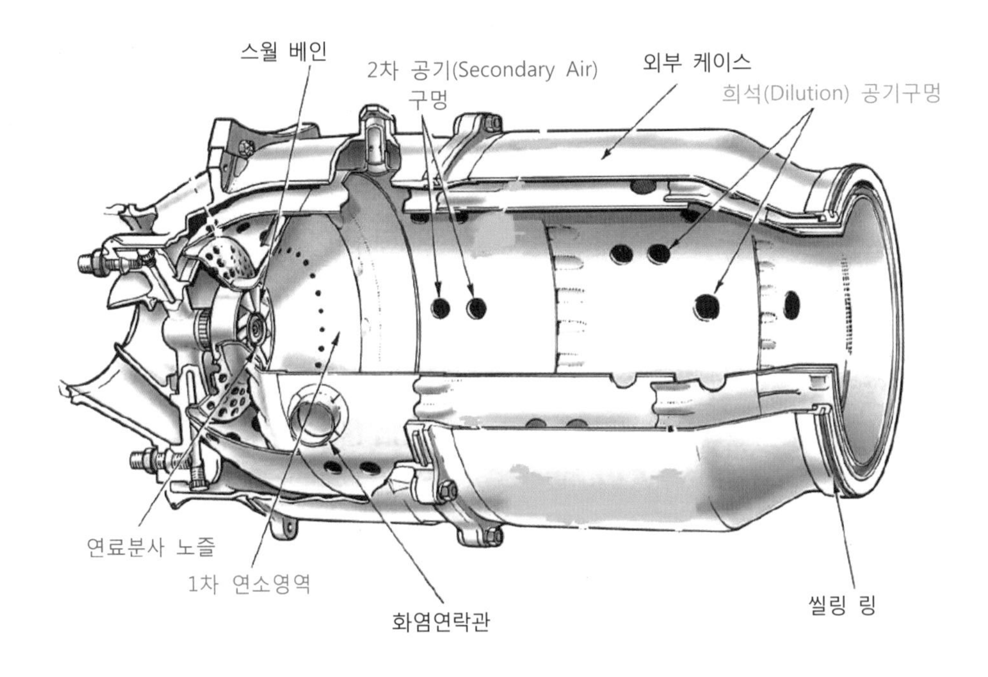


그림 4-43. 초기 엔진의 연소실 주요구조

### (1) 캔 형 연소실(Can-Type Combustion Chamber)

캔형 연소실은 그림 4-44에서 보는 것처럼 로터 축 주위의 동일 원주 상에 5~10개의 원통형의 연소실이 같은 간격으로 배치되어 있다.

압축기에서 나온 압축기 방출공기(Compressor Discharge Air)가 디퓨저를 통과하면서 따로 갈라져서 각각의 연소실로 들어간다.

이 연소실은 구조상 강도가 강하고 장·탈착이 편리하므로 항공기에서 엔진을 장탈하지 않고도 정비가 비교적 쉽다는 장점을 갖고 있어 초기의 제트 엔진에 많이 이용되었으나, 고공에서 기압이 낮아지면 연소가 불안정하게 되어 연소정지(Flame Out)를 발생시키기 쉽고, 엔진 시동 시에 문제를 일으키기 쉬우며, 연소실 출구의 온도 분포가 불 균일 하는 등의 결점에 의해 최근에는 거의 사용되지 않는다.

캔 형 연소실은 연소실 외부 케이스(Outer Case), 연소실 라이너(Liner), 연료 노즐(Fuel Nozzle), 보통 2개의 점화 플러그(Ignition Plug)와 각 연소실을 연결해 시동 시에 화염을 전파하는 연결관(Flame Tube) 등으로 구성되어 있다.

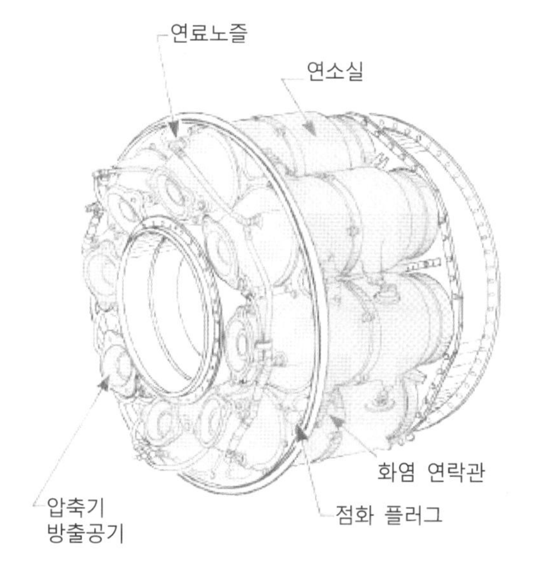

그림 4-44. 캔 형 연소실

### (2) 애뉼러형 연소실(Annular Type Combustion Chamber)

애뉼러형 연소실(Annular Type Combustion Chamber)은 그림 4-45와 같이 도너츠 형의 하나로 된 연소실로 연소실 외부 케이스, 연소실 라이너, 연소실 내부 케이스, 다수의 연료노즐, 점화 플러그(보통 2개)로 구성되어 있다.

연소실의 구조가 간단하며 전체 길이가 짧고 연소실의 단면적을 전면 면적과 비교해 최대로 소형으로 할 수 있다.

또한 연소가 안정되어 연소 정지가 없고 출구 온도 분포가 균일해서 배기 연기도 적은 등 많은 장점을 갖기 때문에 최근의 신형 고성능 엔진에는 엔진의 크기에 관계없이 모두가 애뉼러형 연소실을 사용하고 있다.

그러나 애뉼러 형은 캔 형과 달리 로터 축(Rotor Shaft) 둘레에 하나의 통으로 둘러싸고 있어서 터빈을 장탈 하여야 연소실 정비가 가능하므로 정비성은 좋지 않다.

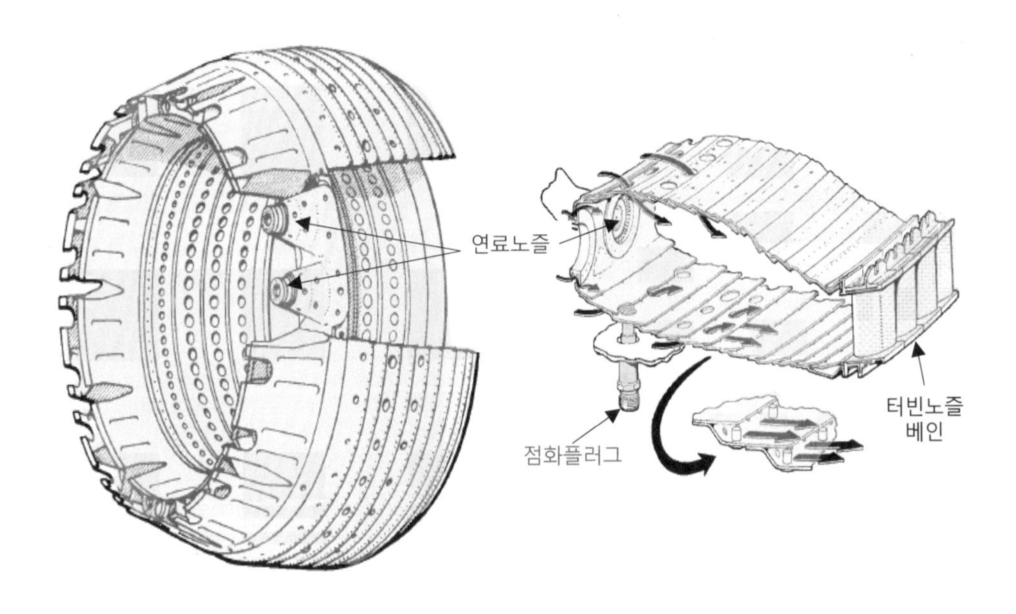


그림 4-45. 애뉼러 형 연소실

### (3) 캔 애뉼러형 연소실(Can-Annular Type Combustion Chamber)

캔 애뉼러 형 연소실(Can-Annular Type Combustion Chamber)은 캔 형과 애뉼러 형을 조합시킨 것 같은 연소실이다.

캔 애뉼러 형의 연소실은 프랫 앤 휘트니(Pratt & Whiteny) 엔진에 의해서 상용항공기에 주로 사용되었으며, 그림 4-46과 같이 연소실 외부 케이스, 원통형으로 된 5~10 개의 연소실 라이너, 각 라이너를 연결하여 화염을 전파하는 연결관, 각 라이너에 장치된 연료 노즐, 점화 플러그(보통 2개), 연소실 내부 케이스 등으로 구성되어 있다.

이 캔 애뉼러 형 연소실은 그 구조가 캔 형과 애뉼러 형의 거의 중간 특성으로 캔 형의 장점인 연소실의 분해수리(Overhaul)나 시험(Test)이 용이하여 정비성이 나쁜 애뉼러 형의 단점을 보완한 형태이다.

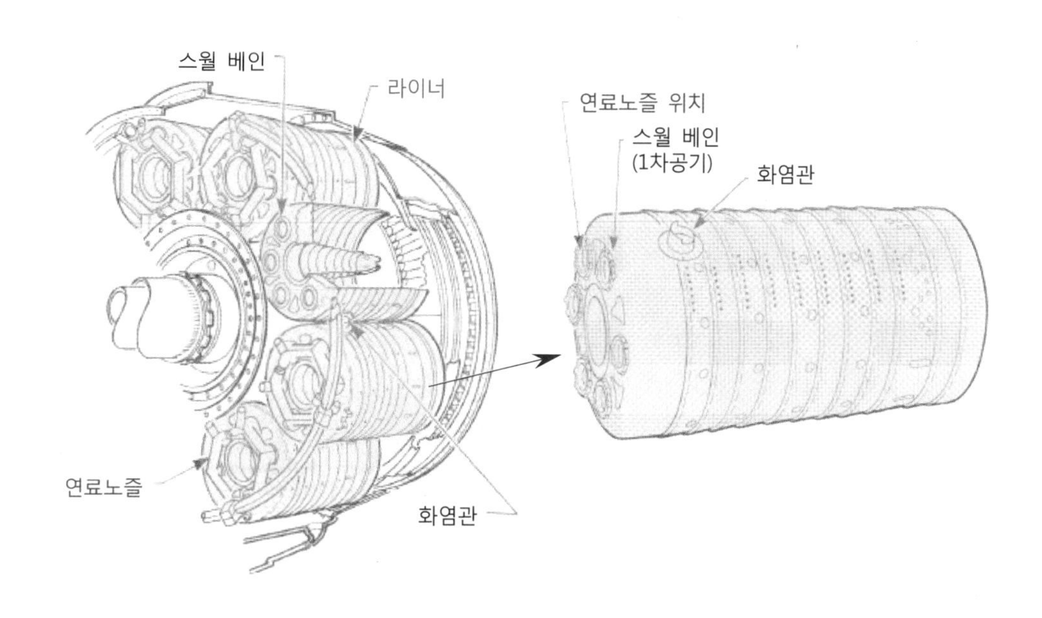


그림 4-46. 캔 애뉼러형 연소실

### 3.2.4. 터빈(Turbine)

터빈은 연소실 배기가스의 운동에너지를 압축기와 보기들을 구동하기 위한 기계적인 에너지로 변환시킨다.

터보제트 엔진에서는 연료가 연소되어 얻어진 에너지의 약 60~80%는 압축기를 구동시키는 데 사용되는데 터보 프롭이나 터보 샤프트 엔진과 같이 프로펠러 또는 출력축을 구동하기 위해서 사용된다면, 가스 에너지의 약 90%이상을 터빈을 구동시키는데 사용된다.

터보제트 엔진의 터빈부분은 연소실 후방에 위치하고 있으며, 기본적으로 스테이터와 로터로 구성되어있다. 그림 4-47에 터빈 부분의 다른 구성품과 함께 기본구조를 보이고 있다.

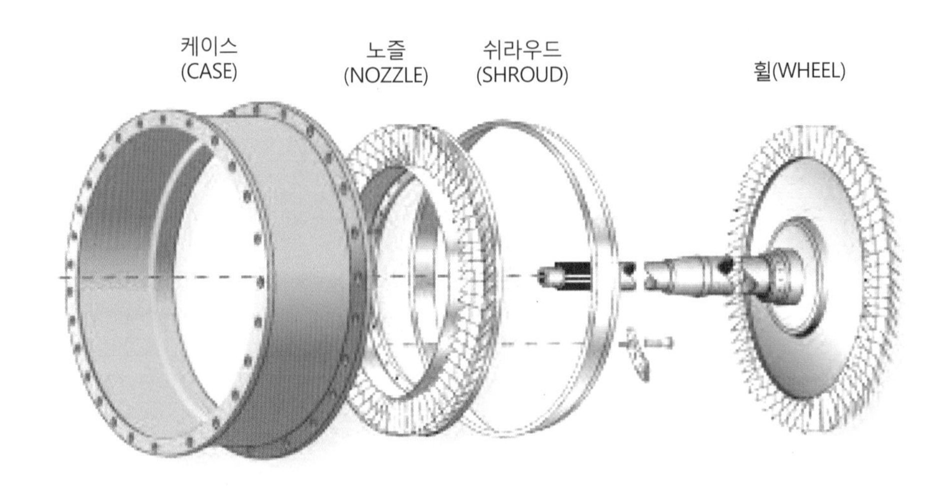


그림 4-47. 터빈 어셈블리(TURBINE ASSEMBLY)

### 3.2.5. 배기 부분(Exhaust Section)

터빈 엔진의 배기부분(Exhaust Section)은 배출 가스의 속도를 증가시킬 수 있으면서도 소용돌이가 생기지 않도록 하면서 뜨거운 가스를 뒤쪽으로 흐르게 해주어야 한다.

배기부분은 터빈의 바로 뒤에 위치하며 가스가 고속의 제트(Jet) 상태로 내뿜어지는 부분이다. 배기부분의 구성품은 터빈 배기 케이스(Turbine Exhaust Case : TEC), 테일 파이프(Tail Pipe) 또는 배기노즐(Exhaust Nozzle)을 포함한다. 배기노즐 내부에 배기 플러그(Exhaust Plug) 또는 테일 콘(Tail Cone)이 장착되어 노즐을 형성하며, 배기가스가 부드럽고 빠른 가속으로 추력을 얻도록 한다.

그림 4-48과 같이 터빈 배기케이스(TEC)의 안쪽 벽(Inner Wall)과 바깥쪽 벽(Outer Wall)은 속인 빈 형태의 스트러트(Hollow Type Strut)가 용접되어 전체를 지지하고 있으며, 이 배기 스트러트는 배출되는 배기가스를 곧바르게 해주는 중요한 기능을 하고 있다.

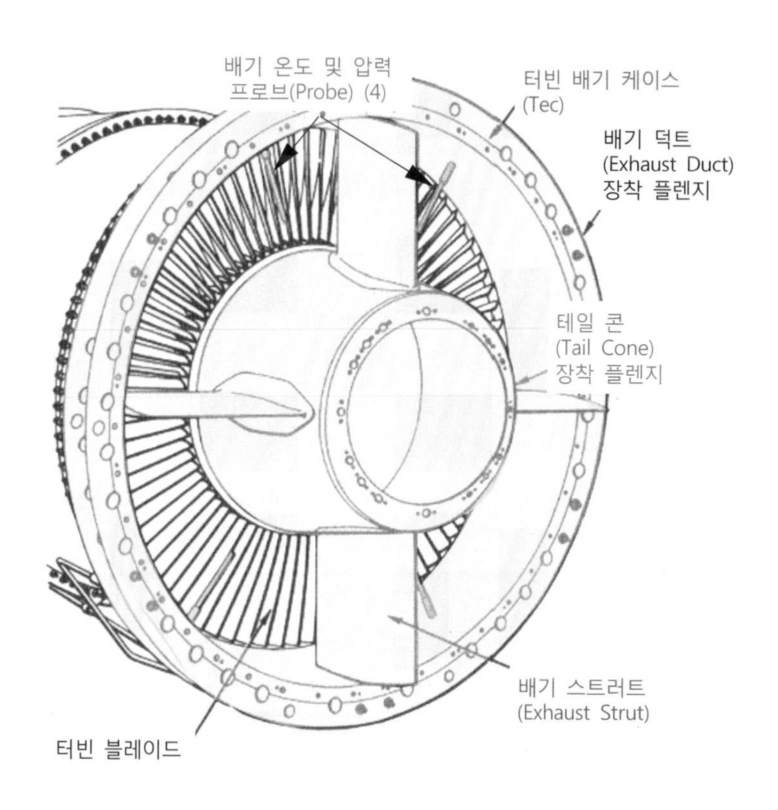


그림 4-48. 터빈 배기 케이스(TEC) 구조

### 3.2.6. 보기부분(Accessory Section)

가스터빈 엔진의 보기부분은 여러 가지 기능을 가지고 있다. 주 기능은 엔진을 작동하고 조절하기 위한 보기류를 장착하기 위한 공간을 제공하는 것이다. 엔진을 작동하기 위해서는 시동장치, 점화계통, 연료펌프, 연료조절 장치 등 엔진 보기류 구동이 필요하다. 또한 항공기 기체의 전기, 전자계통에 전력을 공급하기 위한 발전기(Generator)와 오일계통에 오일압력을 공급하기 위한 오일펌프 등의 구동도 필요하다. 이들 엔진 보기류와 장비품류는 보통 보기류 구동 기어박스(Accessory Drive Gear Box)에 연결 장착해서 구동되고 있다.

두 번째 기능으로는 오일 저장(Oil Reservoir) 혹은 오일 섬프(Oil Sump)와 같은 역할과 보기구동기어(Accessory Drive Gears)와 감속기어(Reduction Gear)를 수용한다. 이를 위해 기어박스(Gearbox)에는 엔진 오일계통(Engine Oil System)의 오일펌프, 스캐빈지 펌프(Scavenge Pump), 압력조절 밸브(Pressure Regulating Valve), 오일 필터(Oil Filter)등도 위치한다.

기어박스는 이들 보기류와 장비품의 점검과 교환이 용이하도록 그림 4-49(A)와 같이 엔진 하부에 장착되어 있는 경우와 그림 4-49(B)와 같이 엔진의 흡입구와 배기구의 위치에 따라 전방 혹은 후방에 장착되는 경우가 있다.

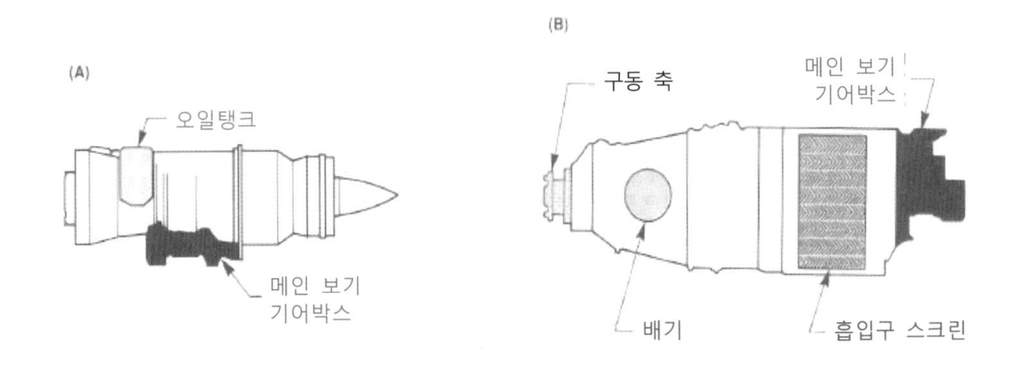


그림 4-49. 보기 기어박스(Accessory Gearbox) 장착 유형

## 3.3. 터빈엔진 연료계통(Turbine Engine Fuel System)

터빈엔진 연료계통의 기능은 지상과 비행 중의 어떠한 상태에서도 엔진으로 정확한 연료량을 공급하는 것이다. 또한, 증기폐쇄(Vapor Lock)와 같은 위험한 작동특성으로부터 자유로워야하며, 어떠한 작동조건에서도 요구되는 추력을 유지하기 위하여 출력을 증가시키고 감소시킬 수 있어야 한다.

이러한 것은 연소실로 들어가는 연료를 조절하는 연료조정장치(Fuel Control Unit)에 의해서 성취되어진다. 조종사는 동력레버(Power Lever)와 같은 제어장치를 사용하여 연료의 유량을 조절한다. 조종사는 레버를 특정 출력위치에 위치시킴으로서 원하는 추력으로 연료를 조절한다.

연료조종은 엔진의 여러 파라미터들을 감지하여 그 수치에 따라 엔진 작동한계를 초과하지 않는 범위에서 원하는 출력을 생산하기 위해 엔진에 충분한 연료유량을 공급한다. 이것은 자동적인 형태로 농후하거나 희박한 혼합비에 의한 연소정지와 과열(Over Temperature)이나 과속(Over Speed) 현상을 방지한다.

### 3.3.1. 터빈엔진 연료조정계통(Fuel Control System)

연료조정 장치는 기계, 유압, 전기 또는 압축공기 힘 등으로 다양하게 조합된 장치로서 엔진으로 구동되는 보기(Accessory)이다. 연료조정 장치는 기본적으로 유압-기계식(Hydro-Mechanical Type)과 전자식(Electronic Type) 두 가지로 분류된다.

#### (1) 유압-기계식(Hydro-Mechanical)

유압-기계식 연료조정 장치의 센싱부(Sensing Section)는 파워레버 각도, 플라이 웨이트, 액체가 밀봉된 봉입 벨로우즈, 공기압 벨로우즈 등에서 입력신호를 감지하고 컴퓨팅부(Computing Section)는 유압 서보피스톤, 입체 캠, 레버 등 각종 메커니즘의 조립으로 필요연료량을 계산하고 그 결과를 미터링부(Metering Section)의 연료 미터링 밸브에 전하여 연료량을 조절하는 일종의 유압-기계식 컴퓨터라고 말할 수 있는 극히 정밀하고 복잡한 장치이며,

근대 항공기 터빈엔진의 연료조정장치의 주류를 이루어 왔다.

### (2) 전자식(Electronics)

현대의 고 바이패스 터보팬 엔진의 작동은 수많은 요인에 대한 정확하고 신뢰성 있는 제어를 위해서 항공사와 엔진제작자가 함께 개발한 것이 전자식 엔진제어장치(Electronics Engine Control: EEC)이다.

전자식 엔진제어장치는 엔진의 수명, 연료의 절감, 신뢰성의 향상, 비행승무원의 작업량 감소와 정비비용의 절감을 가지게 되었다.

이러한 모든 효과를 동시에 얻기 위해서 2가지 타입의 전자식 엔진제어장치가 개발되었으며, 하나는 감시 엔진제어장치(Supervisory Engine Control: SEC)이고, 다른 하나는 전자동 디지털 엔진제어장치(Full Authority Digital Engine Control: FADEC)계통이다.

감시엔진제어장치는 B-767항공기에 장착되는 JT9D-7R4 엔진에 최초로 사용되었으며, 엔진작동에 필요한 여러 가지 파라미터(Parameter)의 정보를 받는 컴퓨터와 유압-기계식(Hydro-mechanical)인 연료조정장치가 포함되어

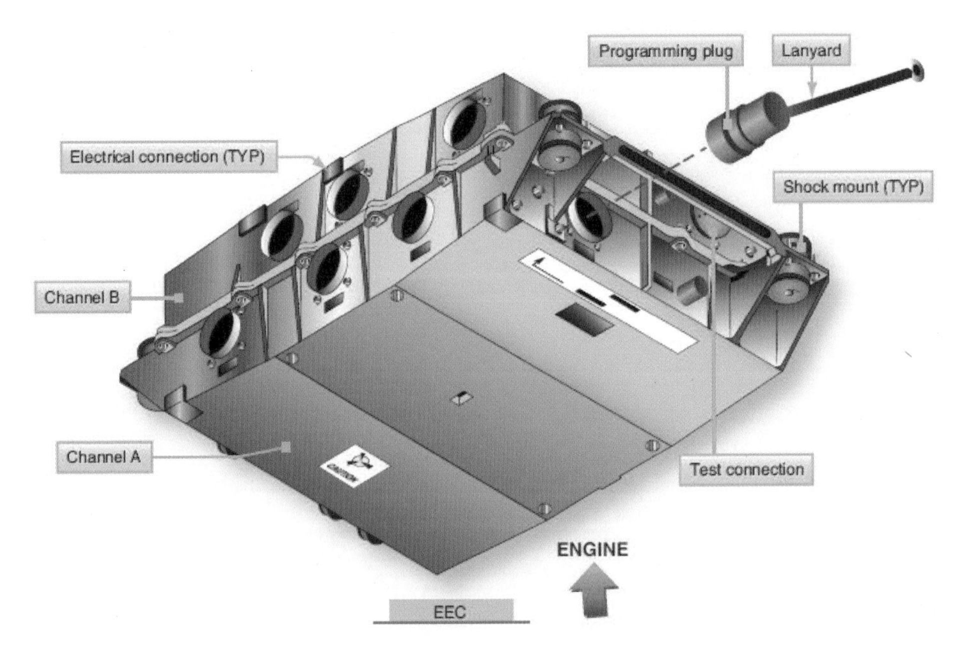


그림 4-50. 전자식 제어장치(ELECTRONIC ENGINE CONTROL)

있어 보다 효과적인 엔진작동을 수행한다. 유압-기계식 연료조정 장치는 EEC의 명령을 받아 엔진을 직접 조정하는 장치로 구성되어 있다.

전자동 디지털 엔진제어장치(FADEC)는 엔진 작동을 위해 필요한 모든 데이터를 받는 시스템으로서 보다 안전하고 효과적인 엔진작동을 필요로 하는 제한조건에서 엔진의 파라미터를 조절하고 제한하여 여러 형태의 작동기에 명령을 만들어내는 계통이다. 이 계통은 PW4000계열 및 CFM56-7엔진을 비롯한 최근에 개발되고 있는 대부분의 엔진에 적용하여 사용되고 있다.

### 3.3.2. 터빈 엔진 연료분배계통

최근의 터보 팬 엔진의 연료분배 계통은 연소를 위한 연료를 엔진 연소실에 보내주고, 연료계통의 서보기구(Servo Mechanism)에 깨끗하고 얼지 않은 연료를 공급해주며, 엔진 오일과 통합구동 발전기(Intergrated Drive Generator: IDG)의 오일을 냉각 시켜준다.

연료계통의 구성품은 크게 기체연료계통과 엔진연료계통으로 나뉜다. 기체

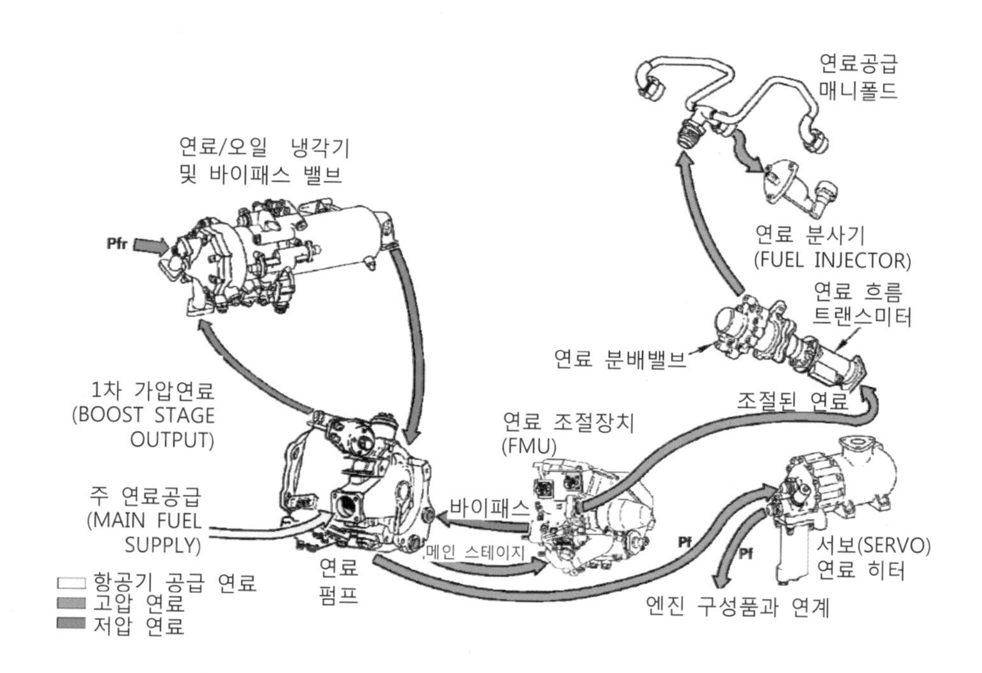


그림 4-51. B-777(PW4090) 엔진 연료계통 구성품

연료계통의 구성품은 연료탱크의 밑 부분에 있는 부스터 펌프(Booster Pump)에 의하여 가압되어 선택 및 차단 밸브를 거쳐 연료 튜브(Tube) 또는 호스(Hose)에 의해 엔진 연료 계통으로 공급된다.

기본적인 엔진의 연료계통 구성품은 주 연료 펌프(Main Fuel Pump) → 연료 필터(Fuel Filter) → 연료 조절 장치(Fuel Control Unit) → 여압 및 드레인 밸브(P&D Valve) → 연료 매니폴드(Fuel Manifold) → 연료 노즐(Fuel Nozzle)로 구성된다.

이외에도 그림 4-51의 PW4090 엔진 연료계통과 같이 오일냉각을 위한 연료-오일 냉각기(Fuel-Oil Cooler)와 연료의 방빙을 위한 연료 히터(Fuel Heater), 연료유량 트랜스미터(Fuel Flow Transmitter)가 있으며, 여압 및 드레인 밸브 대신에 연료분배 밸브(Fuel Distribution Valve)가 있다. 엔진 연료계통의 감지를 위해 조종실 엔진 계기판에는 각 엔진별 연료량 계기와 저 연료 압력(Low Fuel Pressure) 경고등이 장착되어 있다. 또한, 연료 압력계와 연료 온도계를 갖춘 계통도 있다.

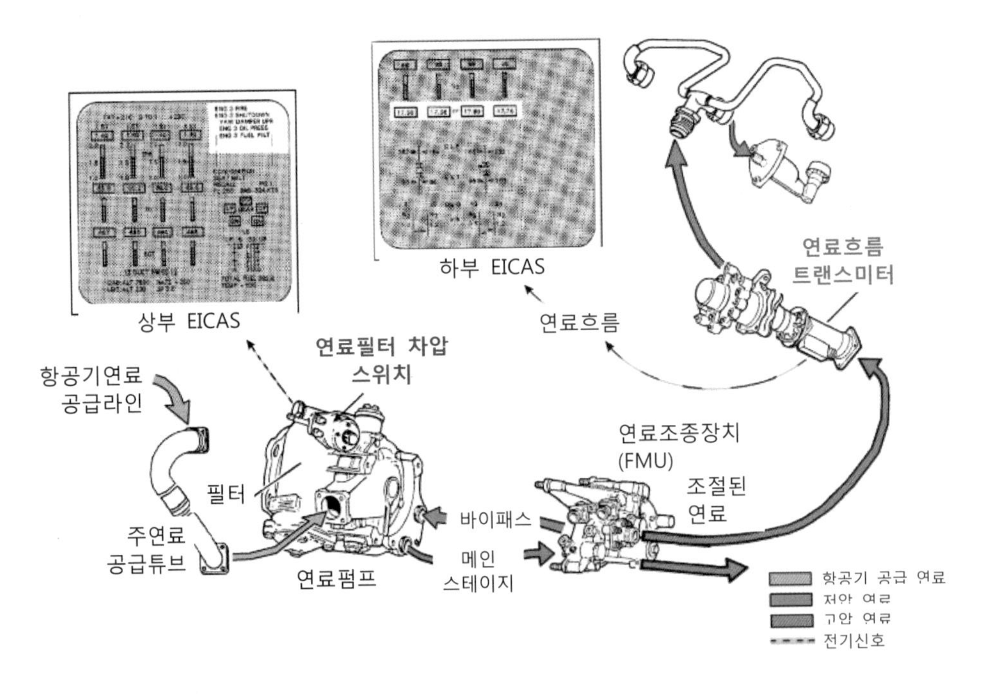


그림 4-52. B747-400(PW4000) 엔진연료 지시계통

### 3.3.3. 연료 지시계통(Fuel Indicating System)

연료지시계통은 연료흐름(Fuel Flow), 연료 압력(Fuel Pressure) 및 필터 차압신호를 조종실에 보여준다.

그림 4-52은 PW4000 엔진의 연료지시계통을 보여주고 있다. 연료조절장치(Fuel Metering Unit) 상부에 장착되어 있는 연료흐름 트랜스미터(Fuel Flow Transmitter)는 연료분배 밸브(Fuel Distribution Valve) 입구의 연료 질량 -흐름 비(Mass-Flow Rate)를 측정하여 조종실에 아래쪽 Eicas에 연료 흐름 비/연료 사용 계기(Fuel Flow Rate/Fuel Used Indicator)에 지시해준다.

연료 필터 차압 스위치(Fuel Filter Differential Switch)는 연료필터의 입구와 출구의 압력을 모니터하여 연료 필터의 막힘을 감지한다. 스위치가 닫히면(Closed), 조종사에게 ENG X FUEL FILTER경고 메시지를 제공한다.

## 3.4. 터빈엔진 점화계통(Turbine Engine Ignition System)

터빈엔진의 점화 시스템은 시동주기 동안 짧은 기간 동안만 작동되기 때문에 원칙적으로 전형적인 왕복 엔진 점화 시스템보다 고장이 없는 것으로 정평이 나있다. 현대 가스 터빈 엔진 점화 시스템은 고 강도, 커패시터 방전식(High-Intensity, Capacitor-Discharge Type)이 일반적이다.

가스터빈의 연소실 내에서 연료와 공기의 혼합기를 점화시키는 것은 점화계통(Ignition System)의 전기 스파크에 의해 행해진다. 점화 계통은 엔진마다 2중으로 장착되어 있어서 하나의 계통이 고장 나도 한쪽의 계통만으로 점화가 가능하도록 되어 있다.

### 3.4.1. 터빈 엔진 점화계통의 구조

가스 터빈 엔진의 전형적인 점화 계통의 주요 구성 부품은 그림 4-53과 같이 점화 익사이터(Ignition Exciter)와 하이텐션 리드(High - Tension

Lead 또는 Exciter-To-Igniter Plug Cable) 및 점화 플러그(Igniter Plug)가 각각 2개씩 있다.

팬 케이스 우측 5시 방향과 코어(Core)의 양쪽 편에 위치되어 있는 점화 시스템은 2개의 고 에너지 점화 익사이터(High Energy Ignition Exciter), 2개의 점화 리드 어셈블리(Ignition Lead Assembly), 2개의 점화 플러그(Igniter Plug)등으로 구성된 독립적인 2개의 회로를 가지고 있다.

점화 1 어셈블리(Ignition 1 Assembly)는 좌측에 있는 아래쪽 점화 익사이터(Lower Ignition Exciter)에 연결되고, 점화 2 어셈블리(Ignition 2 Assembly)는 우측에 위치한 위쪽 익사이터(Upper Exciter)에 연결된다.

점화 익사이터로 공급 되어진 전력은 고전압의 펄스(Pulse)로 변환되어 점화 리드(Ignition Lead)를 통해서 점화 플러그(Igniter Plug)의 끝단(Tip)에서 스파크(Spark)를 발생한다.

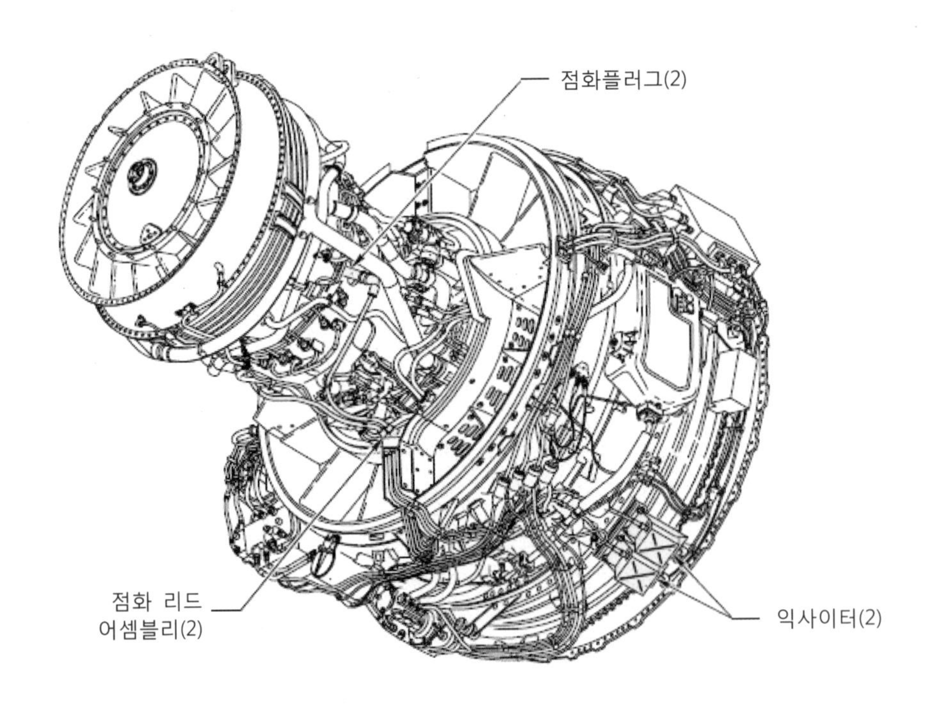


그림 4-53. CFM56-7 엔진 점화계통 구성품

## 3.5. 엔진 조절계통(Engine Control System)

엔진의 시동과 정지, 엔진 추력의 증감과 역 추력의 사용을 수동으로 조작하기 위한 계통이 엔진 조절 계통이며, 추력 조절 계통과 압축기 실속방지 및 터빈 케이스 틈새조절 계통 등이 있다.

### 3.5.1. 추력 조절 계통(Thrust Control System)

조종실 중앙 정면에 놓인 컨트롤 스탠드에 추력레버(Thrust Lever 또는 Throttle Lever)가 장착 엔진 대수만큼 나란히 설치되어 있다.

각각의 추력레버는 해당엔진의 연료조종 장치의 출력레버와 컨트롤 케이블(로드, 케이블 드럼, 풀리와 브래킷, 컨트롤 박스, 푸쉬-풀 케이블 등)로 기계적으로 접속되어 있고 추력레버의 작동이 직접 연료조종 장치에 전달된다.

최근 항공기 엔진의 추력 조절계통(Thrust Control System)은 각 추력 레버 밑에 리졸버(Resolver)가 있어 추력 레버의 움직임을 전기적인 신호로 변환시켜 배선(Wiring)을 통하여 각 엔진에 장착된 전자식 엔진제어장치(Electronic Engine Control : EEC)에 전달한다. 이러한 신호에 의해 EEC는 연료조절 장치의 연료 흐름을 조절하기 위하여 전기적 토크모터(Torque Motor)를 작동시킨다.

그림 4-54와 같이 각각의 추력레버는 전진 추력레버(Forward Thrust Lever)와 역 추력 레버(Reverse Thrust Lever)로 구성되어 있다.

전진 추력레버는 손으로 전후 방향으로 조작하는 것으로 엔진 출력의 증감을 얻을 수 있다.

전진 추력레버(Forward Thrust Lever)에 장착되어 있는 역 추력레버(Thrust Reverser Lever)는 손으로 위쪽 방향으로 끌어 올림으로써 역 추력을 얻을 수 있다. 단, 역 추력 레버는 전진 추력레버가 아이들의 위치에서만 조절할 수 있게끔 잠금 장치가 되어 있으며, 현재 대형 항공기에 있어서 역 추력 장치의 작동은 반드시 지상모드(Ground Mode)에서만 작동되도록 회로가 형성되어 있다.

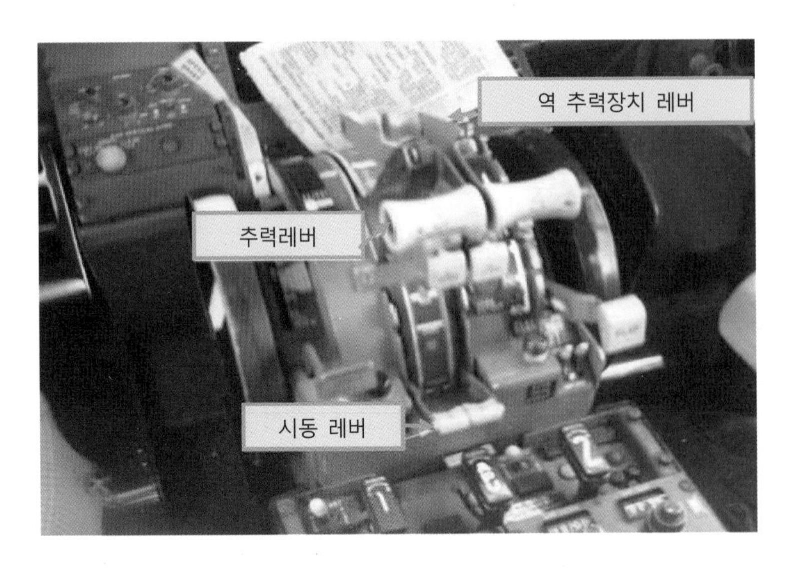


그림 4-54. 조종실 컨트롤 스탠드의 추력레버

또한 최근에는 조종사의 부담을 덜어주기 위해 추력 레버의 조작을 컴퓨터를 이용하여 자동적으로 수행하는 자동-스로틀 시스템(Auto-Throttle System)이 장치되어있다.

### 3.5.2. 압축기 조절시스템(Compressor Control System)

압축기 조절시스템은 어떠한 작동상태에서도 만족스러운 압축기 성능을 유지할 수 있도록 설계되어 있다.

그림 4-55와 같이 압축기 조절시스템은 가변 브리드 밸브(Variable Bleed Valve : VBV)와 고압 압축기의 첫 번째 단안에 있는 입구 안내 베인 단계(Inlet Guide Vane stage)를 포함한 가변 스테이터 베인(Variable Stator Vane : VSV)로 구성되어 있다.

가변 브리드 밸브(Variable Bleed Valve : VBV)시스템은 부스터(저압압축기)에서 배출되어 고압압축기로 들어가는 공기의 양을 조절해서 저압 압축기

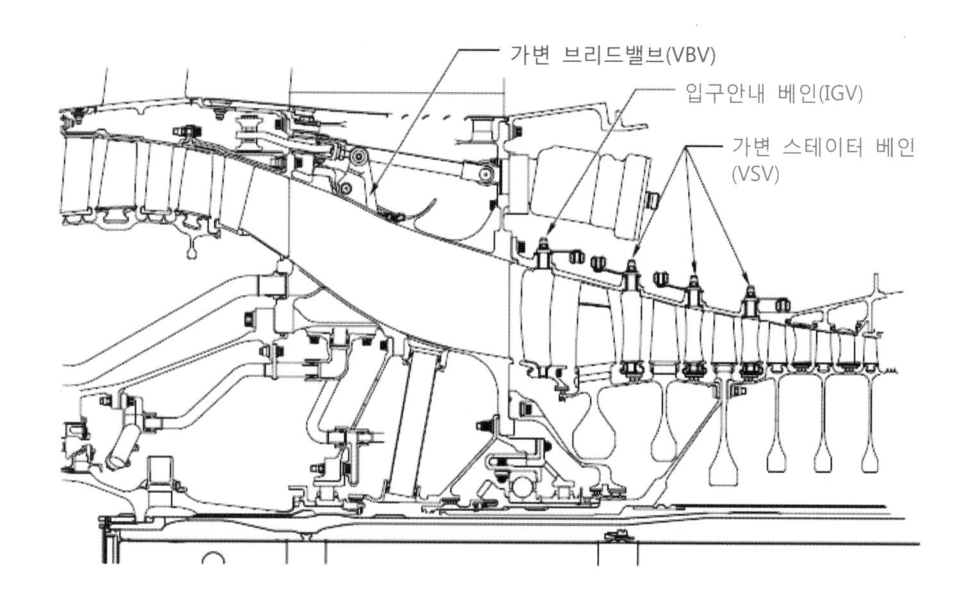


그림 4-55. 압축기 조절장치 형태(COMPRESSOR CONTROL DESIGN)

의 실속을 방지하며, 가변 스테이터 베인(Variable Stator Vane : VSV) 시스템은 고압압축기 스테이터 베인을 최적의 고압압축기 효율에 적합한 각도로 위치시켜서 고압압축기의 실속을 줄여준다. 그것은 또한, 엔진의 과도작동(Transient Operation)중에 실속 마진(Stall Margin)을 개선한다.

압축기 조절시스템(Compressor Control System)은 EEC에 의해서 커맨드(Command) 되고, 연료조절장치의 유압신호(Hydraulic Signal)를 통해서 작동된다.

### 3.5.3. 터빈케이스 냉각시스템(Turbine Case Cooling System)

터빈 케이스 냉각 시스템은 차가운 팬 공기(Fan Air)로 이륙, 상승 및 순항 시 고압터빈(High Pressure Turbine : HPT)과 저압터빈(Low Pressure Turbine : LPT) 케이스를 EEC에 의해 냉각시킴으로써 터빈 블레이드 끝단

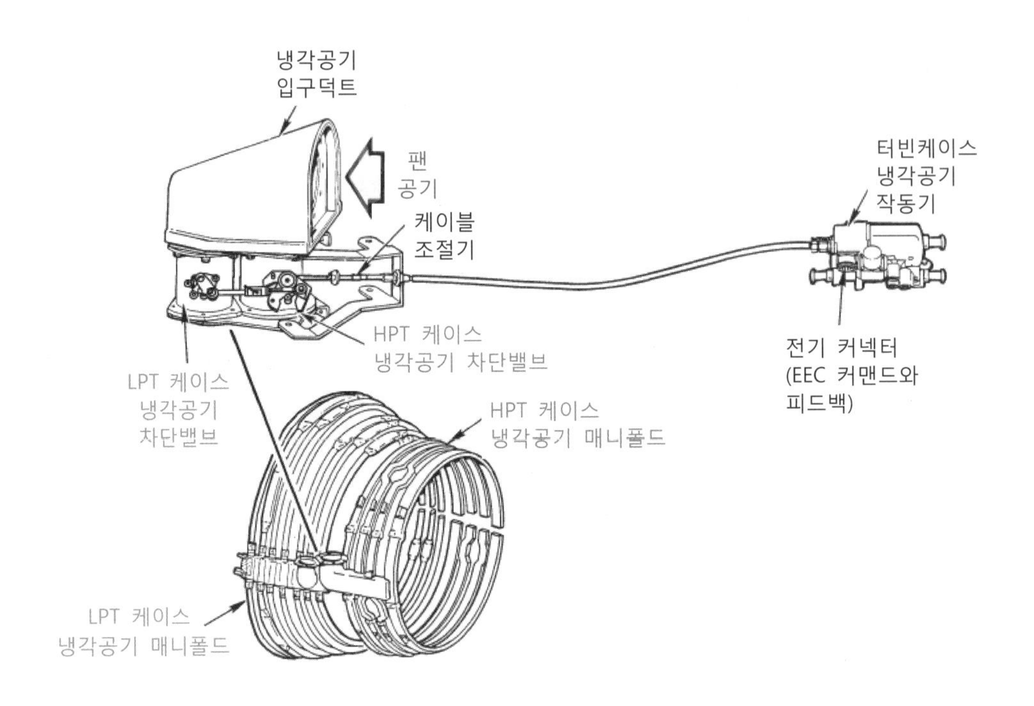


그림 4-56. 터빈케이스 냉각시스템(Turbine Case Cooling System)

(Blade Tip)과 케이스 사이의 틈새(Clearance)를 감소시켜 엔진의 추력 효율을 증가시켜서 보다 나은 연료효율과 케이스의 수명을 증가시킨다. 그림 4-56은 B747-400 항공기에 장착운용 중인 PW4056엔진의 터빈케이스 냉각시스템을 보여주고 있다.

저압터빈 외측케이스는 항공기의 이륙과 상승 중에 팬 공기에 의해 냉각되어져서 케이스의 수명을 증대시키고, 고압터빈 케이스 또한 순항비행 중에 팬 공기에 의해 냉각되어져서 터빈 팁 틈새(Turbine Tip Clearance)를 감소시켜 준다.

## 3.6. 엔진계기계통(Engine Indicating System)

엔진계기계통의 목적은 엔진과 관련 시스템 정보를 조종실의 계기를 통하여 조종사와 정비사에게 제공하는 것이다.

조종실(Cockpit; 대형 항공기의 경우 Flight Deck)의 엔진계기는 성능 지시계기(Performance Indicators)와 엔진 상태 지시계기(Engine Condition Indicators) 두 가지의 부류로 구분할 수 있다.

엔진 압력비(Engine Pressure Ratio : EPR), 팬 속도(Fan Speed : N1), 배기가스온도(Exhaust Gas Temperature : EGT), 연료유량(Fuel Flow), 압축기속도(N2)와 같은 엔진추력에 직접적인 영향을 주는 지시계기들은 성능지시계로 볼 수 있으며, 오일압력, 온도계기, 진동계기 등은 엔진 상태를 나타내는 계기가 된다.

### 3.6.1. EPR 계기계통(Engine Pressure Ratio Indication System)

엔진 압력비 계기계통(EPR Indicating System)은 엔진의 출력(Power Output)을 나타내며, 엔진 추력 설정(Setting)과 감시(Monitoring)를 한다. 실제 EPR은 PW사에서 제작된 엔진에 주로 사용되며, GE사에서 제작된 엔진들은 EPR 계기 및 관련 구성품이 없고, 추력설정 또한 N1을 사용하고 있다. 그림 4-57과 같이 PW4000 엔진의 압력비(EPR) 시스템은 엔진출구 압력(Pt4.95)을 엔진 입구압력(Pt2)으로 나누어 실제 엔진 압력비(actual EPR)를 디스플레이 한다.

엔진 쪽에는 엔진입구 압력과 온도를 감지하는 Pt2/Tt2 프로브(probe), 엔진 출구압력을 감지하는 Pt4.95 프로브와 매니폴드, FADEC/EEC와 EEC프로그래밍 플러그로 구성되어 있으며, 항공기의 EICAS 컴퓨터, 추력관리 컴퓨터(thrust management computer) 등과 인터페이스 되어있다.

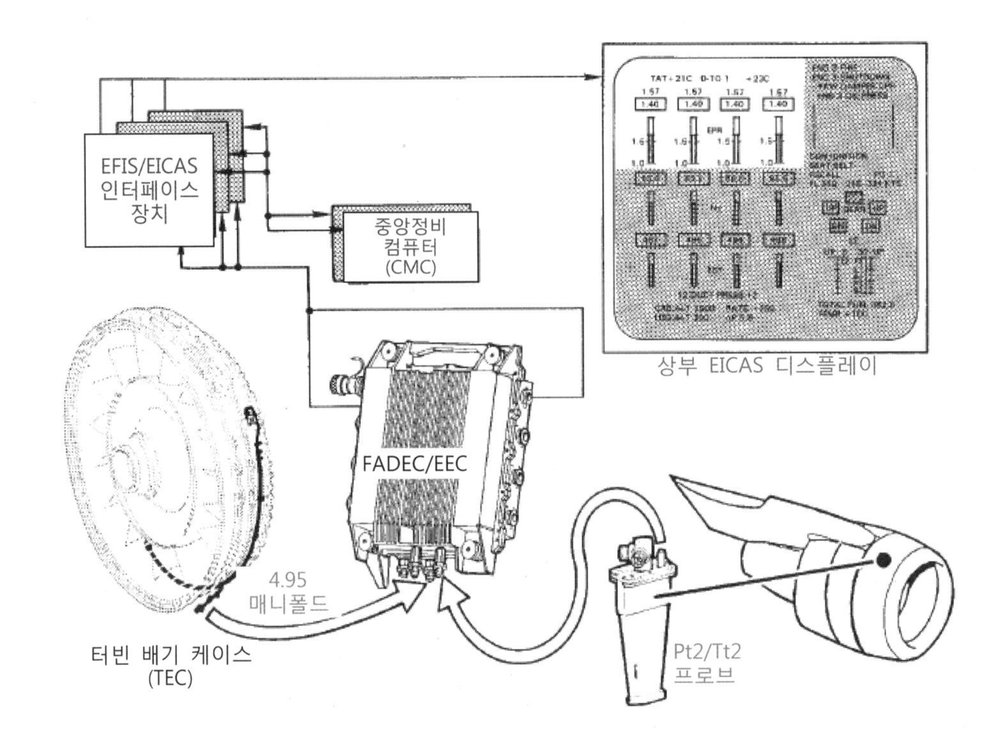


그림 4-57. PW4000 엔진 EPR 계기계통

### 3.6.2. 엔진 회전계 계통(Engine Tachometer System)

엔진 회전계 계통(Tachometer System)은 그림 4-58과 같이 엔진의 저압 로터(N1)와 고압 로터(N2)의 속도 신호를 전자엔진제어장치(EEC), 디스플레이 전자장치(DEU) 및 비행 중 진동 감시 시그널 컨디셔너(Airborne Vibration Monitoring Signal Conditioner)로 공급한다.

EEC는 각각의 속도센서(Speed Sensor)에서 받은 아날로그 신호를 디지털 신호로 변환하여 아링크 429 데이터버스(ARINC 429 data bus)를 통하여 각각의 DEU로 보내준다.

보통 DEU는 EEC로부터 입력을 받아 공통 디스플레이 장치(Common

Display System : CDU)에 N1과 N2를 보여주지만, EEC를 거치지 않고 속도센서로부터 직접 입력을 받아 N1과 N2를 지시하기도 한다.

비행 진동감시 시그널 컨디셔너는 속도센서로부터 아날로그 입력을 받아 진동수준(Vibration Level)을 계산한다.

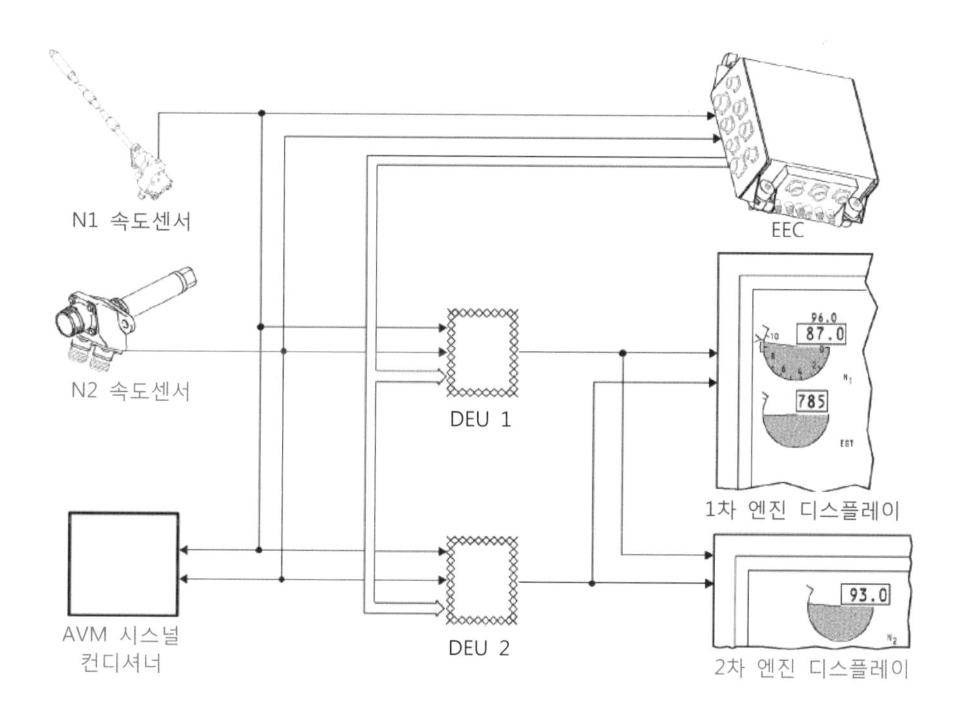


그림 4-58. 엔진 회전계 계통(Engine Tachometer System)

## 3.6.3. 배기가스 온도지시 계통

배기가스 온도지시 계통(Exhaust Gas Temperature Indicating System)은 엔진의 작동한계와 터빈의 기계적 상태를 감시하기 위해 있다.

PW4000 엔진을 비롯하여 PW사에서 제작한 엔진들은 엔진의 배출구(저압터빈의 마지막 단)의 배기가스온도를 모니터하는 하는 반면, CFM56-7엔진을 비롯한 GE사에서 제작된 엔진들은 저압터빈 2단계 노즐에서 배기가스온도를 모니터하기 때문에 PW사 엔진에 비해 배기가스온도(EGT)가 상대적으로 월등히 높다.

그림 4-59는 CFM56-7 엔진의 EGT 지시계통으로서 8개의 열전대(thermocouple)와 4개의 T49.5 열전대 하니스(harness) 어셈블리를 가지고 있다. 각각의 와이어 하니스(wire harness) 어셈블리는 2개의 열전대를 가지고 있고, EEC에 입력신호를 보내준다. EEC는 EGT 신호를 사용하여 공통 디스플레이 장치(CDS)에 EGT를 보여준다.

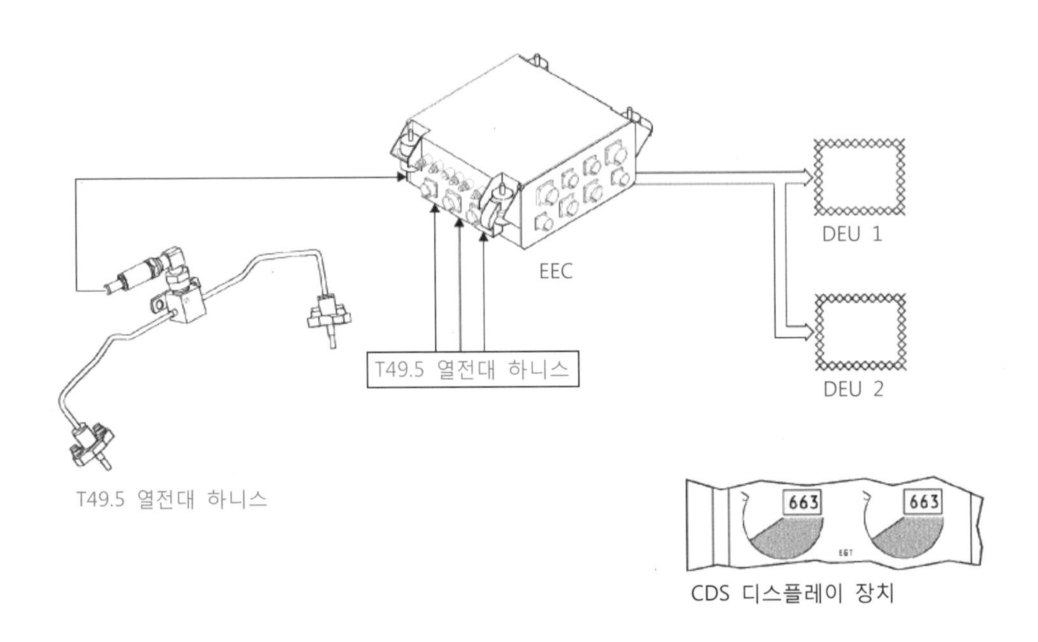


그림 4-59. 배기가스온도 지시계통

### 3.6.4. 진동 감시계통(Airborne Vibration Monitoring)

급작스럽거나 지속적이고 비정상적인 엔진진동(Engine Vibration)은 엔진의 고장을 뜻한다. 비정상적인 엔지진동은 압축기 또는 터빈 블레이드의 손상(Damage), 베어링 피로(Bearing Distress), 압축기 로터 불균형(Compressor Rotor Unbalance), 보기 구동기어의 고장, 엔진에 장착된 보기류의 회전부 고장, 등등이 원인이 될 수 있다.

진동이 작을 때 이를 수정하면 큰 손상을 방지할 수 있다. 2.0 in/sec는 각 로터의 경고상태이고 3.0 in/sec 수준에서는 추력을 줄여야 한다.

그림 4-60과 같이 진동감시(Airborne Vibration Monitoring : AVM) 시스템은 지속적으로 코먼 디스플레이 계통(Common Display System : CDS)에 엔진 진동수준을 공급하는데 AVM 시그널 컨디셔너(AVM Signal Conditioner), 엔진 전방 끝 부근의 진동센서(Vibration Sensor)와 팬 프레임의 진동센서(Vibration Sensor : Accelerometer)로 구성되어 있다.

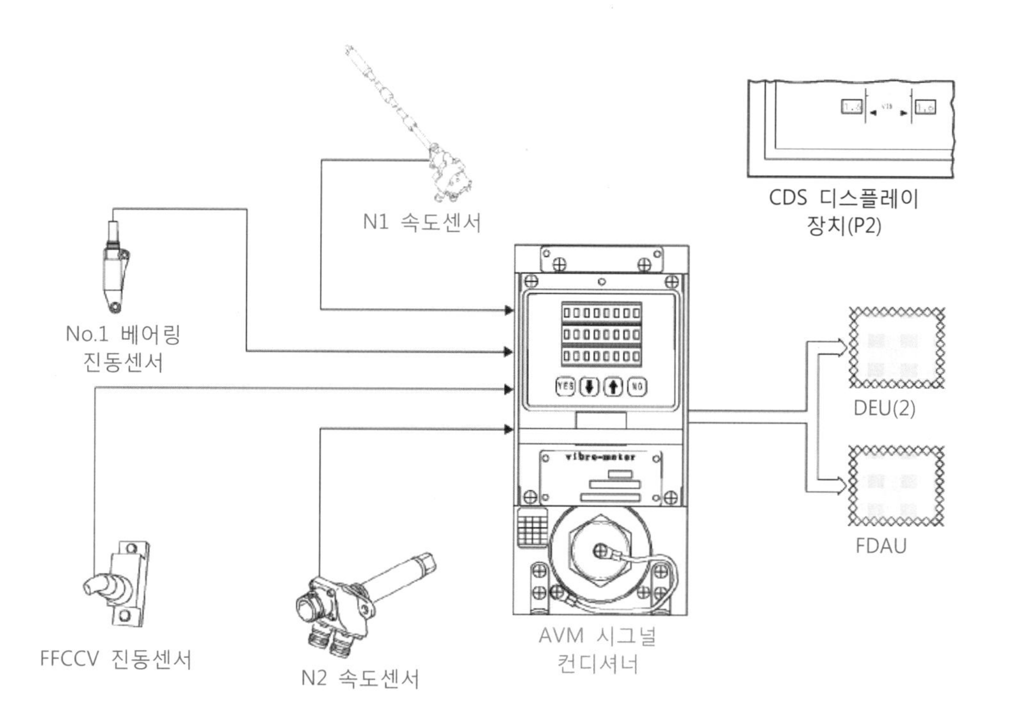


그림 4-60. AVM 계통 구성

## 3.7. 엔진 배기계통(Engine Exhaust System)

터빈을 통과한 배기가스를 엔진 외부로 효율적으로 배출하기 위한 일련의 장치를 배기계통(Exhaust System)이라고 한다. 배기계통에는 배기 덕트와 배기노즐, 배기 소음장치, 역추력 장치, 후기연소기 등이 포함된다.

### 3.7.1. 터빈엔진 배기노즐(Turbine Engine Exhaust Nozzles)

배기 덕트(Exhaust Duct) 후방에 연결된 장치를 흔히 터빈 슬리브(Turbine Sleeve) 또는 배기노즐(Exhaust Nozzle)이라고 부른다. 아음속 항공기용의 터보팬 엔진, 터보 프롭 엔진에는 보통 끝이 좁아지는 형상을 한 수축형 배기노즐(Convergent Exhaust Nozzle)이 사용되고 있다.

그림 4-61의 배기노즐은 단순한 원형단면을 한 고정 면적 배기노즐(Fixed Area Exhaust Nozzle)로 되어있고, 그 내부에는 원추형을 한 테일 콘(Tail Cone)이 장착되어 노즐과 함께 배기가스의 흐름 통로를 형성하고 있다.

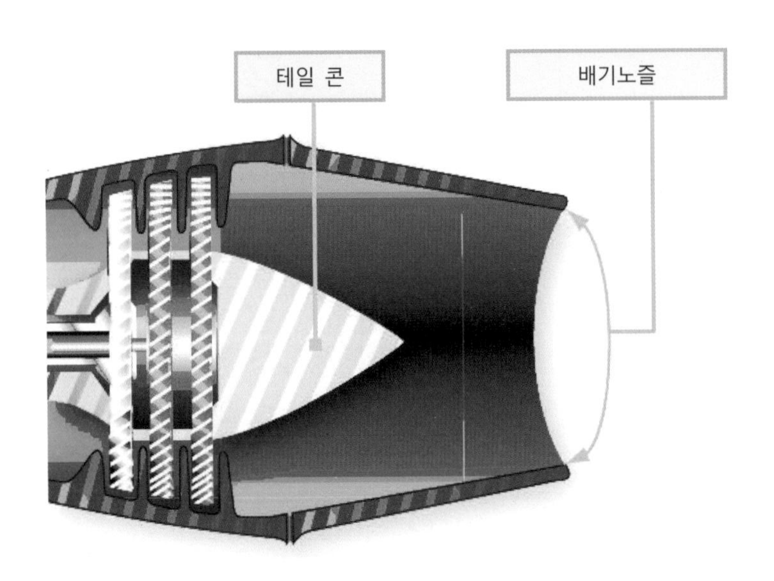


그림 4-61. 수축형 배기 노즐(CONVERGENT EXHAUST NOZZLE)

### 3.7.2. 엔진 역(逆)추력장치(Thrust Reverser)

엔진 역(逆)추력 장치란 항공기 추력을 진행방향과는 반대방향으로 발생시킴으로써 착륙 시 착륙거리를 단축시키는 목적으로 사용되는 시스템으로서 정상적인 착륙상태에서 제동능력 및 방향 전환능력을 도우며 제동장치(Brake System)의 수명을 연장시켜주고, 비상착륙이나 이륙포기(Rejected Take Off)시에도 제동능력을 향상 시킨다.

특히 접지(Touch Down) 후의 항공기 속도가 빠른 시기에 효과가 있는데 정상 착륙시에는 약 20% 정도의 제동력을 얻을 수 있으며, 활주로가 젖어있거나 결빙상태에서는 항공기를 정지시키는데 약 50% 정도의 제동력을 낼 만큼 큰 도움이 된다. 그러나 항공기 속도가 늦어질 때까지 사용하면 배기가스가 엔진에 재 흡입되어 실속(Re-Ingestion Stall)을 일으키는 경우도 있다.

따라서 보통의 비행에는 접지와 동시에 역추력 장치를 작동시켜 항공기 속도를 80~60kt(150~110km/hr) 정도까지 감속하고, 역 추력을 원상태로 돌린 후, 휠 브레이크(Wheel Brake)를 사용하는 조작이 이루어지고 있다.

또한 터보프롭 엔진의 역 추력 발생은 보통의 경우 프로펠러의 피치 각 변경에 의해 좌우된다.

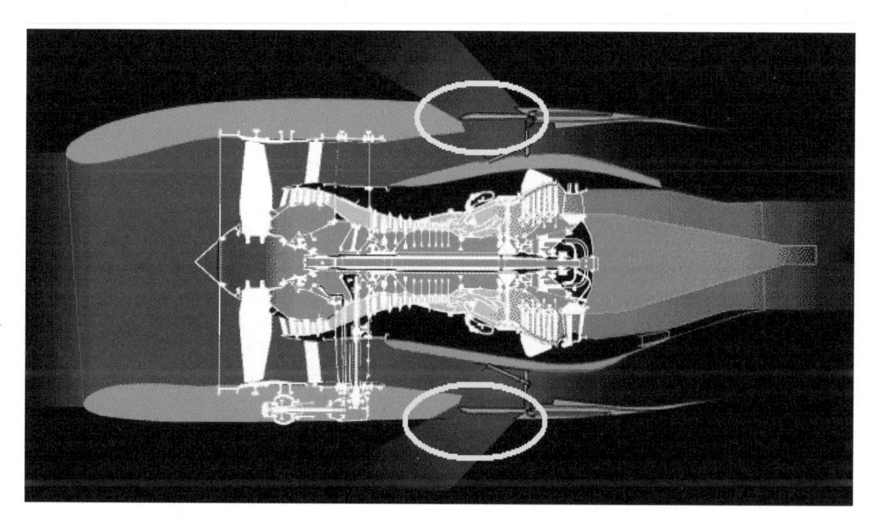

그림 4-62. 터보 팬 엔진 역추력 장치

### 3.7.3. 후기연소기(Afterburner)

엔진 출력을 일시적으로 증가시키는 방법으로서 물 분사 또는 물 메탄올 분사 이외에 후기연소기(Afterburner)를 이용하는 방법이 전투기 엔진에 주로 사용되고 있다. 애프터버너 리히터(Reheater) 혹은 오그멘터(Augmenter)라고도 불리는 후기연소기는 배기 덕트 중에 연료를 분사시켜서 터빈 배기가스를 다시 한 번 연소시켜서 출력의 증가를 가져오는 장치이다.

후기연소기를 사용하면 총 추력의 50%까지 추력을 증가시킬 수 있으나, 연료의 소비량은 거의 3배가되기 때문에 경제적으로는 불리하다.

최근은 터보 팬 엔진으로 터빈배기와 팬 배기의 혼합 배기가스를 이용한 후기연소기가 사용되기 시작했으며, 터보 팬 엔진의 팬 배출 덕트 내에서 팬 배기만을 연소시키는 형식인 덕트 히터(Duct Heater)가 연구되고 있다.

그림 4-63은 F-5A(J85-GE-13) 전투기 엔진의 후기연소기 구조이다.

후기 연소기는 연소기 라이너(Liner), 점화플러그(Ignition Plug), 연료노즐(Fuel Nozzle), 불꽃 홀더(Flame Holder) 및 가변면적 배기노즐 등으로 구성되어 있으며, 후기연소기의 라이너는 후기연소기가 작동하지 않을 때 엔진의 배기 덕트(Exhaust Duct)로 사용된다.

그림 4-63. F-5A(J85-GE-13)엔진 후기연소기 구조

### 3.7.4. 엔진소음(Engine Noise)

가스터빈 엔진의 소음의 근원은 주로 배기 소음이다. 배기노즐(exhaust nozzle)에서 대기 중으로 고속으로 분출된 배기가스가 대기와 심하게 부딪혀 혼합될 때 발생하는 것으로서 배기가스의 분출 에너지에 약 10,000분의 1이 제트 소음의 음향 에너지로 변하고, 또 이 음향 출력이 배기가스 속도의 6~8제곱에 비례하여 배기노즐의 제곱에 비례한다. 특히, 터보제트 엔진은 배기가스의 분출 속도가 터보팬 엔진이나 터보프롭 엔진에 비해 빠르기 때문에 제트 소음이 매우 크다.

제트 소음은 저주파 영역을 주로 하는 광대역(Broads Band)의 음으로 되어 있으나, 저주파 음은 고주파 음에 비해 지면이나 대기에 의한 흡수, 감쇠의 정도가 작아서 넓은 범위에 소음 공해를 일으킨다.

고주파 음은 배기노즐 가까이에서, 저주파 음은 배기노즐에서 멀리 떨어진 곳에서 발생한다. 따라서 배기 소음중의 저주파 음을 고주파 음으로 변환시킴으로써 소음 감소 효과를 얻도록 한 것이 배기 소음 억제장치이다.

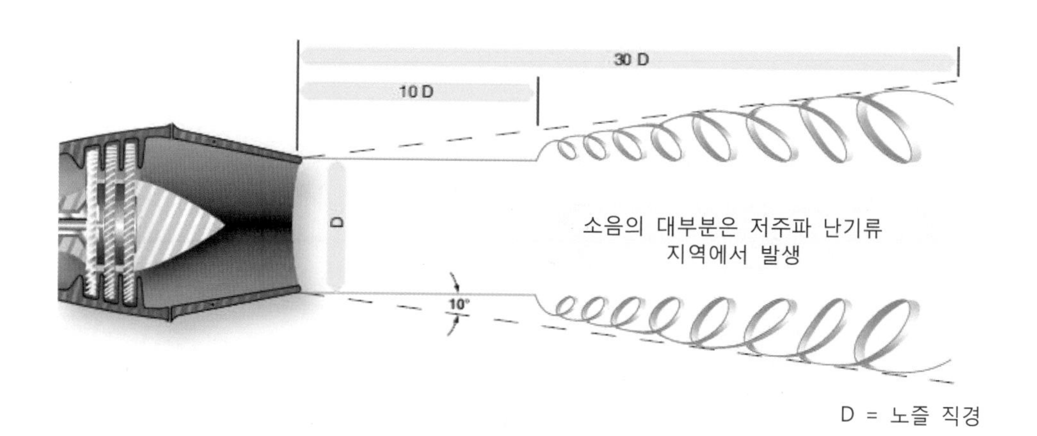


그림 4-64. 엔진배기 소음

## 3.8. 엔진오일 계통

가스터빈 엔진의 오일계통은 습식 섬프(Wet Sump) 윤활계통과 건식 섬프(Dry Sump)윤활계통으로 나누어진다.

오일계통은 오일을 엔진으로 공급하는 압력계통(Pressure System), 엔진 베어링 및 기어들의 윤활을 마친 오일을 배출해내는 배유계통(Scavenge System), 적절한 오일흐름과 배유를 원활하게하기 위한 브리더계통(Breather System)의 세 가지 계통과 엔진 오일계통을 감시하기 위한 지시계통(Indicating System)으로 이루어져 있다.

### 3.8.1. 압력계통(Pressure System)

오일압력계통 또는 오일공급계통(Oil Supply System)은 인체의 혈액 계통에서 동맥에 상당하는 계통으로 일정한 압력과 온도가 유지된 오일을 정해진 위치에 적절한 흐름 량으로 공급하는 작용을 한다.

압력계통의 형식은 오일압력 조절 밸브(Oil Pressure Regulating Valve)로 오일압력을 조절하여 일정한 오일압력을 공급하는 압력조절 윤활계통(Pressure Regulated Lubrication System)과 N2 회전에 따라 압력이 가변적으로 변하는 가변압력 윤활계통(Variable Pressure Lubrication System) 형식이 있다.

그림 4-65는 CMF56-7엔진의 오일공급계통으로서 오일을 저장하는 오일탱크(Oil Tank), 오일관련 부품교환 시 오일탱크에서 오일이 누출되지 않도록 해주는 누출방지 밸브(Anti-Leakage Valve), 오일을 가압하는 오일압력펌프(Oil Pressure Pump) 또는 오일공급펌프(Oil Supply Pump), 오일 중의 불순물을 걸러내는 오일필터(Oil Filter), 과도한 압력을 방지하는 오일압력 릴리프 밸브(Oil Pressure Relief Valve), 일정 흐름양의 압력오일을 정해진 베어링에 분사하는 오일노즐(Oil Nozzle) 및 이들을 서로 연결하는 오일 파이프(Oil Pipe), 호스(Hose) 그 외에 흐름통로 등으로 구성되어 있다.

또한, 오일탱크내의 오일의 양을 감지하는 오일 양 트랜스미터(Oil Quantity Transmitter)와 오일의 압력과 온도를 측정하는 트랜스미터들이 오

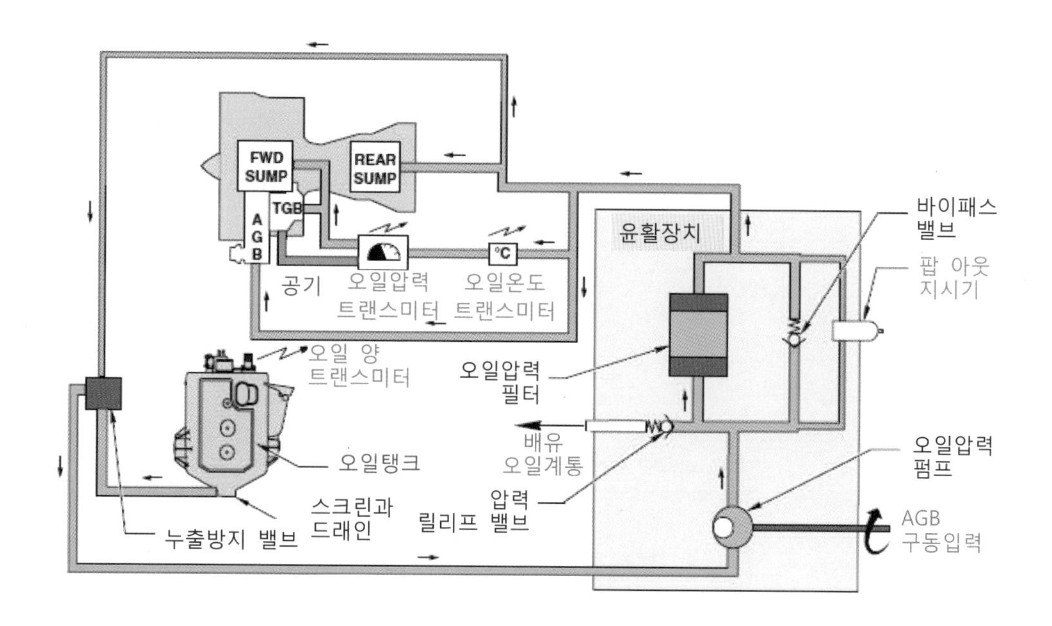


그림 4-65. 오일압력(공급) 계통

일 압력계통의 상태를 감시하기 위해 설치되어 있다.

뜨거운 배유오일(Scavenge Oil)이 직접 오일탱크로 귀환되는 핫 탱크(Hot Tank)의 경우에는 오일냉각기(Oil Cooler)가 오일압력계통에 포함되지만, 그림과 같이 오일 냉각기를 거쳐 오일탱크로 귀환되는 콜드탱크(Cold Tank)형식인 경우에는 오일냉각기는 배유오일계통에 포함된다.

### 3.8.2. 배유계통(Scavenge System)

배유계통(Scavenge System)은 인체의 혈액 계통에서 정맥에 해당하는 계통으로 베어링 부의 윤활과 냉각을 끝낸 오일을 탱크로 되돌리는 작용을 한다. 그림 4-66은 CFM56-7 엔진의 배유계통을 보여주고 있다.

베어링 및 기어들을 윤활한 오일을 배출시켜 오일탱크로 이송하는 3개의 배유펌프(Scavenge Pump)들과 배유되는 오일에서 불순물을 걸러주는 배유 오일필터 어셈블리(Scavenge Oil Filter Assembly), 오일탱크가 콜드탱크이

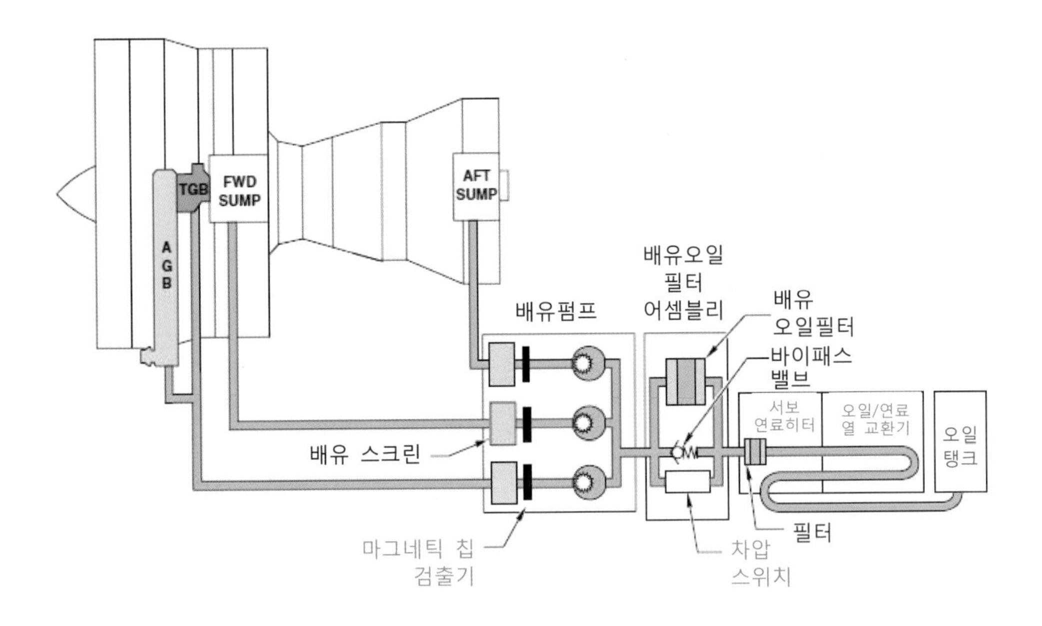


그림 4-66. 오일 배유계통(Scavenge Syatem)

므로 뜨거운 오일로 연료를 데워주는 서보 연료 히터(Servo Fuel Heater)와 차가운 연료로 오일을 식혀주는 오일/연료 열교환기(Oil/Fuel Heat Exchanger)를 통해 식혀진 오일이 탱크로 귀환될 수 있도록 설계되어있다.

### 3.8.3. 브리더 계통(Breather System)

비행중의 고도 변화에 대응해서 엔진 오일계통의 적절한 오일흐름 량과 완전한 배유펌프 기능을 유지하기 위한 브리더 계통(Breather System)은 베어링부의 압력을 대기압에 대해서 항상 일정한 차압으로 유지하는 작용을 하고 있다.

브리더 계통은 보통 각 베어링부의 대기로 벤트(Vent)되는 통로와, 오일이 대기 중으로 방출하는 것을 방지하고 압력만 빠지게 하는 오일 분리기(Oil Separator)로 구성되어 있다.

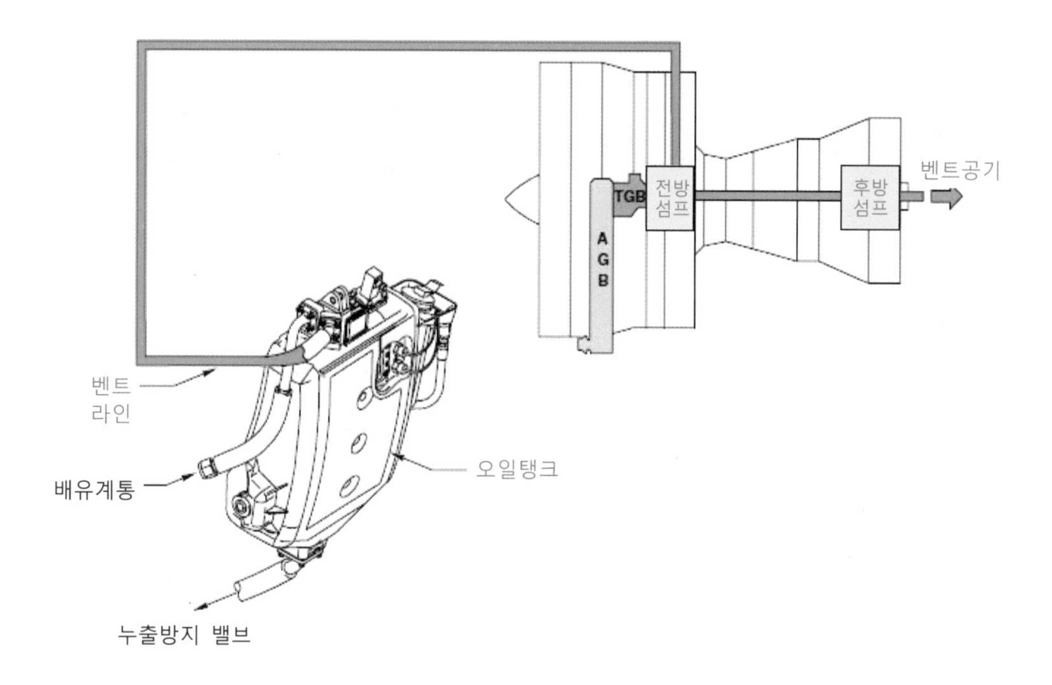


그림 4-67. 엔진 통기계통(Venting System)

그림 4-67은 CFM56-7 엔진의 벤트계통(Venting System)으로서 오일탱크, 섬프와 기어박스가 연결되어 배유펌프에서 공기를 배출한다.

센터 벤트튜브가 압력균형과 벤트(Venting)를 위하여 전방과 후방섬프를 연결해주고, 엔진 후방의 터빈 배기 플러그를 통하여 대기 중으로 배출한다.

### 3.8.4. 엔진 오일 지시계통(Engine Oil Indicating System)

엔진 오일 지시계통은 오일 계통의 작동 상황을 지시하는 계기로 일반적으로 오일 압력계(Oil Pressure Indicator), 오일 온도계(Oil Temperature Indicator), 오일 유량계(Oil Quantity Indicator) 저 오일 압력 경고등(Oil Low Pressure Warning Light), 오일 필터 막힘 경고등(Oil Filter Clogging Warning Light) 또는 오일필터가 막혔음을 알려주는 오일필터 바이패스 등(Oil Filter Bypass Light)등이 있다.

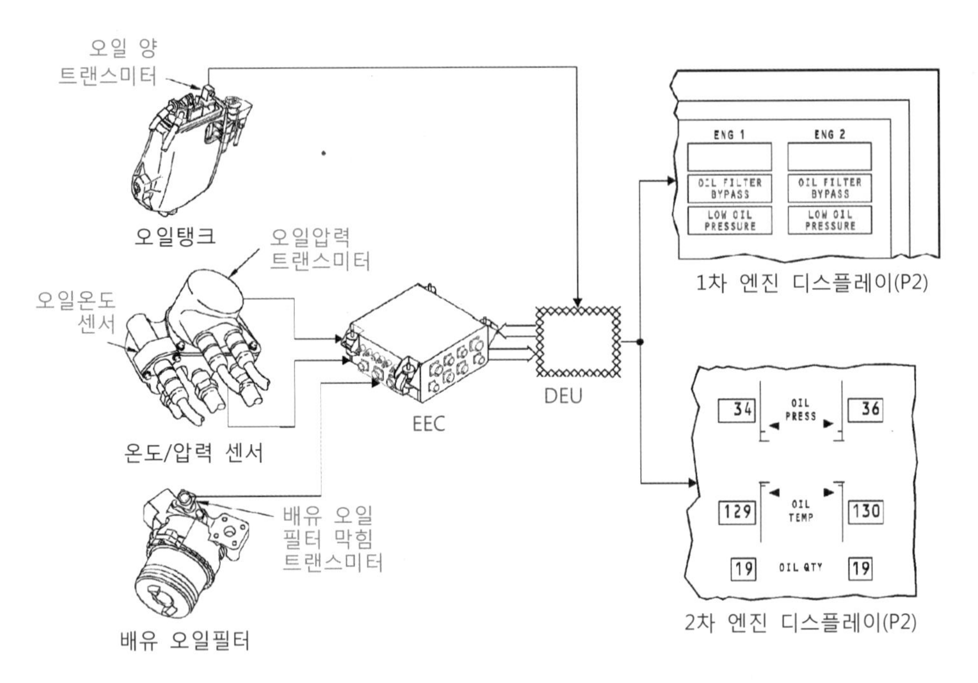


그림 4-68. 엔진 오일 지시계통(Engine Oil Indicating System)

최근의 항공기들은 엔진오일계통의 데이터를 각각의 계기에 지시하는 것이 아니라, 그림 4-68과 같이 오일 양 트랜스미터(Oil Quantity Transmitter), 오일압력 트랜스미터(Oil Pressure Transmitter), 오일온도 센서(Oil Temperature Sensor) 및 배유오일 필터 막힘 트랜스미터(Scavenge Oil Filter Clogging Transmitter)등에서 감지된 데이터를 Eec를 통해 디지털 신호로 변환하여 1차 엔진 디스플레이와 2차 엔진 디스플레이에 지시해준다.

## 3.9. 터빈엔진 시동계통(Turbine Engine Starting System)

왕복엔진은 시동이 이루어지면 즉시 시동장치를 정지해도 계속 운전이 가능한 반면, 가스터빈엔진은 시동이 이루어져도 엔진이 자립회전속도(Self Sustaining Speed)에 도달될 때 까지 압축기 회전속도를 높여 주어야 한다.

가스터빈엔진은 일반적으로 시동기(Starter) 출력이 보기 구동 기어박스로 전해져 압축기를 회전시킴으로서 연소에 필요한 공기를 연소실로 보내서 연소가 시작되고, 엔진이 자립회전속도에 도달될 때까지 압축기 회전속도를 높여준다. 시동기에 의한 압축기 회전은 연소를 위한 충분한 공기를 연소실에 제공하고, 연소가 일어난 후 아이들 속도(Idle Speed)까지 자체가속(Self-Accelerating)을 돕는다. 시동기 자체만으로는 엔진이 정지된 상태에서 아이들 속도까지 낼 수 있는 충분한 출력을 갖고 있지 않다.

### 3.9.1. 엔진 모터링(Engine Motoring)

가스 터빈 엔진의 모터링은 추력을 얻기 위한 시동이 아니고, 시동기로 압축기와 터빈을 단순 회전시키는 과정을 말한다.

모터링은 시동기를 작동하여 엔진코어를 회전시켜서 회전력으로 인해 발생된 동력을 이용하여 기어박스(Gear Box)에 장착된 보기 구성품(Accessory Component)을 작동시켜서 기능 및 누설점검 등을 위한 각종 정비작업 및 검사를 위해 사용된다.

모터링은 건식 모터링(Dry Motoring)과 습식 모터링(Wet Motoring) 방식이 있다.

#### (1) 건식 모터링(Dry Motoring)

엔진에 연료공급과 점화 없이 엔진을 공회전 시키는 작동으로서 엔진의 과열로 인한 냉각이 필요할 경우나 엔진 시동실패(Start Failure)로 인하여 엔진 내에 남아 있는 연료를 배출(Blow-Out)할 경우 실시한다. 연료를 배출하지 않고 재 시동할 경우에는 잔류연료로 인하여 과열시동이 발생할 수 있다.

또한 항공기 시스템 정비를 위해 유압펌프(Hydraulic Pump)를 비롯한 엔진 외부에 장착된 보기품(External Component)의 구동이 필요할 경우와 보기품의 장착 후 누설점검(Leak Check) 및 기능점검(Functional Check)이 필요할 경우에 건식 모터링을 실시한다.

### (2) 습식 모터링(Wet Motoring)

점화 없이 연료만 공급하면서 엔진을 공회전 시키는 작동으로서 엔진연료 계통 작업 후, 연료 뒤짐(Fuel-Lag)현상으로 인한 펌프 공동현상(Pump Cavitation)을 방지하고, 연료 보기품 작동점검 및 누설 점검을 위하여 실시한다. 습식 모터링 후에는 반드시 건식 모터링(Dry Motoring) 실시하여 엔진 내의 잔류연료를 배출하여야 한다.

## 3.9.2. 가스터빈 엔진 시동기(Gas Turbine Engine Starters)

가스터빈 엔진에 사용되는 시동 계통(Starting System)은 공압으로 엔진의 압축기를 돌려주는 공압식 시동기와 전기적으로 직접 엔진을 돌려주는 전기식 시동기 방식의 2가지 형태가 있다.

### (1) 공압식 시동기(Pneumatic Starter)

공압식(혹은 공기 터빈)시동기는 저압 공기 모터 형식이고, 고출력 대 중량비 장치로 개발되었다. 이것은 전기시동시의 약 1/4 중량을 갖는다. 이 시동기는 거의 모든 대형 상업용 항공기에 사용되며 일부 소형 항공기에도 선택적으로 사용되고 있다.

공압식 시동기의 구동은 지상 동력장치(Ground Power Unit :GPU), 보조동력장치(APU) 또는 작동 중인 다른 쪽 엔진의 브리드 공기(bleed air)를 사용한다.[그림 4-69]

공압식 시동기(pneumatic starter)를 구동하기 위한 공기압은 대략 30~50psi의 공기압이 필요하며, 덕트(duct)내의 공기압이 최소 30psi 이상이 되어야 시동이 가능하므로 공기식 터빈 시동기를 엔진을 시동할 경우에는 시동 전에 덕트 압력이 충분하지 점검하여야 한다.

### (2) 전기시동계통과 시동기 발전기 시동계통

가스터빈 엔진에 사용되는 전기시동 계통(Electric Starting System)은 전기적으로 직접 엔진을 돌려주는 전기식 시동기와 시동 후에는 발전기로 전환되는 시동기 발전기 방식의 2가지 형태가 있다.

직접 엔진을 돌려주는 전기식 시동기는 비행용 엔진에는 무겁기 때문에 널리 사용되진 않으며, 보조동력장치(Auxiliary Power Units : APU)와 소형 터보 샤프트엔진과 같은 일부 경량 터빈 엔진에 사용되고 있으며, 대부분의 소형엔진들은 시동기 발전기(Starter Generator)로 무게를 줄여서 사용하고 있다.

시동기-발전기의 결합은 보기류 두개를 장착할 공간에 하나만 장착하여 무게를 절감시킬 수 있다는 특성 때문에 소형 제트 항공기에 널리 사용되고 있으며, 최근에는 장거리 중대형 항공기로 개발되어 운용 중인 B787 항공기에도 그림 4-70과 같이 가변 주파수 시동기/발전기(Variable Frequency Starter/Generator : VFSG)를 사용하고 있다.

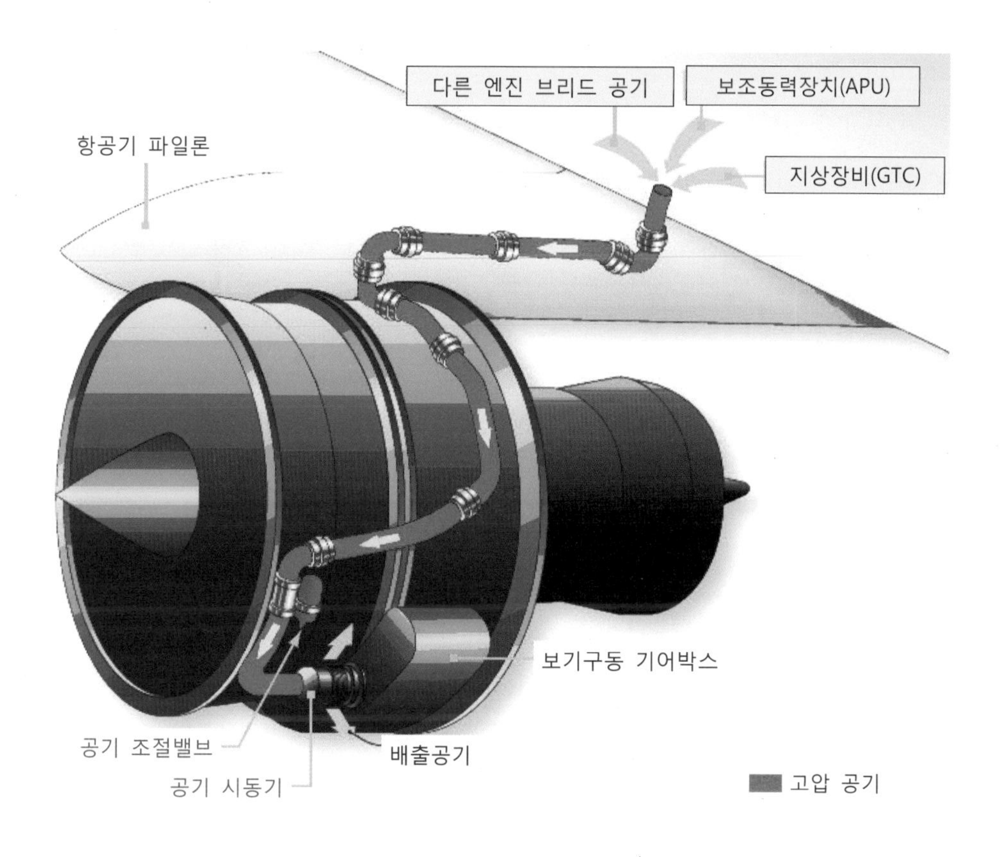


그림 4-69. 공압식 시동기의 공기 공급원

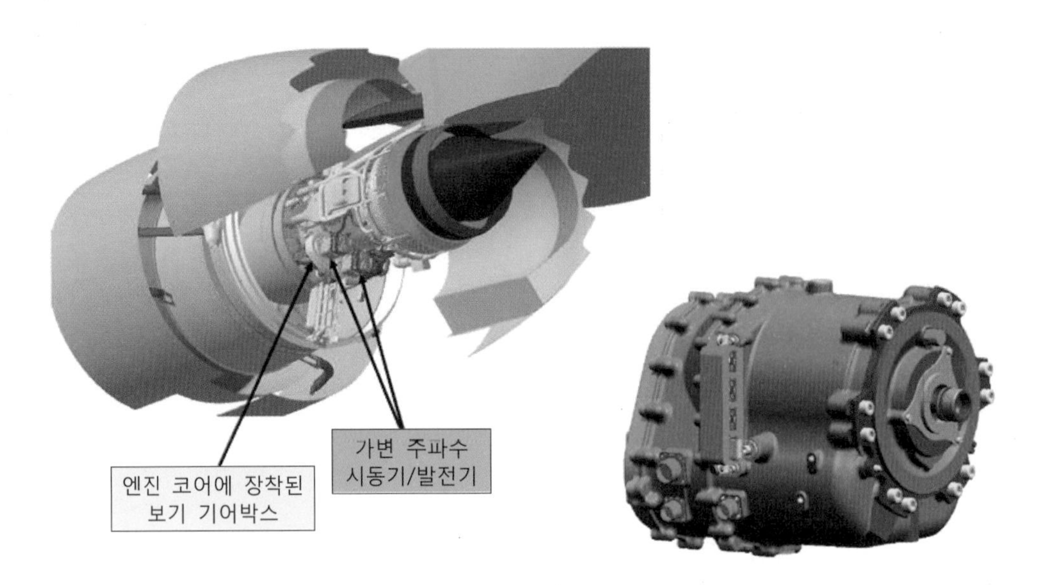


그림 4-70. B-787(GEnx-1B 엔진) 시동기-발전기

시동기-발전기의 두 가지 목적 때문에, 구동장치가 전기 시동기와는 달리 엔진과 영구적으로 연결되어 있는 구동 스플라인(Spline)을 가지고 있다.

### 3.9.3. 엔진 시동 절차

다음 그림 4-71은 CFM56-7엔진의 시동절차 요약이다.

① 점화 선택 스위치(Ignition Selector Switch)를 사용하고자 하는 점화(Ignition)에 따라 IGN L, 혹은 IGN R에 놓는다.

② 시동스위치(Start Switch)를 GRD위치에 놓는다.

③ 부스트 신호(Boost Signal)가 APU로 보내지고, 시동밸브 솔레노이드가 자화되어 시동밸브는 열리고, 'START VLV OPEN'등이 들어온다.

④ N2가 서서히 회전하기 시작한다.

⑤ 오일압력(Oil Pressure)이 증가하기 시작하면서 N1이 돌기 시작한다.

⑥ 지상감시자는 엔진 정면에서 N1이 반시계 방향으로 회전하기 시작하면 조종실에 신호를 보낸다.

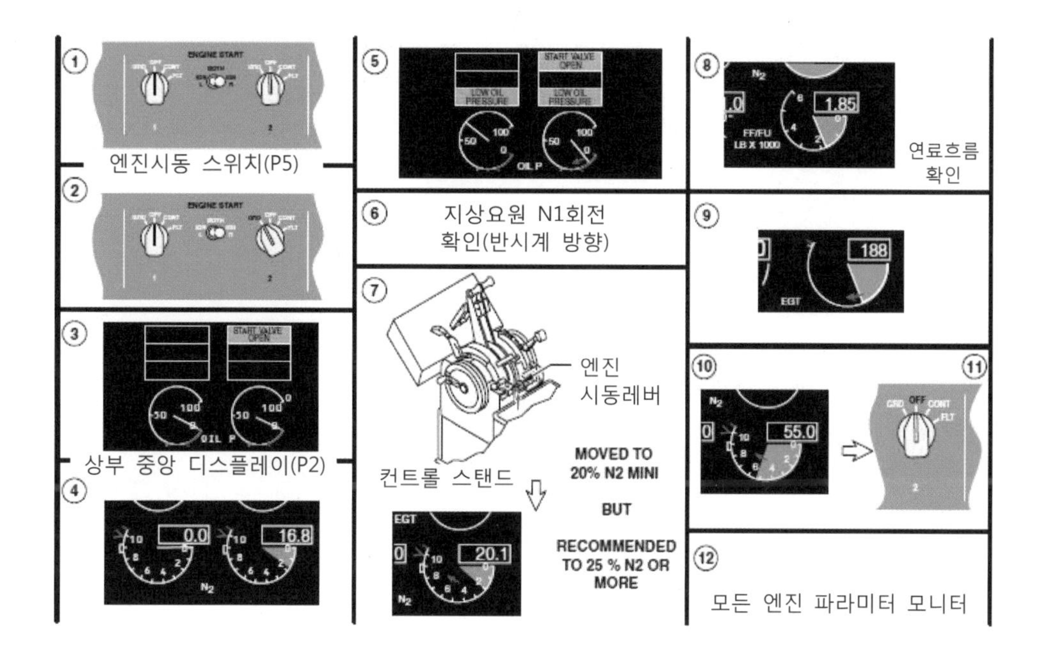


그림 4-71. 엔진 시동절차

# Part 02

항공사가 목표로 하는 안전성, 정시성, 쾌적성 및 경제성을 효과적으로 달성하기 위해서는 정비조직은 항공기 성능 저하에 대한 적절한 예방정비가 적시에 수행 되어야 한다. 이는 항공기 안전성 유지에 매우 중요한 사안일 뿐만 아니라, 최소 경비로 최대의 효과를 거두어야 하는 항공사의 입장에서 경제성을 고려해야 하는 사항이므로 항공정비사는 효율적이고, 효과적인 정비방식을 적용하기 위하여 정비관리 기법을 이해할 필요가 있다.

이러한 목적달성을 위하여 Part II.에서는 항공기 정비관리 기법에 대하여 다음과 같이 5개의 장으로 구분하여 학습하도록 한다.

**제5장. 항공정비의 기본**

**제6장. 항공정비 생산관리**

**제7장. 항공정비 품질관리**

**제8장. 항공정비 기술관리**

**제9장. 항공정비 자재관리**

# 제5장. 항공정비의 기본

새로운 항공기는 이전의 항공기 모델에서는 접해보지 못했던 새로운 소재와 동력장치 및 전기전자 시스템을 갖추고 있으며, 아울러, 전 세계에 운용되는 낡은 항공기의 숫자는 점점 늘고 있다. 이에 따라 항공기 제작기술뿐만 아니라 항공기를 정비하기 위한 기술도 날로 발전하고 있다. 그러나 항공정비 분야에 있어서 변하지 않는 한 가지 사실은 대부분의 항공기정비는 아직도 사람에 의해서 행해지고 있다는 사실이다.

본 장에서는 항공정비사의 직무를 이해하기 위하여 항공기 정비의 개념과 정비방침, 정비의 대상, 정비방식 및 항공정비사의 직무유형 등에 대하여 소개하고자 한다.

1. 항공기 정비의 개념
2. 항공기 정비방침
3. 항공기 정비방식
4. 항공기 정비작업
5. 항공기 정비직무

# 1. 항공기 정비의 개념

우리나라 국토교통부 운항기술기준에 따르며, '정비(Maintenance)라 함은 항공기 또는 항공제품의 지속적인 감항성을 보증하는데 필요한 작업으로서, 오버홀(overhaul), 수리, 검사, 교환, 개조 및 결함수정 중 하나 또는 이들의 조합으로 이루어진 작업을 말한다.' 로 정의하고 있다. 즉, 항공기 정비란 항공기 및 엔진 기타 장비품의 안전성(감항성)을 정확·신속하게 유지·향상시키는데 필요한 기술기준 및 방법 등을 규정한 정비규정에 의하여 실시하는 기술적인 작업내용을 말한다.

항공기 정비는 안전하고 쾌적한 운항을 위하여 항공기 품질을 유지 또는 향상시키는 검사, 점검, 서비스, 세척 및 수리, 개조작업 등을 총칭하며, 항공기 또는 항공기 장비품에 대한 운항정비, 오버-홀, 수리 또는 개조 중 하나 또는 여러 가지를 결합한 행위를 의미한다.

여기서 위에서 언급된 항공정비 관련 기본용어들을 숙지할 필요가 있다.

## 1.1. 수리(Repair)와 개조(Alteration)

수리는 항공기 또는 항공제품을 인가된 기준에 따라 사용 가능한 상태로 회복시키는 것을 의미하며, 개조는 인가된 기준에 맞게 항공제품을 변경하는 것을 말한다.

개조는 대개조(Major Alteration)와 소개조(Minor Alteration)로 분류되는데 대개조는 항공기, 발동기, 프로펠러 및 장비품 등의 설계서에 없는 항목의 변경으로서 중량, 평행, 구조강도, 성능, 발동기 작동, 비행특성 및 기타 품질에 상당하게 작용하여 감항성에 영향을 주는 것으로 간단하고 기초적인 작업으로는 종료할 수 없는 개조를 말하며, 소개조(Minor Alteration)는 대개조 이외의 개조작업을 말한다.

수리 또한 대수리(Major repair)와 소수리(Minor Repairs)로 분류되는데 대수리는 항공기, 발동기, 프로펠러 및 장비품 등의 고장 또는 결함으로 중량, 평행, 구조강도, 성능, 발동기 작동, 비행특성 및 기타 품질에 상당하게 작용하여 감항성에 영향을 주는 것으로 간단하고 기초적인 작업으로는 종료할 수 없는 수리를 말하며, 소수리는 대수리 이외의 수리작업을 말한다.

항공기의 대개조 혹은 대수리 작업은 수리개조 설계가 해당 감항성 기준과 일치되도록 국토교통부 지방항공청이 인가하였거나 혹은 인정한 설계 데이터에 의거하여 실시하여야 한다. 다만, 대개조 범주외의 작업은 인가된 정비조직에서 확인하고, 대수리 범주외의 작업은 유자격 정비사의 확인으로 가능하다.

또한, 항공기의 대수리 또는 대개조 후 항공기를 사용이 가능한 상태로 환원시키고자 하는 경우(항공기를 운항에 투입하는 경우)에는 해당 한정자격을 보유한 항공정비사 또는 항공공장정비사의 확인을 받아야 한다.

### 1.2. 오버홀(Overhaul)

인가된 정비 방법, 기술 및 절차에 따라 항공제품의 성능을 생산 당시 성능과 동일하게 복원하는 것을 말한다. 여기에는 분해, 세척, 검사, 필요한 경우 수리, 재조립이 포함되며 작업 후 인가된 기준 및 절차에 따라 성능시험을 하여야 한다.

### 1.3. 필수검사항목(Required Inspection Items)

작업 수행자 이외의 사람에 의해 검사되어져야 하는 정비 또는 개조 항목으로써 적절하게 수행되지 않거나 부적절한 부품 또는 자재가 사용될 경우, 항공기의 안전한 작동을 위험하게 하는 고장, 기능장애 또는 결함을 야기할 수 있는 최소한의 항목을 말한다.

### 1.4. 예방정비(Preventive Maintenance)

단순하고 간단한 보수작업, 점검 및 복잡한 결합을 포함하지 않은 소형 규격부품의 교환 및 윤활유등의 보충(service)을 말한다.

## 1.5. 운항정비(Line Maintenance)

예측할 수 없는 고장으로 발생된 비계획 정비 또는 특수한 장비 또는 시설이 필요치 않은 서비스 및(또는) 검사를 포함한 계획점검(A 점검 및 B 점검)을 말한다.

## 1.6. 공장정비(Base Maintenance)

운항정비를 제외한 정비를 말한다.

## 1.7. 정비규정(Maintenance Control Manual)

항공기에 대한 모든 계획 및 비계획 정비가 만족할 만한 방법으로 정시에 수행되고 관리되어짐을 보증하는데 필요한 항공기 운영자의 절차를 기재한 규정 등을 말한다.

정비규정에는 점검, 기능시험, 분해검사, 부품교환 등의 방법과 그 시기 등 구체적인 정비작업 절차 및 내용을 기종별·항목별로 상세히 규정한 항공기 정비프로그램(Aircraft Maintenance Program)과 정비사의 훈련방법 등을 규정한 정비훈련프로그램(Maintenance Training Program) 등 여러 가지 기술적인 내용이 포함되어 있는데, 항공기의 운항규정과 함께 국토교통부의 사전 승인을 받아서 시행하도록 되어있다.

항공정비사는 반드시 정비규정에 따라 정비 업무를 수행하여야 한다. 만약 정비규정을 지키지 아니하고 업무를 수행한 경우에는 항공법 33조에 의거 국토교통부 장관은 항공정비사 자격증명이나 자격증명의 한정을 취소하거나 1년 이내의 기간을 정하여 자격증명 등의 효력 정지를 명할 수 있으며, 제177조에 의거하여 1천만원이하의 벌금에 처할 수 있다.

## 2. 항공기 정비방침

항공기 정비는 항공기의 안전성을 확보하고 이것을 토대로 정시성을 유지하면서 쾌적한 항공 수송서비스를 제공하는 것을 목적으로 한다. 즉, 고객이 원하는 시간과 장소에 가장 빠르고, 안전하게 이동시키는 항공 운송서비스를 제공할 수 있도록 지원하는데 목적을 두고 있다.

이러한 목적 달성을 위해 정비는 관계 제 규정을 준수하고, 항공기, 엔진 및 장비품에 대한 제 기능을 유지 향상시키며, 감항성, 정시성, 쾌적성, 경제성, 인적오류(Human Error)예방 등의 정비방침에 의하여 정비를 실시하여야 한다.

### 2.1. 감항성

항공기가 안전하게 비행할 수 있는 성능을 말하며, 항공운송에 있어 인명과 재산의 보호를 위한 필수적인 항목이다. 항공기 운항 중 안전을 저해하는 다양한 요소를 제거하여 지속적으로 항공기 성능을 유지토록 하여야 한다.

### 2.2. 정시성

항공기의 정시 출발태세를 확보하기 위해 계획된 작업을 시간 내에 완수함은 물론 항공기 고장 발생을 미연에 방지토록 하여 정시 출발을 목적으로 한다.

### 2.3. 쾌적성

승객에게 만족과 신뢰감을 주기 위해서 정비에서는 항공기가 충분히 제 기능을 발휘하고 항공기 내·외부에 대한 청결 및 화물에 대한 손상이 없도록 한다.

## 2.4. 경제성

정비 종사자는 최소의 경비로 최대의 효과를 얻을 수 있도록 상기 감항성, 정시성, 쾌적성을 확보함에 있어 제 자원에 대한 경제성을 고려하여 유지시켜야 한다.

## 2.5. 인적오류(Human Error) 예방

정비 작업 중 인적오류 발생을 예방할 수 있도록 정비프로그램(Maintenance Program)에는 인적요인 원리(Human Factors Principles)를 적용한다.

# 3. 항공기 정비방식

정비방식(Maintenance Program)은 정비의 기본 목적을 달성하는데 필요한 정비기법, 정비요목, 정비 작업, 인적요인(Human Factor) 등 각각의 역할과 상호관계를 결정하여 정비 작업을 효율적으로 수행할 수 있도록 하는 정비 체계를 말한다.

항공기에 대한 정비방식은 예방 정비개념이 주류를 이루었으나 점차 신뢰성관리에 중점을 두고 있다. 따라서 MSG-2 정비기법[1]의 기반인 하드타임(Hard Time), 언 컨디션(On-Condition : OC), 컨디션 모니터링(Condition Monitoring : CM)과 B747-400을 비롯하여 A380, A330, B777, B737등의 항공기는 신뢰성이 크게 향상됨에 따라 경제적인 운용을 고려하여 MSG-3 정비기법[2]인 윤활/서비스(Lubrication & Servicing), 작동점검(Operational Check), 육안점검(Visual Check), 검사(Inspection), 기능점검(Functional Check), 환원(Restoration) 및 폐기(Discard)등 의 정비작업으로 병행하여 운영하고 있다.

## 3.1. 하드타임(Hard Time)

하드타임은 부품이나 장비에 대해 축적된 경험을 바탕으로 사용시간 한계를 설정하여 일정한 사용시간에 도달한 장비품 등을 항공기에서 정기적으로 장탈 하여 분해, 수리 또는 오버홀(Overhaul) 등의 정비를 하거나 폐기하는 정비방식이다.

종래부터 행해지고 있는 오버홀은 이 방식에 포함되는 대표적인 정비방식으로서 오버홀 작업을 한 번에 실시하는 것을 완전분해수리(Complete

1) 항공기 고유의 신뢰도를 유지할 수 있도록 미항공운송협회(ATA)에서 개발한 정비방식(Maintenance Program) 개발 분석 기법이며, 장비품의 내구력 감소 발견방법으로부터 분석을 시작하는 상향식 접근방식(Bottom up approach)의 분석기법이다.

2) 새로운 항공기에 적용하기 위하여 MSG-2를 개선한 정비 작업(Maintenance Task) 위주의 정비방식 개발 분석기법이며, 항공기의 계통, 기체구조 및 부위를 기능상실(Functional Failure)의 영향으로부터 분석하는 작업 위주의 방식으로 하향식 접근방식(Top Down Approach)의 분석 기법이다.

Overhaul), 여러 차례에 나누어서 단계적으로 실시하는 것을 단계적 분해수리(Progressive Overhaul)라고 한다.

그러나 이러한 항공기 장비품 등의 고장의 발생을 전제로 고장을 사전에 예방한다는 생각에 입각한 정비개념인 하드타임을 중심으로 한 예방정비에는 다음과 같은 문제점이 있다.

- 본래 사용시간과 고장의 상관관계가 없는 부품이 많고, 또한 장시간 만족하게 작동될 수 있는 많은 부품이나 장비품이 장탈 되고 있다.
- 부품이나 장비품의 장탈·착, 분해 작업에 따른 초기고장의 발생가능성이 내포되어 있다.
- 만족하게 작동하고 있는 부품을 조기에 장탈하고 있기 때문에 부품 본래의 결점을 파악하기 힘들며, 따라서 부품의 개량도 진척되지 않는다. 즉, 만족하게 작동하고 있는 부품이나 장비품은 그대로 사용하는 것이 전체적으로 장탈 수가 적어 경제적이며, 고장도 적고 부품의 개량도 빨리 행해지며 결과적으로 품질이 향상될 것이다.

## 3.2. 언 컨디션(On-Condition)

언 컨디션(On-Condition)은 항공기 장비와 부품을 주기적으로 기체로부터 장탈하여 분해 수리하지 않고 기체에 장착된 상태로 외부검사나 시험을 정기적으로 반복함으로써 장탈할 것인지 또는 계속 사용가능한지를 판정하는 정비방식이며, 판정결과에 따라 불량한 부분이 있으면 교환하거나 수리 등의 적절한 정비를 수행하는 정비방식으로 다음사항들이 요구된다.

- 주어진 점검주기를 필요로 한다.
- 주어진 점검주기에 반복적으로 행하는 검사(Inspection), 점검(Check), 시험(Test) 및 서비스(Service) 등이 필요하다.
- 감항성 유지에 적절한 점검 및 작업방법이 적용되어야 하며, 효과가 없을 경우에는 컨디션 모니터링으로 관리할 수 있다.

- 장비품 등이 정기적으로 항공기에서 장탈되어 분해되지 않고 정비되는 것은 언 컨디션에 속한다.

## 3.3. 컨디션 모니터링(Condition Monitoring)

컨디션 모니터링(Condition Monitoring)은 고장이 발생되더라도 감항성에 직접문제가 없는 일반부품이나 장비품에 적용하는 정비방식으로써 정기적인 검사나 수리를 필요로 하는 것이 아니고, 고장이 발생하거나 고장 징후가 나타날 때 정비를 수행하는 정비방식이다.

개개의 부품을 대상으로 하지 않고, 특정그룹 전체로서의 신뢰도를 감시하여 품질수준이 일정한 기준이하로 떨어 질 경우에 적절한 정비조치를 취한다.

## 3.4. 신뢰성 관리정비

신뢰성 관리정비 방식은 예방정비 개념을 대신하여 항공정비 전반의 신뢰성, 즉 지속적으로 품질을 감시하고 일정한 수준이하로 품질이 저하 될 경우에 바로 고장원인을 규명하여 원인을 제거하는 정비제도이다.

신뢰성 향상에 중점을 둔 새로운 정비체제의 확립으로 보다 합리적이고 효율적인 정비를 하도록 고려하는 정비방식이다. 이러한 신뢰성 관리에 의한 정비를 가능하게 한 요인으로는 최근 항공기 설계의 진보와 기재품질 수준의 향상, 비파괴 검사를 중심으로 한 검사방법의 발달과 언 컨디션 방식에 가능한 구조의 채택, 컴퓨터를 응용한 고장 데이터 처리나 모니터링 방법의 발달 등을 열거할 수 가 있다.

이러한 신뢰성 관리 정비방식이 가능한 것은 엔진의 경우 다음과 같은 방법들을 이용하여 지속적인 엔진 상태감시(Condition Monitoring)가 가능하기 때문이다.

### 3.4.1. 엔진 성능추세감시(Engine Performance Trend Monitoring)

엔진 배기가스온도(Exhaust Gas Temperature: EGT)와 같은 엔진의 주요 파라미터(Parameter)들을 지속적으로 관찰 기록하여 엔진이 항공기에 처음 장착 되었을 때의 상태와 비교 분석하여 엔진 사용한계에 도달되었는지를 평가.

### 3.4.2. 내시경 검사(Borescope Inspection)

접근이 불가능한 엔진 내부를 엔진 외부 케이스(Case)의 포트(Ports)를 통해 보어스코프 프로브(Borescope Probes)를 삽입하여 엔진을 분해하지 않고 항공기에 장착된 상태로 엔진 내부의 상태검사.

### 3.4.3. 윤활계통 미립자 분석(Lubrication Particle Analysis)

엔진 윤활계통에서 오일이 엔진 내부를 순환하면서 손상된 엔진 부품으로부터 떨어져 나온 조각들 중 10 마이크론 이상의 조각들은 오일 필터에 걸러지거나 마그네틱 칩 검출기(Magnetic Chip Detector)에 수집되어지는데 이러한 이물질들을 육안 검사를 통하여 분석 실시.

### 3.4.4. 분광 오일 분석 프로그램 (Spectrometric Oil Analysis Program: S.O.A.P)

오일 탱크에서 오일을 채취하여 오일에 함유된 10 마이크론 미만의 미세한 이물질들을 분석하는 것으로서 발견된 금속물질의 성분을 분석하여 부품의 초기 손상 정도 파악.

### 3.4.5. 엔진 진동 감시시스템(Engine Vibration Monitoring System)

엔진에 장착된 바이브레이션 센서에 의해 엔진 진동이 감지되고, 감지된 진동 값(vibration value)은 항공기의 감시 시스템(monitoring system)에 보내지는데, 진동 값이 한계를 초과 할 경우에는 데이터를 저장하여 진동교정 작업 시 활용.

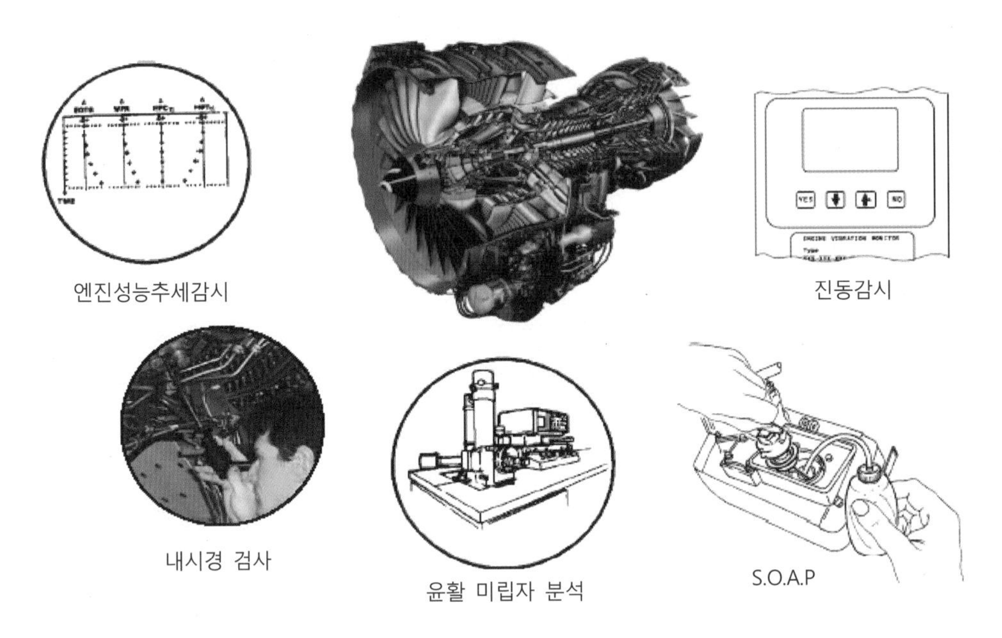


그림 5-1. 엔진 상태감시(CONDITION MONITORING)

# 4. 항공기 정비작업(MAINTENANCE TASK)

항공기 정비작업(Maintenance Task)은 정상작업(Regular Work Task)과 특별작업(Project Work Task)로 분류되며, 정상작업은 정시정비작업(Scheduled Maintenance Task)과 불시정비작업(Unscheduled Maintenance Task)로 나누어진다.

## 4.1. 정시정비작업

정비요목을 행하기 위해 정기적으로 반복 실시되는 점검, 검사, 서비싱 등의 작업이다. 계획정비라고도 하며, 항공기정비프로그램에 의하여 정해진 주기에 항공기의 감항성을 확인하는 정비작업으로 정시점검 및 엔진, 착륙장치(Landing Gear)등 시한성품목의 교환 작업 등을 말한다. 반복점검 등의 주기 설정은 제작사 권고사항 및 신뢰성 프로그램에 의하여 설정하여야 한다.

## 4.2. 불시정비작업

고장이나 불량한 곳의 탐구, 수리, 조정 등의 작업이다. 또한, 고장의 원인으로 되어있는 불량한 곳을 찾아내는 것을 고장탐구(Trouble Shooting)이라 한다.

불시정비작업은 일종의 비계획정비로서 계획에 없거나 예측할 수 없는 상황에서 발생한 정비에 대한 절차, 지침, 및 기준들이 포함된다. 비계획정비의 필요성은 계획정비 작업, 조종사 보고서, 경착륙 또는 과 중량 착륙, 후미충격(Tail Strike), 낙뢰 또는 엔진 과열과 같은 예측하지 못한 일들의 결과로 생겨난다.

### 4.3. 특별작업

고장원인의 제거 혹은 장비의 변경을 목적으로 해서 항공기재의 원 설계를 변경하는 작업을 개조(Modification)라 부르며, 이러한 개조나 일시적인 검사 등의 작업을 특별작업이라 한다.

# 5. 항공기 정비직무

항공기 정비직무는 항공기를 정비하는 형태에 따라 운항정비, 공장정비 및 기타 기술지원으로 분류할 수 있으며, 일반적인 항공정비 직무수행절차는 그림 5-2와 같다.

항공기의 결함으로 인한 고장탐구 또는 주기점검 등의 작업발생시 일종의 작업지시서인 작업카드(Job Card)가 발행되면 일선의 정비감독자는 해당 자격을 소지한 정비사에게 작업을 배정하게 되고, 정비사는 작업을 실시하고 완료 후에는 검사가 필요한 작업의 경우에는 검사를 요청하게 된다. 검사를 요청받은 항공기 정비검사원은 해당 정비규정 및 교범 등에 의하여 작업이 완료되었는지 검사를 실시하고, 이상이 없으면 검사원 서명 등으로 작업이 종료된다. 그러나 검사결과 이상이 발견되었거나 검사기준에 미치지 못할 경우에는 비정상 작업카드를 발행하여 재정비 작업을 지시하게 된다.

## 5.1. 운항정비(Line Maintenance)

운항정비는 예측할 수 없는 고장으로 발생된 비계획 정비 또는 특수한 장비 또는 시설이 필요치 않은 서비스 및(또는) 검사를 포함한 계획점검(A 점검 및 B 점검)을 말한다. 즉, 항공기의 계속적인 운항을 위해 발동기 및 부분품은 기체에 장착된 상태에서 수행되는 일상적이고 한정적인 범위의 정비행위이다.

운항 정비에서는 엔진(발동기) 및 부분품은 기체에 장착된 상태에서 항공기의 정비를 수행하며 부분품에 대해서는 한정된 범위의 정비만 가능하며 그 이상의 부분품에 대한 작업이 필요 할 때는 사용 가능 품과 교환함이 원칙이다. 또한, 다른 작업을 위해 어떤 부분품이 장탈 되어 다시 같은 항공기에 장착하는 것은 운항 정비에 속한다.

그러나 장탈 된 부분품을 같은 항공기에 장착하기 위하여 공장에서 수리하는 작업은 공장 정비에 속한다. 그러므로 특별히 정해진 경우를 제외하고는

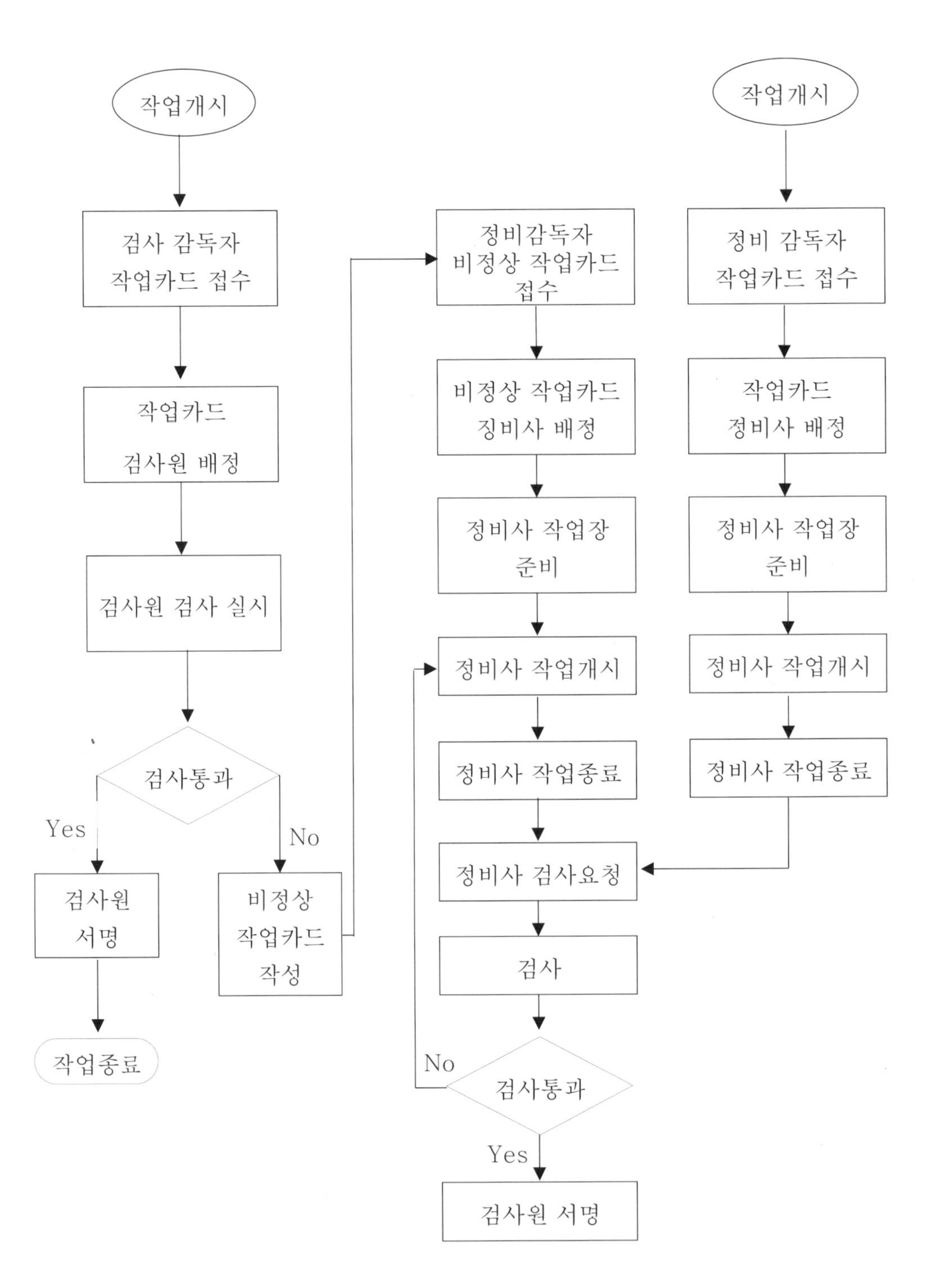


그림 5-2. 항공기 정비와 검사 순서도
(Maintenance and Inspection Flow Chart)

운항 정비에서 부분품의 분해, 조정 및 수리를 해서는 안 된다.

운항정비는 항공기를 운항하는 과정에서 발생하는 항공기의 제반 결함을 수정하여 항공기 운항의 정시성을 유지하면서 항공기의 상태가 안전하고, 여객서비스 및 비행계획에 지장이 없도록 출발상태를 갖추는 것으로써 항공정비의 최 일선 정비방식이라 할 수 있다.

따라서 운항정비사는 항공기의 정시운항을 위하여 짧은 시간 내에 작업이 진행되어야 하므로 시간적인 압박(Time Pressure)에 의한 스트레스를 받는다. 운항정비사의 직무로는 항공기의 출발 태세를 확인하는 점검으로서 중간점검, 비행전후 점검 및 주간점검 등을 수행한다.

### 5.1.1. 중간점검(Transit Check) : TR Check

연료의 보급과 엔진 오일(Engine Oil)의 점검 및 항공기의 출발태세를 확인하는 것으로 필요에 따라 상태점검과 액체, 기체류의 점검도 행한다. 이 점검은 중간기지에서 수행하는 것이 원칙이지만 출발기지에서도 운항편이 바뀔 때마다 실시되어야 한다.

### 5.1.2. 비행 전·후 점검(Pre/Post Flight Check): PR/PO Check

비행 전·후 점검은 그날의 최종비행을 마치고부터 다음 비행확인 전까지 항공기의 출발태세를 확인하는 점검으로서 액체 및 기체류의 보급, 항공기 결함교정, 항공기 내외의 청결, 세척 및 탑재물의 하역 등을 수행하는 것을 말한다.

수행 시기는 국내선만을 운항하는 경우 최종비행 후 다음비행이 계획된 날 첫 비행 이전에 수행하고, 국제선을 포함하는 경우는 점검수행 후 비행시각으로부터 48시간 이내에 수행하며, 비행이 없을 경우는 생략할 수 있다.

### 5.1.2.1. 비행 전 점검의 확인사항

항공기는 다양한 기능성 부분품들의 결합으로 이루어져 있으며 이런 부분품들의 작동을 위한 각 계통의 작동유 상태 및 적정량 여부를 점검하고 필요 시 청결한 제 규격의 작동유가 유지되도록 관련 작동유를 교환하여 준다.

(1) 엔진/보조동력장치 오일(Engine / APU Oil) 보급

항공기 엔진 및 보조 동력 장치(APU: Auxiliary Power Unit)는 작동유가 엔진 부분품을 순환하는 과정에서 일부가 소모되므로 비행을 시작하기 이전에 필요한 적정량이 보충되어야만 한다. 매 비행 전에 적정량이 확보되어 있는지를 확인하고 필요 시 적정량을 보급한다.

(2) IDG(Integrated Drive Generator) Oil 보급

IDG는 비행 상태에 따라 변동되는 엔진 회전수를 일정한 회전수로 변환하여 항공기에서 필요한 필요전력을 생산하는 기상 전원발전기로서 내부 윤활유의 소모량에 따라 매 비행 전에 필요한 적정량을 보충한다.

그림 5-3 항공기 엔진오일과 IDG 오일 보급

### (3) 유압유(Hydraulic Fluid) 보급

고속에서 비행하는 항공기의 움직임을 제어(Control)하기 위한 비행 조종면(Flight Control Surface)을 움직이고, 육중한 착륙장치(Landing Gear)를 이륙/착륙의 목적에 따라 항공기 동체 내로 접어 넣거나, 외부로 돌출시키기 위한 동력원으로서 필요한 작동 유압의 생산을 위하여 항상 작동유의 보유량을 확인하여 부족한 경우에는 적정량을 보급한다.

그림 5-4. 유압유(Hydraulic Fluid) 보급

### (4) 산소/음용수(Oxygen / Potable Water) 보급

기내 여압 상실 등의 비상상황에 대비한 고압기체 산소용기 및 산소 발생기 등은 법적인 요구량이 매 비행마다 유지되어야 하며, 기내 음료수 등도 기종별 비행 구간에 맞추어 적정량이 공급되도록 보급한다.

### (5) 비행에 필요한 법정연료의 보급

운항관리사는 비행구간, 탑승객 및 화물무게를 고려하여 비행에 필요한 연료량을 계산하여 정비사에게 통보하면 정비사는 항공기 연료탱크(Integral

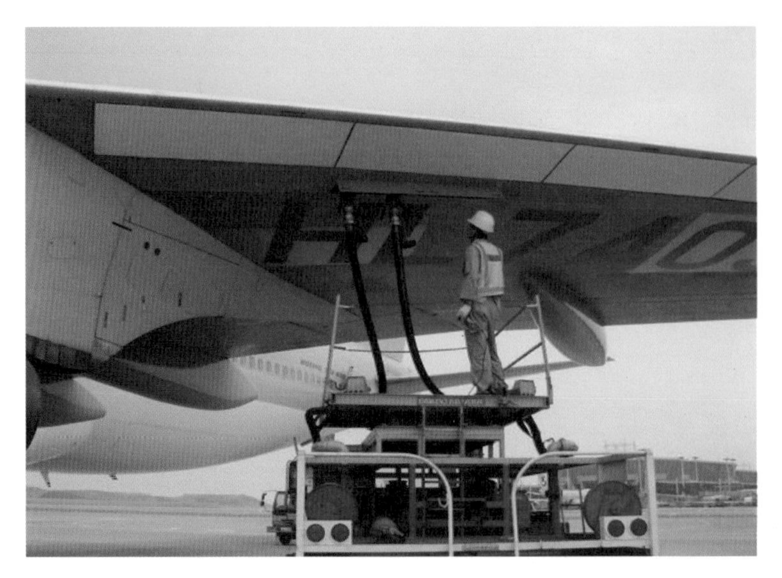

그림 5-5. 항공기 연료 보급

Fuel Tank)에 적절하게 배분하여 탑재 한다. 이때, 탑재되는 연료는 아래와 같은 연료량을 포함한다.

- 사전에 계획되어진 비행경로의 비행에 필요한 연료
- 착륙공항 상공에서의 체공비행에 필요한 연료
- 부득이한 경우에 대비한 대체 공항까지의 연료
- 기상상태에 따른 추가연료 및 여분의 연료

B747-400 항공기의 경우 ICN-JFK 구간 비행을 위한 연료는 기상상태에 따라 다소 차이는 있지만 대략 350,000파운드 이상이며 보급 소요시간은 최소 60분(연료보급 차량 2대 동시 급유시) 정도이다.

### (6) 항공기 내·외부의 청결상태 확인

비행 후 승객 하기가 완료된 이후 비행 중 승객들이 사용한 항공기 물품들의 하기, 기내청소 및 오물의 처리작업이 이루어지며, B747-400 항공기를 기준으로 35분 정도가 소요된다.

기내 청소와 더불어 결함의 사전 탐지를 위하여 기체 외부의 작동유 누설 등을 중점적으로 점검하며, 조종사 시야확보를 위한 조종석 전면창(Windshield)의 세척과 항공기 도색보호를 위한 외부 세척작업 등도 이루어진다.

그림 5-6. 항공기 외부세척 작업

### (7) 최종 비행 준비상태 확인

확인 정비사는 항공기가 비행에 필요한 모든 작동유, 연료 등의 보급이 완료되고, 항공기 각 계통의 작동점검 및 최종 외부점검(Final Walk Around Inspection)을 통하여 항공기의 모든 기능이 비행가능 상태임을 확인한다.

항공기의 모든 기능이 비행을 위한 정상 상태임을 확인한 후에 비행 기록부(Flight and Maintenance Log Book)의 확인 정비사 난에 서명(Stamp)함으로써 감항성을 입증하게 되고 이를 운항 승무원에게 인계하여 최종 비행 준비를 마치게 된다.

#### 5.1.2.2. 비행 후 점검

비행 후 항공기의 작동상태를 점검하는 작업으로 주요 점검대상은 항공기 비행 중 또는 점검 중 발견된 비정상적인 항공기 계통 작동상태의 확인 및 결함의 해소(Fault Isolation)와 항공기 각 계통의 작동상태 점검 등으로 구성된다.

(1) 외부 육안점검(Exterior Visual Check)

비행 중, 항공기 작동에 따른 기계적 변형 또는 장치 내부의 결함 등에 대하여 육안을 통하여 점검하는 단계로써 조종실 내부로부터 항공기 외부 표피 및 동체 미부에 이르기까지 외부로 드러난 항공기의 모든 부분을 대상으로 광범위한 육안점검과 결함이 의심되는 부분에 대한 세밀한 확인 행위까지를 포함한다.

(2) 항공기 계통 기능 점검(Operational Test)

항공기의 필수적인 부분들에 대한 기능을 점검하고 정상적인 작동상태를 확인함으로서 감항성을 유지하거나 확보 할 수 있도록 하며, B747-400 항공기를 기준으로

- Fire/ Overheat, Squib Test(화재 감지 및 소화 계통의 기능점검)
- Navigation 및 Anti-Collision Light Test(항법등 및 충돌방지등 점검)
- Standby Power Test(비상 전원공급 계통 점검)
- TCAS Test(공중 충돌방지 장치 점검)
- Passenger Information Test(승객에 대한 비상상태 경고 계통 점검)

등이 있다.

### (3) 항공기 결함 해소(Trouble Shooting & Squawks Clear)

비행 중 발견된 기능 이상이나, 비행 후 항공기 외부의 육안점검 및 작동점검을 통해 탐지된 부분품의 기능 이상은 차기 비행의 안전성을 확보하기 위하여 본래의 제 기능 상태로 복원되어야만 한다.

항공기의 기능 이상은 경고등(Fault Indication Light) 또는 결함 지시문(Fault Message) 등의 형태로 나타나며, 제작사의 고장탐구교범(Fault Isolation Manual) 및 정비사의 항공기 기술적 지식 등을 토대로 결함해소 작업(Trouble Shooting)을 수행한다.

그림 5-7. 항공기 엔진 화재 감지 및 소화 계통의 기능점검

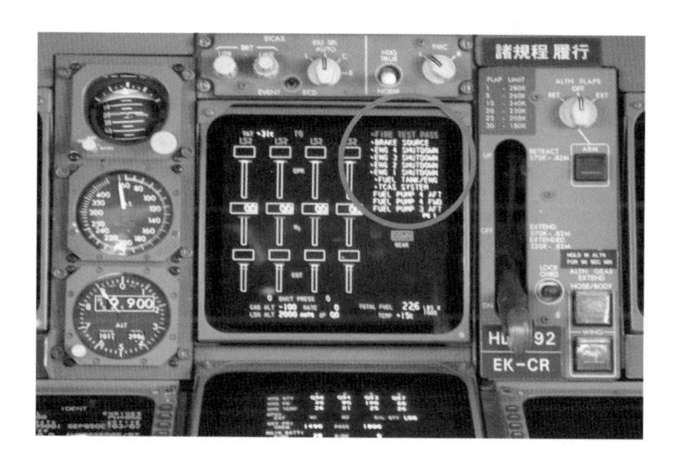


그림 5-8. EICAS상의 결함 지시문(Fault Message)

### (4) 비행전 주기(Parking)

비행 후 점검을 통해 차기 비행준비가 완료된 비행기는 차기 비행에 투입될 수가 있으며, 비행계획에 따라 일정기간 주기상태(Parking)를 유지하기도 한다.

정확한 주기방법은 각 항공기별로 별도로 정한 절차에 따라 정해지며, 기간별로는 24시간 이내의 단기간 주기 또는 그보다 긴 장기간 주기로 나누어질 수 있다.

일반적으로 주기된 항공기는 착륙장치(Landing Gear)가 계속적으로 펼쳐진 상태에서 유지하도록 착륙장치 고정 핀(Landing Gear Down Lock Pin)이 장착되어야 하며, 일정 수량의 고임목(Choke)을 고여 경사진 지면에서 항공기가 움직이지 않도록 고정한다.

또한 낙뢰 또는 정전기 발생에 대비하여 항공기와 계류장의 지정된 접지점 사이에 접지선(Ground Wire)을 연결하여 접지 등도 이루어져야 하며, 민감한 속도감지 계통의 동·정압 공(Pitot Static Tube) 등은 불순물 침투 방지를 위하여 덮개(Cover)를 장착하기도 한다. 물론 이런 보호 장비들은 비행에 투입되기 이전에 항공기로부터 제거 되어야만 한다.

그림 5-9. 착륙장치 고정 핀 장착

## 5.2. 공장정비(Base Maintenance)

공장정비는 격납고에서 수행하는 기체점검정비와 항공기에서 장탈된 엔진을 분해, 수리하는 엔진정비 및 장비품등을 분해, 수리하는 보기정비 등으로 구분할 수 있다.

### 5.2.1. 기체점검정비

정시점검정비는 항공기의 레이오버(Layover) 기간 중 또는 작업장에서 수행하도록 여러 내용을 미리 조합해 둔 형태의 정비방식으로서 항공기 운영결과를 토대로 신뢰성 관리방식에 따라 정해진 단계의 일정한 주기에 행하는 예방정비 개념이다.

기체점검 정비사는 운항정비 기간에 축적된 항공기의 불량상태에 대한 수리 및 기능적으로 운항 저해의 가능성이 많은 제 계통의 예방정비 및 감항성을 확인하고, 운항정비능력을 초과하는 정비를 수행한다. 즉, 항공기 기체에 대한 세부점검사항이나 기체의 수리, 판금, 등의 업무를 수행한다.

그림 5-10. 항공기 점검정비

기체점검 정비 방식은 다음 표 5.1과 같다.

**표 5.1 기체점검 정비방식(Airframe Check Maintenance Program)**

| 점검유형 | 점검내용 |
|---|---|
| A Check | 빈도가 높은 정비단계로서 항공기 내외의 Walk-Around Inspection, 특별장비의 육안점검, 액체 및 기체류의 보충, 기내청소, 외부세척 등을 행하는 점검. |
| B Check | A Check의 점검사항을 포함하여 항공기 내외부의 육안검사, 특정 구성품의 상태점검 또는 작동점검, 액체류의 보충을 행하는 점검. |
| C Check | 기본 A&B Check의 점검사항을 포함하여 제한된 범위 내에서 구조 및 제 계통의 검사, 계통 및 구성품의 작동점검, 계획된 부분품의 교환, Servicing 등을 행하는 점검. |
| D Check | 항공기 기체구조 점검을 주로 수행하며 부분품의 기능점검 및 계획된 부품의 교환, 잠재적 결함교정 등을 행하며 감항성을 유지하는 기체점검의 최고 단계. |
| I.S.I(Internal Structure Inspection ) | 감항성에 1차적인 영향을 미칠 수 있는 기체 내부 구조에 대한 Sampling 검사 및 수리작업. |

## 5.2.2. 엔진정비(Engine Maintenance)

엔진정비(Engine Maintenance)는 엔진이 항공기에 장착되어 있는 상태에서는 하나의 순환품목으로 취급되지만 다른 장비품과는 달리 정비방식을 구별하여 실시하여야 하는데, 엔진 제작사의 권고사항을 기준으로 MSG-2 또는 MSG-3로 설정하여 운영할 수 있다.

소형엔진들은 MSG-2 정비기법을 적용하여 Hard Time으로 운영하고 있으나, 최근의 대형엔진들은 진보된 MSG-3 정비기법을 적용하여 운영하고 있다. 즉, 엔진이 항공기에서 장탈 된 경우 해당 공장으로 입고가 되며, 엔진 형식에 따라 HSI(Hot Section Inspection), 오버홀(Overhaul), SVM(Shop

Visit Minimum), LM(Light Maintenance), GPR(Gas Path Restoration) 및 HM(Heavy Maintenance)작업 등으로 구분하여 실시한다.

엔진정비작업 기법들을 표 5.2에 정리하였다.

**표 5.2. 엔진 정비기법(Engine Maintenance Method)**

| 동력장치 정비기법 | 정비작업 내용 |
|---|---|
| SV(Shop Visit) | 항공기에서 장탈된 엔진(발동기)을 공장으로 입고하여 모듈(Module)의 주요 플랜지(Major Flange)를 분리하여 정비 작업을 실시하는 것. |
| HSI(Hot Section Inspection) | 엔진(발동기)의 가장 고열 부분인 연소기 및 터빈 등을 별도로 검사 후 필요 한 정비 작업을 수행하는 것. |
| OVHL(Overhaul) | 관련 엔진교범(Engine Manual)에서 명시하는 고유기능 수준으로 복원하는 정비작업. |
| SVM(Shop Visit Minimum) | 엔진(발동기)의 장탈 이유 및 시간에 관계없이 공장 입고(Shop Visit)시 필수적으로 수행 되어야 하는 최소한의 작업. |
| GPR(Gas Path Restoration) | 엔진(발동기)(또는 모듈)의 성능 및 안정성을 일정 기준으로 환원시키거나, 필요한 수리·개조를 위해 모듈(Module)을 제한적으로 분해하여 작업하는 것. |
| HM(Heavy Maintenance) | 엔진(발동기)(또는 모듈)을 분해, 점검 및 필요한 수리를 함으로써 지속적인 감항성 유지를 위하여 실시하는 정비작업. |

보기정비(Accessory Maintenance)는 항공기에서 장탈된 장비품의 수리나 상태점검을 위하여 특기별로 편성된 부서단위에서 장비품의 분해검사, 기능 시험, 구성부품의 수리 업무를 담당한다. 보기류의 정비방법에는 벤치점검(Bench Check), 수리(Repair) 및 오버홀(Overhaul)등이 있다. 보기정비기법들을 표 5.3에 정리하였다.

표 5.3. 보기정비기법(Component Maintenance Method)

| 보기정비기법 | 정비작업 내용 |
|---|---|
| 벤치점검<br>(Bench Check) | 수리작업장의 벤치(Bench)에서 부품 또는 구성품의 사용가능 여부 또는 조절, 수리, 오버홀이 필요한지 여부를 결정하기 위한 기능점검. |
| 수리(Repair) | Bench Check 결과 고장 혹은 불만족한 부분을 정비하여 그 기능을 복구시키는 작업. |
| OVHL<br>(Overhaul) | 공장정비에 있어서 최고 단계의 정비로서 제작회사의 수리방법에 따라 분해, 세척, 검사, 구성품의 교환, 조립, 기능시험의 전 과정을 수행하는 정비. |

### 5.2.3. 정비기술지원(Maintenance Engineering Service Engineer)

현장 정비사가 기술적인 문제에 봉착하거나, 정비매뉴얼에 언급되지 아니한 사항이 나타났을 경우, 항공기 제작사로부터 신속한 해결방안을 강구하거나, 현장 정비사가 접하기 어려운 다양한 기술 자료를 제공함으로써 현장정비사의 문제해결 능력을 지원하는 기술지원(Engineering Service) 부문과 정비공정 중간과정 또는 최종결과가 정비매뉴얼에 정한 품질규격에 적합한지를 판정하는 검사(Inspection) 업무 및 각종 시험이나 특수공정검사(예: 비파괴검사, 내시경검사 등)를 통하여 현장 정비를 지원하는 특수검사(Special Inspection) 업무 등이 있다.

특히, 효율적인 정비와 검사가 정비안전에 필수적인 전제조건임을 감안할 때, 검사원의 신뢰성은 효율적인 정비와 검사에 핵심적이라고 할 수 있다. 그러므로 제작사와 운항기술기준에 규정한 표준화된 기술(품질)기준을 엄격하게 적용해야 하기 때문에 모든 정비자료를 신중하고 엄격하게 관리하여야 하고, 업무처리는 '규정된 기준'에 따라 수행하며, 그 결과의 기록을 유지해야 하므로 업무수행과정의 융통성은 오히려 정비품질의 수준을 저해할 수 있다.

MEMO

# 제6장. 항공정비 생산관리

항공사의 생산제품은 항공기를 이용하는 승객 및 화물의 운송이라고 할 수 있다. 따라서 항공사에서의 양질의 생산제품이란 항공기 승객이나 항공편을 이용하여 화물을 운송하고자 하는 고객의 기대를 충족시킬 수 있는 항공기의 정시성, 쾌적성(편리성) 및 안전성 확보를 뜻한다고 할 수 있다.

또한, 항공기 결함발생으로 인한 고장탐구 등의 문제해결, 감항성 개선지시 등의 비계획적인 정비작업의 발생 및 계절적 수요에 따른 성수기와 비수기에 따라 단기간 많은 인력의 정비사들이 요구된다. 이에 따라 효율적인 정비생산계획 및 통제를 통하여 유연하고 경제적인 항공정비 생산관리가 요구된다.

본 장에서는 항공정비 생산관리의 특징과 작업공정의 설계, 생산계획 및 통제 등에 대하여 학습하고자 한다.

1. 항공정비 생산관리 개념
2. 항공기 정비생산관리 시스템
3. 항공기 생산계획 및 통제

# 1. 항공정비 생산관리 개념

항공정비 생산관리는 정비조직이 영업·운송부서 또는 승객 등의 고객이 원하는 항공기를 특정자원을 투입하여 변환과정을 거쳐 적시적기에 안전성, 정시성 및 쾌적성에 만족하는 좋은 품질의 항공기를 공급하는 시스템 활동으로서 계획, 조직, 설계, 운영, 집행 및 통제하는 일련의 의사결정 과정으로 정의할 수 있다.

## 1.1. 정비 생산관리의 목적

일반적인 제품생산의 목적과 마찬가지로 정비 또한 효용 창출에 의한 고객만족과 자원의 최소 투입을 통한 경제적 생산의 극대화를 목적으로 하고 있다.

운항안전을 극대화하여 안전성, 정시성 및 쾌적성 등 서비스 효용의 극대화를 통해 고객을 만족시킨다는 외적인 측면과 최소의 정비비용으로 항공기 가동률을 극대화 시켜 경제적인 생산이라는 내적인 측면으로 구분할 수 있다.

## 1.2. 정비 생산관리의 특징

정비생산관리의 가장 큰 특징은 다품종 소량 생산시스템으로서 동일한 제품은 거의 없고, 제품별 생산량이 소량인 생산 활동을 특징으로 하는 시스템이며, 제품의 기술, 품질, 공정 등 작업의 표준화(Standardization), 단순화(Simplification) 및 전문화(Specialization)가 어려운 특성이 있다.

또한, 제품생산에 연속성이 없는 단속적 생산시스템으로 매 제품마다 투입되는 제자원의 소요량, 생산공정 및 납기 등의 관리 통제가 매우 복잡한 특성을 갖고 있다.

특히 항공운송업의 특성상 영업계획의 변동에 대한 의존도가 큰 편이며, 고객에게 제공하는 상품인 항공기(좌석)은 사용상의 시간적 제약성으로 인하여 재고로 확보할 수 없으므로 재고개념이 없다는 특징이 있다.

# 2. 항공기 정비생산관리 시스템

## 2.1. 정비관리 시스템의 설계(Design of Maintenance System)

정비관리 시스템의 설계는 그림 6-1과 같이 수행하여야 할 정비작업을 설계하고, 작업방법과 작업측정 등에 대해 구체적으로 설정되어야 한다.

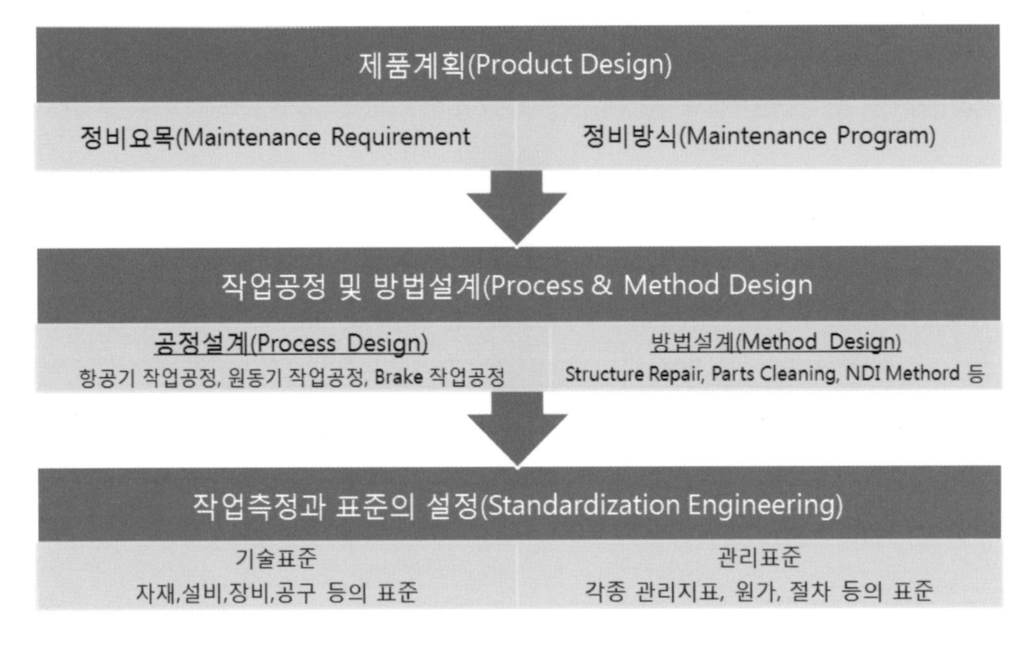


그림 6-1. 정비관리 시스템 체계

### 2.1.1. 제품계획(Product Design)

정비방식과 정비요목을 결정하는 것으로서 정비요목(Maintenance Requirement)은 정비가 추구하는 안전성, 정시성, 쾌적성을 경제적으로 달성하기 위해 정비활동에 필요한 정비항목, 시간간격, 시기 및 방법 등을 정하는 것이며, 정비방식(Maintenance Program)은 정비작업을 효율적으로 수행할 수 있도록 정비작업의 종류를 명시하고 각각의 역할과 상호관계를 정한 항공기에 대한 정비체계를 수립하는 것이다.

### 2.1.2. 작업공정 및 방법설계(Process & Method Design)

생산공정이란 투입요소가 산출물로 바뀌는 과정이며, 정비작업공정도 같은 의미의 항공기 작업공정, 엔진 및 장비품 등의 생산공정(흐름)을 설계하여야 하며, 방법설계(Method Design) 또한 투입요소가 산출물로 바뀌는 과정의 기체 구조 수리방법, 부품의 세척 및 비파괴 검사 방법 등의 작업을 어떠한 작업방법으로 수행할 것인가를 설정하여야 한다.

### 2.1.3. 작업측정과 표준의 설정(Standardization Engineering)

표준화는 기술표준(규격), 관리표준(규정), 작업표준으로 분류되는데 기술표준은 자재, 설비, 장비 및 공구 등의 표준 등을 설정하여야 하며, 관리표준은 각종 관리지표, 원가 및 절차 등의 표준을 설정하여야 한다.

### 2.1.4. 정비관리 조직 설계(Orgnization Design)

항공정비조직의 작업능력 및 범위와 규모 등에 따라 중앙 집권적 조직, 현장 분산조직 또는 분권적 조직 등의 형태로 설계된다.

중앙 집권적 조직(Centralization)은 생산계획 및 통제기능이 특정부서에 집중되어 있는 형태의 조직으로서 생산계획 통제 부서에서 작업계획을 수립하여 작업을 지시하고 통제할 뿐만 아니라 작업결과에 대하여 생산을 분석한다. 현장부서는 생산계획 통제부서의 작업지시에 따라 작업을 수행한다.

현장 분산조직(Decentralization)은 생산계획 및 통제기능이 현장부서에 분산되어 있는 형태의 조직으로서 현장 부서에서 작업계획을 수립하고, 작업을 지시하며, 작업통제 및 생산분석을 실시할 뿐만 아니라 작업도 수행한다.

분권적 조직(Partially Centralization)은 생산계획 및 통제기능이 부분적으로 분산되어 있는 형태의 조직으로서 생산계획 부서에서는 작업계획을 수립하여 작업지시 및 생산분석을 실시하고, 현장부서는 현장의 실정을 고려하여 작업을 통제하고 작업을 수행한다.

### 2.1.5. 시설 설비 배치(Plant & Facility Layout)

생산시스템의 유효성이 크도록 기계, 원자재 및 작업자 등의 생산요소와 생산시설의 배열을 최적화를 목표로 하며, 이는 운반거리의 최소화, 작업공정의 균형, 공간의 효과적 활용, 배치의 유연성 등이 고려되어야 한다.

## 2.2. 정비시스템 운영 및 관리 (Planning & Control of Maintenance System)

### 2.2.1. 생산계획 및 통제(Production Planning & Control)

정비시스템 능력을 영업계획 등 외부의 수요에 대해 시간적 수익적 차원에서 어떤 정비를 언제(시간), 어떻게(공정) 얼마나(수량) 수행할 것인가를 계획하고 통제하여야 한다.

### 2.2.2. 작업관리(Work Control)

정비활동의 직접부분인 작업문서의 준비, 작업지시, 작업수행 및 인력, 자재, 장비 등의 자원을 효과적으로 운용과 통제를 수행함으로서 정비활동의 목표를 달성하여야 한다.

### 2.2.3. 품질관리(Quality Control)

고객의 요구에 부합되는 품질목표를 설정하고, 이것을 합리적이고, 경제적으로 달성할 수 있도록 효율적인 조직의 구성, 계획의 수립, 시행, 결과의 측정분석, 시정조치 및 재발방지를 도모하여야 한다.

### 2.2.4. 자재관리(Material Control)

정비의 목표를 지속적으로 유지하면서 재고투자의 절감과 자재지원의 극대화란 자재관리의 궁극적인 목표를 달성하기 위해 자재의 수급계획, 구매, 재고관리(Service Level)와, 재고투자의 효용도를 평가하고 분석하여야 한다.

### 2.2.5. 비용관리(Cost Control)

정비목적을 달성하는데 투입된 경제가치인 재료비, 노무비 및 기타경비 등

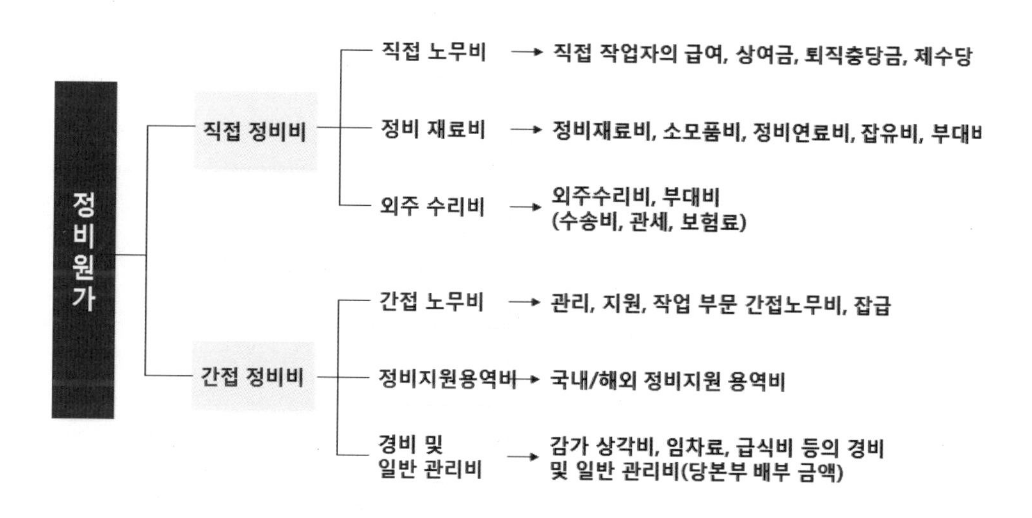


그림 6-2. 항공정비비용의 주요구성

의 원가요소가 고려된 정비활동을 통하여 최소의 비용으로 최대의 효과를 달성하여야 한다.

정비비용의 주요 구성은 그림 6-2와 같다.

### 2.2.6. 설비유지관리(Facility Maintenance)

항공기 정비에 소요되는 설비 및 장비는 사용함에 따라 나타나는 마모, 부식 및 파손 등 열화현상을 수리나 보수를 통하여 성능과 기능을 유지하여야 한다.

# 3. 항공기 생산계획 및 통제

광의의 생산계획 및 통제의 목적은 생산에 관련되는 개개의 생산요소들을 총체적인 차원에서 조정하고 통제함으로써 기업 전체의 생산력을 최대로 발휘하게 하는 것이다.

항공기 정비 부문에서는 항공기정비능력을 외부의 수요에 대해 시간적, 수익적 차원에서 무슨 정비를 언제(시간), 어떻게(방법/공정), 얼마나(수량) 수행할 것인가를 계획, 조정, 통제하는 것이다.

즉, 정비 작업량 예측으로부터 운항을 위한 항공기 정시 지원 및 분석/평가의 전 과정이 생산 계획 및 통제의 범위에 포함된다.

## 3.1. 생산 예측(Production Forecasting)

생산 부문의 활동을 계획하는 첫 단계로 수요예측에 의거 생산해야 할 생산량을 결정하는 단계로서 장기계획에 의거 정비와 제자원 요구량 등에 따라 수립되어진다.

### 3.1.1. 정비요구량산정

항공기 정비부문에서는 일반적으로 다음과 같은 기본 요소들을 이용하여 정비요구량을 산정한다.

- 장단기 항공기 운용 계획
- 노선별 운항 스케줄 및 비행 계획
- 정비, 수리를 위한 항공기 및 구성품 정비방식(사용 한계 시간)등의 기술계획
- 제작사의 개조 작업, 감항당국 및 회사의 경영측면에서 발생되는 특별작업
- 항공기 운용결과에 대한 신뢰성 자료

### 3.1.2. 제 자원의 요구량산정

생산 부문의 활동을 계획하는 두 번째 단계로 수요예측에 의거 산정된 정비요구량을 이용하여 항공기정비생산을 위해 필요한 제 자원 즉 정비인력, 정비용 자재, 장비, 공구 및 정비시설 등의 요구량을 산정한다.

## 3.2. 생산계획(Production Planning)

변화하는 수요에 대해 생산시스템의 내적 자원을 활용하고, 장기적인 측면과 단기적인 측면에서 생산능력을 조정하여 적응해 나갈 수 있도록 중·단기 생산능력 계획을 수립하는 것으로 다음의 요소를 고려하여 수립한다.

- 년 간 사업계획 및 동/하계 항공기 영업 계획
- 항공기 운용 계획
- 항공기 정비 방식 및 기술 지시
- 제 자원의 가용 능력

## 3.3. 생산일정계획(Production Scheduling)

수요의 시간적 차원에 맞추어 생산 활동을 언제 시작해서 언제 완료할 것인지 생산자원을 어디서, 누가, 얼마를 사용할 것인가를 구체적으로 작업 실시계획을 수립하는 것이다.

항공기 정비 일정 계획은 시설, 장비, 공구, 정비인력 및 자재 확보현황과 향후 제자원의 확보계획 등을 고려하여 항공기 및 부품의 운용제한시간 범위 내에서 수행 될 수 있도록 년 간, 월 간, 주 간 및 일일단위로 항공기 작업량 계획을 수립한다.

항공기 정비작업량 계획은 작업의 단위, 우선순위 및 작업할당 등을 고려하여 수립되어야 한다.

### 3.3.1. 작업단위의 결정(Work Packaging)

계획된 작업을 수행하는데 필요한 소요 생산능력(Required Capacity)과 가용능력(Available Capacity)을 비교하여 작업량을 조정 및 산정한다.

### 3.3.2. 작업우선순위 결정(Sequencing)

작업의 긴급도를 고려하여 작업의 우선순위를 결정하는 단계이다.

### 3.3.3. 작업할당(Assignment)

작업순위에 따라 작업을 구체적으로 어느 작업장 또는 어느 작업자에게 할당할 것인가를 결정하는 단계이다.

## 3.4. 생산 통제(Production Control)

생산 스케줄에 계획된 작업을 일정 및 공정 계획에 따라 작업지시하고 실제 작업 진행이 일정대로 진행되는지 확인 및 감독하는 단계이다.

작업 준비 상태 확인, 작업 지시서 발행, 작업 인원 확인, 인원 배정, 작업 완료 시기의 추정 및 완료된 작업의 작업 지시서 별 소요 작업시간(Man Hour)기록 등이 수행된다.

### 3.4.1. 작업배정(Dispatch)

할당된 작업량을 수행할 수 있도록 작업 일정 및 작업 공정 계획에 따라 작업을 명령하거나 지시하는 것으로 작업 내용이 기술된 작업카드(Work

Card) 또는 작업시트(Work Sheet) 등이 작업지시서(Work Order)에 의해 지시된다.

### 3.4.2. 작업진행 확인(Follow Up)

작업장에서 일정 및 공정 계획에 따라 작업이 진행되고 있는가를 확인하는 것으로 작업진척관리 또는 진도관리라고 하며, 이 단계에서 작업 수행상의 애로 및 문제점(인력, 장비, 자재, 기술, 방법)들이 발췌된다.

### 3.4.3. 작업촉진(Expediting)

작업이 기계고장, 작업방법 미비, 작업자 및 자재의 부족 등, 여러 가지 원인으로 지연될 경우 작업 지연의 원인을 분석하고 대책을 강구하여 일정 계획에 차질이 없도록 진도를 촉진한다.

## 3.5. 생산성과 분석(Production Performance Analysis)

생산성 향상(Productivity Improvement)을 목적으로 작업이 완료 되었을 때 계량적 실적자료 또는 비계량적 실적 자료를 이용하여 작업성과를 분석하고 평가(Production Performance Analysis & Evaluation)하여 작업 수행 시 발생되었던 제 자원 또는 각종 지표 측면의 이상 상태를 찾아내어 작업 환경, 작업 방법 및 생산 요소 등의 미비한 점을 보완/개선하여 생산계획 단계로 피드 백 시키는 단계로서 다음과 같은 요인들을 분석한다.

- 항공기 가동률과 정비 작업 시간
- 인력 가동률 및 생산성
- 계획 대 실적 작업시간(Man Hour)에 대한 차이 분석
- 정비 소요예측에 대한 차이 분석 및 향후 적용 방향 등

MEMO

# 제7장. 항공정비 품질관리

항공수송에 사용되는 항공기는 현대의 최첨단 기술이 결합된 고도로 복잡한 제품으로서 설계 및 제조단계로 부터 정비(Maintenance)를 전제로 한 가장 대표적인 공업제품이다.

항공사(Operator : Airlines)에 인도되는 단계에서의 하드웨어(Hardware)로서 항공기의 품질은 제조사(Manufacturer)의 설계와 제조 품질에 좌우되며, 또한 항공사에서 정비품질을 확보함으로써 항공운송에 사용하는 항공기의 품질을 만들어 내는 것이다.

그러나 고품질의 항공기를 보증하기 위해서는 높은 정비비용을 투입 할수록 결함율을 감소시키고 가동률을 향상시킬 수 있지만, 기업경영상 경제성을 고려하여 한계비용과 한계 Service Level이 일치하는 점에서 적정 정비비용을 투입하게 될 것이므로, 이러한 기업정책 하에서 항공기의 가동률과 품질유지 및 향상을 도모해야 한다.

# 1. 정비품질방침(QUALITY POLICIES)

항공사의 정비품질의 목표는 안전하고 신뢰할 수 있는 항공기, 엔진 및 장비품을 제공하여 고객 및 직원의 요구사항을 충족할 수 있는 서비스를 지원하는 것이다.

## 1.1. 정비품질의 목표

정비품질의 목표는 다음 사항들을 통하여 최상의 항공기 정비로 안전운항 확보 및 정비품질 향상을 달성하는 것이다.

- 사람 및 항공기의 안전을 최우선으로 한다.
- 제 규정에 부합하도록 관리 유지한다.
- 고객 및 직원의 참여, 개발 및 동기부여를 제공한다.
- 고객의 요구사항을 충족하기 위해서 고품질의 항공기를 제공한다.
- 투명한 기업구조를 통해 경쟁력 있는 비용으로 최적의 자산 및 자원을 활용한다.
- 사업의 가치창출과 성장을 위하여 회사의 역량 및 잠재력을 생산 및 서비스분야에 투자한다.
- 사업추진에 필수적인 것들을 지원하고, 미래지향적인 사업경영시스템을 개발한다.
- 최고의 전문 기술, 지식인으로서의 장인정신을 갖는다.

이에 따라 항공사는 존경받는 서비스 제공자로서 고객에 의해 요구된 품질 및 서비스 기준을 제공하고, 그 기준을 유지 및 지속적으로 향상시켜야 하며, 품질 및 서비스 기준을 달성하기 위한 기본적인 품질요건을 규정에 기술하여야 하며, 품질관련 업무를 수행하는 정비조직의 모든 정비사는 품질방침 및 목표를 이해하고 개개인에게 주어진 책임과 역할을 성실히 수행하여야 한다.

## 1.2. 정비품질 관련 용어 및 정의

### 1.2.1. 품질보증

정비조직의 품질보증은 운항, 객실, 운송, 영업부문 및 승객의 요구를 만족시킬 수 있는 안전하고도 쾌적한 항공기를 정시에 이들에게 제공하는 것(품질)을 보증하는 것이며, 품질보증활동이란 이러한 품질보증을 기하기 위해 수행되는 모든 활동이다.

### 1.2.2. 품질관리

품질관리란 품질보증의 수단으로서 가장 경제적인 수준에서 품질보증을 달성할 수 있도록 하기 위해 효과적인 조직을 만들고, 계획을 작성(표준화)하여 이를 철저하게 실천함은 물론, 통계적 기법을 응용하여 결과를 측정/분석하고 계획(표준)에서 벗어난 것에 대한 시정조치 및 재발방지를 도모하는 조직적(종합적) 활동을 말한다.

### 1.2.3. 품질기준

품질기준이란 정비규정, 정비조직절차매뉴얼, 정비업무 지침, 도면, 규격, 정비지시, 정비업무 지시, 기술지시, 정비교범 및 사양서 등에 설정된 품질에 관한 기준을 말한다.

### 1.2.4. 항공기재

항공기재란 항공기, 부분품, 부품 및 재료 등을 총칭한다.

### 1.2.5. 품질심사

품질심사란 항공기재의 품질을 보증하기 위한 하나의 수단으로써 다음 사항을 행하는 것을 말한다.

- 공정상의 품질에 관한 조사
- 품질기준의 타당성 조사
- 품질에 관한 각종 관리현상의 조사
- 요구품질을 만족시키기 위한 외주회사의 공정능력 조사

### 1.2.6. 검사

검사란 항공기재의 생산업무 및 관련 업무를 수행함에 있어, 그 상태가 설정된 품질기준에 합치되고 있는가를 판정하는 행위를 말한다.

## 2. 품질관리 기준(QUALITY CONTROL STANDARDS)

항공사의 정비품질은 전 정비조직 임직원이 총체적인 품질관리 요원임을 인식하고 담당업무 범위 내에서 다음에서 명시한 품질기준을 준수하고 품질향상에 노력한다.

### 2.1. 품질제도 및 관리

품질에 영향을 미치는 기능(직능)을 구분하여 효율적인 조직을 편성하고 관련자의 권한과 책임을 명확히 규정하여야 하며, 품질보증활동상 요구되는 관리기준을 설정, 문서화하고 항시 최신의 상태로 유지될 수 있도록 관리하여야 한다. 요구되는 관리기준은 본 기준의 요구사항을 충분히 만족시킬 수 있는 것이어야 하며, 항공기 결함과 같은 불만족 사항에 대하여 예방하거나 조기에 발견하여 적시에 적극적인 시정조치가 행하여지도록 하여야 한다.

품질에 관한 업무를 수행하는 관련자는 품질상의 문제점에 대한 식별, 평가 및 해결책의 수립을 위하여 지식 및 경험이 풍부하여야 하며, 충분하고 명확한 책임과 권한이 부여되고 조직상 활동의 자유가 보장되어야 한다.

항공기를 비롯한 장비품등의 신뢰성 관리와 향상을 위하여 통계적 품질관리기법을 이용하며, 이에 부가하여 다른 기법을 이용할 수 있다. 표본검사는 품질보증상 비교적 중요하지 않는 사항에 대한 검사·시험에 유용하나, 표본검사가 채택된 경우에는 표본검사 계획을 별도로 제정하여 운영하여야 한다.

기재의 품질 상태를 명확하게 식별할 수 있도록 기준과 방법이 수립되어야 하고, 검사 완료된 제품에는 검사인 또는 기타 적절한 방법으로 그 상태를 표시하여야 한다.

### 2.2. 작업표준서

기재의 품질에 영향을 미치는 자재의 선택·취급, 부품의 제작·장탈·장착, 작동점검, 시험비행, 검사, 시험 및 개조 등의 모든 정비작업은 정비조직의 실정에 적합한 형태로 문서화된 작업 기준서 및 각종 정비 매뉴얼, 도면 등의 작업 표준서에 의거 수행되어야 한다.

## 2.3. 기록

수행된 모든 정비작업은 품질에 대하여 객관적 증거가 될 수 있도록 그 내용이 완전하고 신뢰할 수 있도록 기록되어야 하며, 기재의 검사 또는 시험에 관한 기록에는 최소한 실제로 관측한 내용, 발견된 결함 및 이의 시정조치 내용이 포함되어야 한다.

## 2.4. 시정조치

품질보증에 저해되는 현상을 신속히 발견하여 이를 즉각 시정토록 하여야 하며, 시정은 현상만을 제거하는 것뿐 만 아니라 근본 원인을 규명하여 재발을 방지할 수 있는 시정조치가 되어야 한다.

## 2.5. 기술도서 및 도면

기재의 정비에 사용되는 기술도서와 도면은 완전하고 최신의 상태이며 정확함이 보증될 수 있는 관리기준을 수립하여야 한다.

## 2.6. 정비설비, 측정 및 시험장비

기재의 품질을 보증하기 위하여 필요한 정비설비를 확보 유지하여야 하며, 설비를 활용함에 있어 기재의 품질에 악영향을 미치지 않도록 관리하여야 한다. 또한 기술상 요구되는 계량계측기기 및 시험 장치를 확보 유지하여야 하며, 항상 사용목적에 따라 정확하게 관리 되어야 하고, 정밀도를 유지하기 위하여 표준기기에 의한 정기적인 교정 또는 검사가 이루어질 수 있도록 충분한 관리가 이루어져야 한다.

## 2.7. 외주 정비 및 수리

국내외 외주에 의하여 구입되거나 정비·수리되는 기재는 요구되는 품질기준이 보증되도록 하여야 한다.

외주업체 선정 시는 원칙적으로 사전에 해당 업체의 품질관리능력을 조사하여 능력이 있다고 인정된 업체를 선정하여야 한다. 다만, 업체가 당해 정부 또는 이와 동등의 기관으로부터 정비 또는 수리에 대한 능력이 있음을 인정받은 경우에는 품질관리능력에 관한 조사를 관련 서류에 대한 검사로 대체할 수 있다.

납품되는 기재가 당해 업체에 의하여 보증된 것 일지라도 수령 시에 기술상의 요구에 합치되는가를 확인하기 위한 수령검사를 실시하여야 하며 그 검사방법은 업자의 품질관리능력 및 과거의 납품실적에 의하여 적절히 조정될 수 있다.

외주 의뢰 시 제품에 대한 주문서(또는 계약서)에는 적용되어야 할 기술적 요구사항이 구체적으로 모두 포함되거나 또는 인용되어야 하며, 품질관리를 위하여 시험, 검사, 기록 등에 관한 요구사항도 모두 포함되도록 하여야 한다.

외주품의 품질보증을 계속 유지하기 위하여 업자의 품질관리 유효성과 안전성에 대해 외주품의 복잡성과 양에 따른 적절한 주기적인 품질심사를 실시하여 외주품의 수령검사 및 업자에 대한 품질 심사시 발견된 결함이나 문제는 그 중요도 및 빈도에 따라 개선대책 및 재발방지 조치가 취해져야 한다.

## 2.8. 기재관리

기재의 취급 및 저장 중 제품의 손상, 변질, 성능 저하 등을 방지하기 위한 보호수단을 강구하여야 한다.

보관 중 변질 또는 성능저하를 초래할 우려가 있는 품목에 대해서는 그 품목을 본래의 사용목적에 지장 없이 최대한으로 사용할 수 있는 시한을 지정하고 이에 수반되는 특정한 검사, 정비 또는 저장을 하도록 하여야 한다.

기재를 취급함에 있어 검수, 발송, 운반 등에 관한 기준을 규정하여 이에 의거 처리되도록 관리하여야 하며, 사용 가능품으로 판정되지 않은 부적격 기재는 사용 가능품으로 혼용 되지 않도록 요 수리품, 폐품 또는 작업대기, 부품대기, 검사 또는 시험대기 등으로 구분하여 명확하게 식별되고 격리 보관되어야 한다. 또한 적격 기재의 수리 또는 재생작업 등은 성문화된 기준에 따라 처리되어야 한다.

기재는 품질저하, 오염, 부식, 손실, 파손 등을 방지하기 위하여 적절히 취급, 저장 및 수송되어야 하며, 취급이나 저장 중에 오염이나 부식된 기재는 세척하여 저장되어야 한다. 또한 취급 및 수송시 물품파손을 막기 위한 기준이 요구되며, 그 기준에는 특수상자, 용기, 수송 장비 및 기재의 취급에 대한 사항이 포함되어야 한다.

## 2.9. 작업관리

모든 기재의 정비작업은 작업 표준서에 의거 관리된 상태 하에서 수행 되어야 하며 결함의 시정과 재발방지를 확실히 하여 항시 품질의 보증과 향상에 노력하여야 한다.

적절한 작업관리와 품질보증을 기할 수 있도록 항시 현재의 정비능력이 파악되어 있어야 한다. 품질보증과 정비능력의 파악을 위하여 공정중의 적절한 개소에서 당해 작업이 작업 표준서에 부합된 것인가를 효과적으로 확인(검사 또는 시험)하도록 하여야 하며, 처리된 작업에 대한 물리적 확인이 불가능 하거나 불편할 경우에는 그의 처리방법, 설비, 기구 및 인원 등을 심사하는 간접적인 관리방법이 준비되어야 한다. 또한, 공정중의 확인(검사, 시험 또는 심사)기록은 완성품의 품질증거로 이용 가능한 것이어야 한다.

완성품이 요구된 품질에 합치하고 있음을 확인하기 위하여 필요한 검사, 시험을 실시하여야 한다. 이러한 검사, 시험은 제품의 사용목적 또는 기능이 충분히 확인될 수 있는 것이어야 한다. 만일, 완성검사 또는 시험 후에 수리, 개조 또는 교환 등이 이루어졌을 경우에는 그것에 의하여 영향을 받는 특성에 대하여 재검사 또는 재시험을 실시토록 하여야 한다.

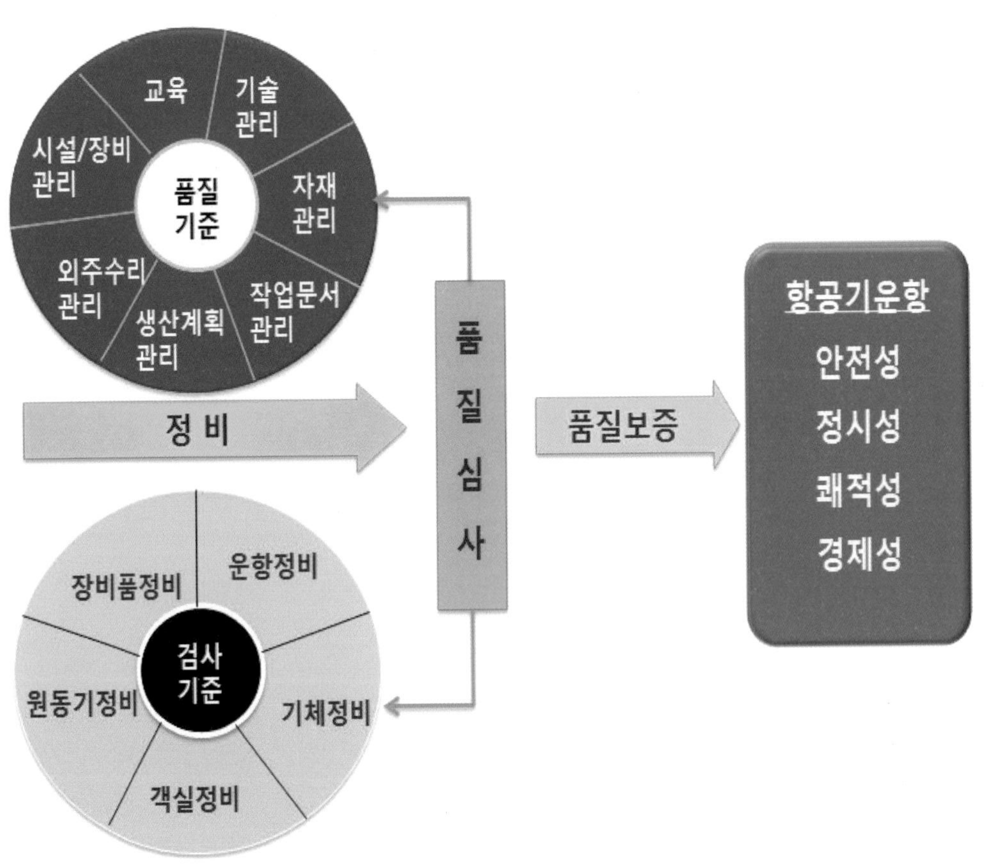


그림 7-1. 항공기 정비 품질보증 체계

# 3. 지속적 분석 및 감독 시스템 (CONTINUING ANALYSIS & SURVEILLANCE SYSTEM)

CASS(Continuing Analysis and Surveillance system)는 외주업체가 수행한 정비를 포함하여 전 정비조직 시스템을 점검하기 위하여 사용된다. 품질심사는 회사 매뉴얼 및 절차들이 지속 감항성 정비프로그램(CAMP)에 부합함을 보증하여야 한다.

지속적 분석 및 감독 시스템(이하 CASS라 한다)은 정비조직의 정비프로그램을 분석하고, 감시 감독을 통하여 정비프로그램의 수행(실행) 및 유효성을 파악하고, 이를 통해 부족한 점과 문제점을 개선하여 정비프로그램이 추구하는 목적을 달성하기 위한 문서화된 품질보증시스템 이다.

품질보증시스템의 방법론적인 방식으로 품질심사는 정비프로그램의 목적을 달성하는데 도움을 주고, 종사자들이 안전결핍 사항을 파악하고 수정하기 위한 공식적인 절차를 제공함으로써 정비조직의 안전문화를 증진시키는데 도움을 주고, 정비프로그램의 유효성과 수행정도의 척도로서 사용될 수 있는 조직화된 절차를 제공한다.

품질심사는 지속적으로 수행되는 감사, 조사, 자료수집 및 분석, 수정행위, 수정행위 모니터링 및 다시 감시를 반복하는 폐쇄 순환과정을 통해 이루어져야 한다. 아울러 신뢰성 프로그램은 지속 분석 감독시스템의 기계적 감시 모니터링 기능을 수행하기 위해 사용된다.

## 3.1. CASS의 정비프로그램 감시 (CASS Monitoring Maintenance Program)

CASS는 정비프로그램의 모든 요소인 다음의 9개 요소를 감시한다.

- 감항성 책임(Airworthiness Responsibility)
- 정비관련 규정(Maintenance Manual)
- 정비조직(Maintenance Organization)

- 정비계획(Maintenance Schedule)
- 정비기록 유지 시스템(Maintenance Recordkeeping System)
- 정비 및 개조의 수행 및 승인(Accomplishment and Approval of Maintenance and Alteration)
- 계약정비(Contract Maintenance)
- 지속적 감독 및 분석 시스템(Continuing Analysis and Surveillance System)
- 인력 훈련(Personnel Training)

## 3.2. CASS 목적(Objectives of CASS)

정비조직이 설정했던 안전의 수준과 신뢰도를 인식하고, 안전을 저하시키는 사건 발생 시 이미 설정했던 안전수준과 신뢰도로 회복하기 위하여 다음과 같은 정보들을 수집한다.

- 감항성을 약화시키고 회사가 설정했던 안전 수준과 신뢰도를 떨어뜨리는 시스템적인 또는 기타 정비결함 인자들(Contributors)에 대한 정보
- 정비 프로그램의 모든 요소들은 회사의 정비표준에 의거하여 실행되고 있다는 것을 지속적으로 확인하기 위한 정보
- 정비 프로그램의 모든 요소들의 유효성을 지속적으로 확인하기 위한 정보
- 각 계획정비 직무(Task)들과 이와 관련된 주기들의 유효성을 지속적으로 확인하기 위한 정보
- 품목들의 안전도와 신뢰도가 부적합한 것으로 입증된 품목들의 디자인을 개선하기 위한 정보

## 3.3. CASS의 실행(Execution of CASS)

CASS의 실행은 계획된 품질심사와 운영 중 발생한 사건에 대한 조사를 통하여 수행된다.

모든 정비종사자(정비제공자 포함)가 정비규정과 정비프로그램 및 모든 적용되는 법령에 부합하는지를 확인하여야 한다.

사전 감시 및 분석 대상은 감시, 수집 및 정기심사와 기타 자료 수집시 밝혀진 다음의 사항들이며, 이는 다음 사항에만 국한된 것은 아니다.

- 모든 매뉴얼, 도서류(Publication) 및 양식(Form)들은 사용자에게 사용가능하고 최신의 것이며 정확하고 쉽게 이용할 수 있어야 한다.
- 모든 정비와 개조는 회사의 정비규정에 명시된 방법, 기준 및 기술에 의거 수행되어야 한다.
- 정비 기록들은 정비규정 절차에 따라서 작성되며 적합, 정확, 완전하여야 한다.
- 모든 필수검사항목(RII)은 RII 절차에 따라서 명확하게 구분되고 처리되어야 한다.
- 항공사의 감항성 확인(Release)은 인가된 자에 의해 수행되며 항공사의 정비규정에 명시된 절차에 의해 이루어져야 한다.
- 근무조 교대 기록과 정비이월(Defer)은 정비규정 절차에 의해 처리되어야 한다. 정비조직은 근무 조 변경 시 발생될 수 있는 문제점들에 대하여 초점을 맞추는 것을 고려해야 한다. 근무 조 교대 시 발생하는 실수들은 다수의 치명적인 항공 사고 및 준사고의 주원인 요소로서 인식되어 왔다.
- 모든 정비 시설과 장비(계약에 의한 정비시설과 장비 포함)들은 요구되는 정비에 적합하여야 한다.
- 모든 작업자(외주업체의 작업자 포함)들은 수행되어야 할 정비를 적절하게 수행하기 위한 자격이 있어야 한다.
- 운항을 위하여 감항성을 확인한 각 항공기는 감항성이 있고 항공운송서비스를 위하여 적정하게 정비되어 있어야 한다.

또한, 사후 감시 및 분석 대상은 비 계획된 감시항목을 기초로 하여 예상하지 않았던 운영 중인 사건들은 다음의 사항들이며, 이는 다음 사항에만 국한된 것은 아니다.

- 이륙단념
- 비계획 착륙
- 비행 중 엔진정지
- 사고/준사고
- 비계획 정비로 인하여 취소된 비행편
- 비계획 정비로 인한 지연
- 기타 불안전한 상태를 유발하는 정비 또는 운영상의 관련사건

# 4. 품질심사 프로그램(QUALITY AUDIT PROGRAM)

항공기재의 생산에 관계되는 전 부서/공장에서의 품질보증 활동 상태와 효율성을 평가하기 위하여 규칙적인 심사가 실시되어야 한다.

그러므로 품질심사는 지속 감항성 정비프로그램(Continuous Airworthiness Maintenance Program)에 의하여 관리 및 운영되는지를 지속적으로 확인, 분석 및 개선함으로써 항공기의 지속적 감항성을 유지하고, 정비업무가 효율적으로 이행되도록 하면서 정비조직 내 시스템적인 문제가 없는지 확인하는 것이다. 품질심사 절차는 그림 7-2와 같다.

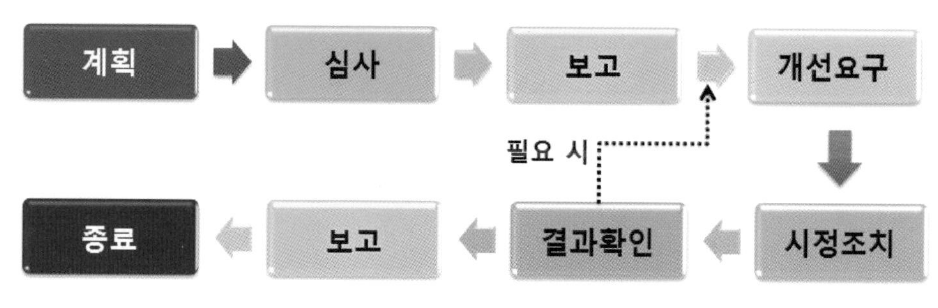


그림 7-2. 품질심사 절차

## 4.1. 품질심사의 방침(Policy)

심사의 기준은 지속 감항성 정비프로그램에 의하여 설정하여야 하며, 판정은 객관적이고 합리적이며 공개적으로 하여야 한다.

품질심사원은 소속에서 독립적으로 활동하여야 하며, 지속 감항성 정비프로그램의 항목을 기준으로 하여 작성된 품질심사 점검표 및 기타 객관적 자료에 의거 심사하여야 한다.

심사보고서는 발췌된 현존 혹은 잠재적인 문제들을 경영층에게 제공하여야 하며, 심사 지적사항들은 단지 결함만 나열하는 것이 아니라 조직의 일체성을 가늠할 수 있는 지표로 경영층에 의해 사용되어야 한다.

## 4.2. 품질심사프로그램의 구성

품질심사 프로그램은 심사 주체에 따라 내부 심사(Internal Audit)와 외부 심사(External Audit)로 구성되며, 실시 시기에 따라 정기심사(Scheduled Audit)와 부정기심사(Unscheduled Audit)로 분류된다.

내부 심사 및 외부 심사 중 정기심사는 실시주기 및 방법에 의거 실시함을 원칙으로 한다. 부정기 심사는 정기 심사 외에 다음과 같이 필요하다고 판단할 경우 수시로 실시할 수 있다.

- 정비조직의 기능상 중요한 변경이 있는 경우
- 심사 지적 사항의 재발에 따라 시정조치 확인이 필요한 경우
- 기타 항공기 정비품질을 위해 필요한 경우

## 4.3. 품질심사 점검표 및 부적합(Audit Guidelines)

### 4.3.1. 품질심사 점검표의 제·개정

다음 사항을 근거로 품질심사 점검표를 제정하고 수시로 개정한다.

- 항공 관련 법규의 제·개정 사항
- 개정된 정비관련 규정, 절차의 제정 및 개정 사항
- 지속 감항성 정비프로그램(Continuous Airworthiness Maintenance Program) 사항
- 전년도 품질심사 및 각종 점검 결과
- 항공운송사업자의 항공기 정비 분야에 대한 안전점검요령
- 수시로 발생하는 정비관련 지시사항
- 기타 객관적 자료(FAR, JAR, Advisory Circular, etc)

### 4.3.2. 부적합의 종류

심사결과에 따라 다음 기준에 의거 부적합일 경우에는 부적합 보고서를 발행하고, 권고사항으로 판단 될 경우에는 권고사항에 대한 통보서를 발행한다.

(1) 부적합(Non Conformity= Finding)

- 항공법, 정비규정(MPPM) 및 정비조직절차교범(MOPM)의 미 준수 또는 미 이행
- 즉각적인 조치를 필요로 하는 사항
- 기타 안전에 직접적인 영향을 미칠 수 있는 사항

(2) 권고(Observation=Recommendation)

- 정비운영규칙 및 사내 절차의 요건을 충족시키지 못하는 경우
- 업무수행에 일관성이 없는 경우
- 기타 정비품질의 저하가 우려되는 사항

# 5. 신뢰성관리 프로그램 (RELIABILITY CONTROL PROGRAM)

항공기재의 신뢰성 자료를 감시하여 발견된 제반문제에 대한 원인분석, 합리적 대책 등에 관한 절차를 정함으로써 항공기의 정시성, 쾌적성, 안전성을 보증하고 정비원가 절감에 기여하기 위하여 신뢰성 관리 프로그램을 운영하여야 한다.

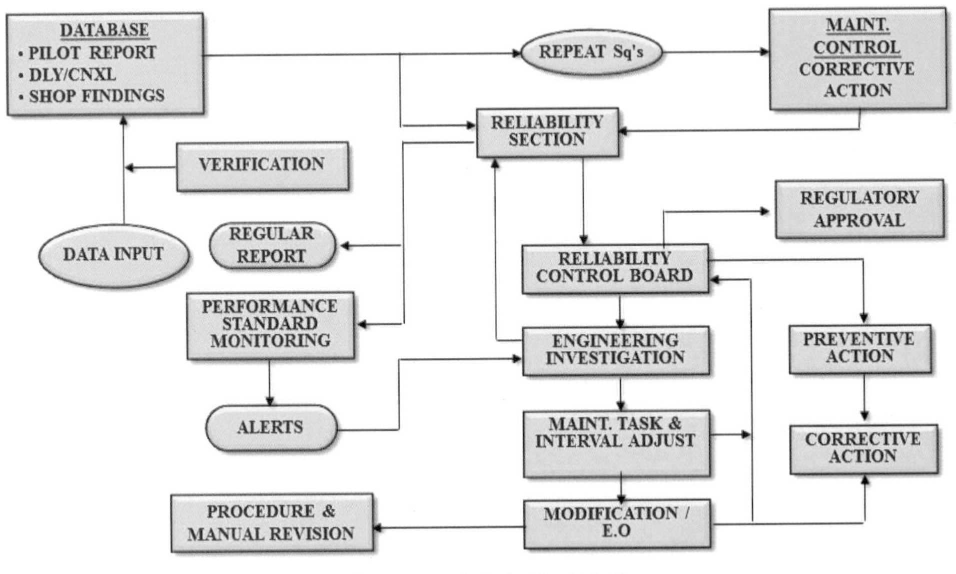


그림 7-3. 신뢰성 관리체계

## 5.1. 자료수집

정비조직의 신뢰성 관리를 위해서 수집되어야 할 자료의 종류는 다음과 같다.

- 기장보고서(Pilot Report)

- 검사결과 보고서
- 부분품 결함검출 보고서(Shop Finding Report)
- 엔진 데이터(지상 비치용 발동기 항공일지, 제작사/수리처 공장 입고자료 등)

## 5.2. 신뢰성 측정

항공기 계통, 부분품, 추진계통의 신뢰성지표는 관리 상한을 설정하여 감시하고 관리 상한을 초과하는 경우 실제 문제점 여부를 검토하여 신뢰성분석을 실시한다.

### 5.2.1. 신뢰성지표의 종류

(1) 항공기

- 1,000 출발 당 비행 장애율(Flight Interruption)
- 1,000 출발 당 비행 중 결함 발생률(Pilot Report)
- 100 출발 당 지연 및 결항 발생률(Technical delay & Cancellation)

(2) 부분품

- 1,000 부분품 시간당 비계획 부분품 장탈율(Component Unscheduled Removal Rate)

(3) 추진계통

- 1,000 엔진 시간당 비행 중 엔진 정지율(In-Flight Shut Down Rate)
- 1,000 엔진 시간당 엔진 비계획 장탈률

### 5.2.2. 관리 상한(Upper Control Limit)

관리 상한은 목표치에 전년도 실적의 표준편차를 일정배율 더한 값으로 정하며, 3개월 이동평균 발생률이 관리 상한을 초과한 경우에 분석을 실시함을 원칙으로 한다.

관리 상한은 12개월 이상의 운영 경험에 기초하여 설정하고 12개월 단위로 재설정한다.

## 5.3. 신뢰성 분석

신뢰성 분석은 신뢰도가 설정된 수준에 도달하지 못하는 경우, 원인을 규명하여 재발방지에 필요한 대책을 찾아내기 위함이며, 분석 기법 및 활동은 효과적인 시정대책 도출을 위해 제작사와 실무현장의 현실을 수렴하여야 한다.

# 6. 감항성 확인(AIRWORTHINESS RELEASE)

감항성 확인을 위한 기본책임은 정비작업을 수행하는 작업자와 그 정비작업을 관리 감독하는 관리자에게 있다. 검사원은 수행된 정비 등이 현행 항공법령 및 정비방식에 의거 수행되었는지를 결정하여야 한다.

## 6.1. 감항성 확인 방침

항공품목에 대한 감항성 확인(정비완료 및 정비확인)은 자격이 있는 확인정비사 및 검사원이 수행하여야 하며, 정비확인(Return to Service)은 해당 항공기의 형식 또는 장비품의 업무분야에 한하여 수행하여야 한다.

- 항공기 : 해당 항공기의 교육을 이수한 정비사 자격증명 소지자
- 기체, 보기, 비상장구 : 기체 업무한정 정비사 자격증명 소지자
- 전기, 전자, 계기 : 전기/전자/계기 업무한정 정비사 자격증명 소지자

정비완료는 항공품목의 정비 및 검사가 국토교통부 장관이 정하는 방법에 따라 만족스럽게 수행되었음을 확인정비사 및 검사원이 수행하여야 한다. 다만, 작업지침서의 검사원의 검사를 요하는 Q항목에 대하여는 확인정비사는 해당 MECH 란에 인장날인하고, 검사원은 해당 INSP 란에 인장날인 하여야 한다.

정비확인 및 정비완료는 정비작업 또는 감독을 직접 수행한 해당 정비사 또는 검사원 자신이 수행하여야 한다.

## 6.2. 검사 방침

작업에 대한 정비확인과 검사는 동일인이 이중으로 할 수 없으며, 검사원

이 서명 및 날인(Stamping)을 할 경우에는 반드시 등록된 서명과 스탬프(Stamp)로 하여야 한다.

항공기 및 부분품에 대한 검사는 관련 항공법령에 정해진 감항성 확보를 목적으로 실시되며, 다음 검사기준에 의거 실시한다.

- 정비조직의 규정, 기준 및 작업지침서
- 정비조직에서 설정하였거나 승인한 사양서, 규격, 도면, 주문서 또는 기타 기술기준
- 기재 제작회사의 매뉴얼, 규격, 도면 또는 기타 기술기준
- 정비조직에서 승인한 타 항공사 또는 외주회사의 기술기준
- 관련 법규 및 국토교통부의 지시서
- 기타 국토교통부에서 인정하는 기술기준

또한, 검사원은 검사를 요하는 작업사항에 대하여 감항성을 확인하여야 하며, 운항의 정시성도 고려되어야 하지만 이로 인한 검사행위의 생략은 허용되지 않는다. 검사원의 검사를 요하는 작업사항은 다음과 같다.

- 감항성개선지시(AD) 및 수리 개조를 필요로 하는 작업
- 시험비행을 필요로 하는 작업
- 작업지침서의 'Q' 항목
- 중량과 평형(Weight & Balance) 측정 작업
- 필수검사항목(RII)
- 비파괴검사(NDI 및 BSI) 항목
- 기타 별도로 정한 감항성에 중요한 영향을 미치는 작업

다만, 상기 사항 중 점검항목의 상태 및 기능이 정상인가를 확인하는 단순한 정비행위와 국내외지점에서 비행 중 또는 지상점검 중 발견되는 운항정비(불시정비)의 경우에는 검사원의 검사를 받지 않고 작업할 수 있다.

## 6.3. 검사책임의 지속

검사책임의 지속이라 함은 항공품목들이 수리, 오버홀, 개조, 시험, 검·교정 등의 다양한 단계를 거치는 동안 수령검사, 숨겨진 손상검사, 과정검사, 최종검사가 완료되기 전 업무를 종료한 검사원이 다음 교대 검사원에게 인수·인계하여 최종 품목의 감항성을 결정하기 위하여 검사원간의 지속적인 검사책임을 보장하는 것이다. 그러므로 검사원은 검사책임의 지속을 보장하기 위하여 완료되지 않은 작업사항에 대하여 정형화된 서식에 작성하여 다음 교대조에게 인수·인계하여야 한다.

## 6.4. 정비완료 및 정비확인 (Maintenance Release & Return to Service)

### 6.4.1. 정비완료(Maintenance Release)

정비완료는 수행된 정비행위가 만족스럽게 수행됨을 보증하거나 또는 작업의 완료에 대해서만 사용된다. 모든 작업항목은 당해 항공품목이 정비확인(Return To Service)전에 반드시 완료되어야 하고, 모든 정비완료 및 정비확인은 서명 또는 스탬프로 하여야 한다.

항공기 등을 수리 또는 개조한 경우에는 국토교통부령이 정하는 기술기준에 적합한지 여부에 관하여 해당 검사원이 검사하여야 하며, 대수리·개조인 경우에는 검사원은 과정검사를 수행하고 최종검사는 수석검사원 또는 해당 항공공장정비사 또는 업무한정 자격증명을 소지한 검사원이 수행한다.

### 6.4.2. 정비확인(Return to Service)

항공기 확인정비사는 정비 등이 완료된 항공기에 대하여 운항정비를 수행한 후 항공일지의 Maintenance Release 란에 서명이나 인장 날인하여 정비확인을 하여야 한다.

장비품 확인정비사는 정비, 수리 또는 오버홀 된 장비품에 대한 정비확인(Return to Service)을 위하여 작업서 및 지시서, 사용가능 표찰(Serviceable Tag) 또는 감항성 인증서(Airworthiness Approval Tag)에 서명 또는 인장을 날인하여야 한다.

검사원의 검사(정비완료)없이 장비품 확인정비사가 정비확인(Return To Service)을 수행할 수 있는 부분품의 선정기준은 다음과 같다.

- 비행조종(Flight Control), 엔진(Engine), 착륙장치(Landing Gear) 계통 등 항공기 감항성에 직접적인 영향을 주지 않는 부분품
- 객실 부분품/부품 교환 시 항공일지(LOG)기록 및 검사원 확인사항에서 검사원의 확인을 요구하지 않는 부분품 또는 부품
- 객실서비스 관련 부분품

정비, 수리/개조된 항공품목에 대하여 정비완료(Maintenance Release)를 하기 위하여 검사원은 작업서 및 작업지시서 검사(Inspection) 란 및 항공일지의 수정조치(Corrective Action) 란에 인장 날인한다. 추가로, 계획정비(C점검 이상)인 경우, 항공기 검사원이 정비완료 진술문 을 작성하고, 대수리/개조인 경우 담당 검사원이 대수리 및 개조 승인서를 작성한다. 이러한 진술문과 승인서는 관련 정비기록에 첨부되어야 한다.

MEMO

# 제8장. 항공정비 기술관리

신형 항공기에는 항공기술 발전에 따라 첨단 기술을 적용하고 있으며, 항공기의 안전운항을 위해 각종 새로운 정비방식이 도입되고, 법적 기준이 강화되고 있다.

따라서 항공기를 효율적으로 정비하기 위해서는 항공기 제작시의 설계 개념의 이해, 제작 시 적용된 제반 기술의 이해와 더불어 제작사에서 제공하는 정비 지침서/정비교범/기술정보 등과 함께 항공기 운용과정에서 습득한 경험, 지식을 적극 활용함은 물론, 항공 감항당국 및 항공업계의 동향을 파악하여 새로운 법적 요건을 실무에 반영하여야 한다.

1. 항공정비 기술관리 개념
2. 기술관리 업무
3. 감항성 개선지시(Airworthiness Directives: AD)
4. 정비개선회보(Service Bulletins :SB)
5. 대수리 및 개조의 기술적 판정
   (Engineering Decision for Major Repair and alteration)

# 1. 항공정비 기술관리 개념

기술관리란 현재 운용하고 있는 항공기에 대해서 안전한 비행, 확실한 운항, 쾌적한 서비스를 경제적으로 달성하기 위해 적법한 기술적 제 기준과 정책을 설정하여 그에 따른 정비방식(Maintenance Requirement)을 제공하며, 정비업무 수행에 필요한 각종 정보를 전파하는 업무를 총칭한다.

따라서 기술관리 업무는 크게 아래와 같은 분야로 구분된다.

- 정비정책의 수립(Establishment of Maintenance Policy)
- 정비방식의 설정(Establishment of Maintenance Requirement)
- 항공기 성능 개선을 위한 개조관리(Modification Control for the Improvement of A/C Performance)
- 기술지원(Technical Assistance) 등

그림 8-1. 항공정비 기술관리 업무

## 2. 기술관리 업무

### 2.1. 정비기준 및 정책 설정

항공기 정비 수행을 위한 제반 기술적 기준, 방법 및 절차 등을 수립한다.

#### 2.1.1. 운영기준, 정비규정, 정비조직 내 지침 등의 제·개정

운영기준, 정비규정은 항공법/법령/시행규칙 등 규정(Regulation)에 부합하도록 기본적인 정비정책(Maintenance Policy)을 정한 것이며, 정비조직 내 지침은 운영기준 및 정비규정의 세부 이행 절차와 기준을 정한 것으로 이의 제정과 개정을 주관한다.

#### 2.1.2. 정비방식 설정

항공법/법령/시행규칙 및 규정을 비롯하여 국제민간항공기구의 기술기준 및 제작사의 정비교범, 기술회보, 각종 기술 검토서 등의 자료를 검토하여 항공기의 안전 운항을 위하여 수행해야 할 정비방식(Maintenance Requirement)을 설정한다.

#### 2.1.3. 자재, 표준 공정

항공기 정비에 적용하는 세척, 페인팅 및 제거(Painting/Stripping), 방빙(Deicing), 씰링(Sealing) 등과 같은 작업공정과 금속, 비금속 자재의 사양에 대한 제작사, 부품 공급사(Vendor)의 다양한 자료를 종합 검토하여 표준 규격 및 표준 공정을 수립하며, 각종 환경 규제에 대한 기술검토를 수행한다.

## 2.2. 항공기 특별점검과 항공기 사양/개조 관리

항공기 안전성과 신뢰성 향상, 회사의 정책 반영 및 규제 법규의 충족을 위해 기존 정비방식, 정비요목으로 설정되어있지 않은 특별 점검, 개조사항 등에 대해 국내외 감항당국에서 발행하는 감항성 개선 지시서(Airworthiness Directive), 항공기 제작사 또는 부품공급사에서 발행하는 정비개선 회보(Service Bulletin)등을 검토하여 보유 항공기에 적용 여부를 결정한다.

적용이 결정된 사항에 대해서 필요한 제 자원(자재, 특수 공구/장비)을 확보하고 작업 지침서(Engineering Oreder 또는 Work Card)를 발행한다. 개조 기술지시 수행 시는 변경 내용을 정비교범(maintenance manual), 전기배선도 매뉴얼(wiring diagram manual), 부품도해목록(illustrated parts catalog)등의 각종 기술 도서에 반영하고, 항공기 특별점검 수행 현황, 항공기 사양 변경 및 개조 현황 등을 관리하여야 한다.

## 2.3. 기술정보, 자료 관리

항공기 제작사 및 부품 공급사(Vendor), 국제기구 등에서 입수하는 신기술 정보·자료를 접수하여 기술 검토하고, 이를 정리하여 관리하며 관련 부서에 기술정보 또는 기술검토서 등을 발행하여 정비 실무에 활용토록 한다.

## 2.4. 항공기 도입 및 송출관리

도입 항공기의 사양(SPECIFICATION)검토 및 항공기 구매/매각/임대/임차 계약서를 검토하고, 도입 항공기의 정비지원 계획(SERVICE READY PLAN)을 수립한다. 또한 항공기 도입, 송출 등의 업무를 주관하고, 항공기 인수 및 인도 관련 작업 계획을 수립한다.

## 2.5. 기술도서 관리

항공기 제작사, 부품 공급사(Vendor)에서 발행하는 정비 기술에 대한 매뉴얼, 기타 정비 업무에 참고가 되는 기술서적, 항공잡지 등을 종합 관리한다.

## 2.6. 기술지원

항공기의 고장, 기술지시 또는 정비 작업 중 기술적인 문제 발생 시 현장 지원하는 것으로 장기적이고 근본적인 문제 해결이 요구되는 사항은 기술 검토 및 제작사 또는 공급사(Vendor)와의 협의를 통해 대책을 강구한다.

# 3. 감항성 개선지시(AIRWORTHINESS DIRECTIVES:AD)

감항성 개선지시서(Airworthiness Directive)(이하 AD라 한다)라 함은 항공기 등에 존재 하는 불안전한 상태가 동일한 계열로 설계된 다른 항공기 등에도 존재하거나 진전될 가능성이 있는 경우, 항공기 등의 감항성을 확보하기 위하여 정해진 기한 내에 항공기 소유자 등이 반드시 수행하도록 국토교통부 장관이 발행하는 정비 개선지시서를 말한다.

## 3.1. AD 처리 및 수행

### 3.1.1. AD 처리

국토교통부 홈페이지를 통해 발행 공시하는 AD를 접수하여 보유 항공기, 엔진 또는 장비품에 해당되는지를 확인하고, 기술관리 시스템에 등록한다.

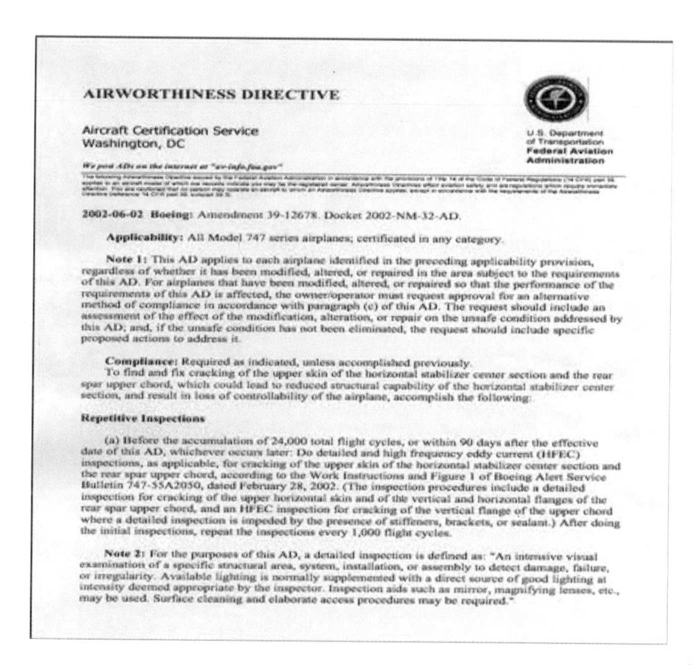

**AIRWORTHINESS DIRECTIVE**

Aircraft Certification Service
Washington, DC

U.S. Department of Transportation
**Federal Aviation Administration**

*We post ADs on the internet at "av-info.faa.gov"*

**2002-06-02 Boeing:** Amendment 39-12678. Docket 2002-NM-32-AD.

**Applicability:** All Model 747 series airplanes; certificated in any category.

**Note 1:** This AD applies to each airplane identified in the preceding applicability provision, regardless of whether it has been modified, altered, or repaired in the area subject to the requirements of this AD. For airplanes that have been modified, altered, or repaired so that the performance of the requirements of this AD is affected, the owner/operator must request approval for an alternative method of compliance in accordance with paragraph (c) of this AD. The request should include an assessment of the effect of the modification, alteration, or repair on the unsafe condition addressed by this AD; and, if the unsafe condition has not been eliminated, the request should include specific proposed actions to address it.

**Compliance:** Required as indicated, unless accomplished previously.
To find and fix cracking of the upper skin of the horizontal stabilizer center section and the rear spar upper chord, which could lead to reduced structural capability of the horizontal stabilizer center section, and result in loss of controllability of the airplane, accomplish the following:

**Repetitive Inspections**

(a) Before the accumulation of 24,000 total flight cycles, or within 90 days after the effective date of this AD, whichever occurs later: Do detailed and high frequency eddy current (HFEC) inspections, as applicable, for cracking of the upper skin of the horizontal stabilizer center section and the rear spar upper chord, according to the Work Instructions and Figure 1 of Boeing Alert Service Bulletin 747-55A2050, dated February 28, 2002. (The inspection procedures include a detailed inspection for cracking of the upper horizontal skin and of the vertical and horizontal flanges of the rear spar upper chord, and an HFEC inspection for cracking of the vertical flange of the upper chord where a detailed inspection is impeded by the presence of stiffeners, brackets, or sealant.) After doing the initial inspections, repeat the inspections every 1,000 flight cycles.

**Note 2:** For the purposes of this AD, a detailed inspection is defined as: "An intensive visual examination of a specific structural area, system, installation, or assembly to detect damage, failure, or irregularity. Available lighting is normally supplemented with a direct source of good lighting at intensity deemed appropriate by the inspector. Inspection aids such as mirror, magnifying lenses, etc., may be used. Surface cleaning and elaborate access procedures may be required."

그림 8-2. 미 연방항공청(FAA)에서 발행된 감항성개선지시서

### 3.1.2. AD 수행

AD의 수행은 AD에 명시된 수행시한 이전에 수행하여야 하며 AD 요약서의 조치내용에 따라 수행하며 다음을 기본 수행방침으로 정의한다.

- 개조 및 일회성 검사의 수행이 요구되는 경우, 기술지시(EO, 외주SB수행 의뢰서)를 발행하여 수행
- 반복적 검사 혹은 반복적으로 부품 교환이 요구되는 경우, 기술팀장의 승인된 EO또는AD Card 에 의해 초도 수행 후, 반복수행은 AD Card에 의거 수행

AD가 특정 정비기술회보(SB)의 수행을 명시한 경우는 수행시한 이전에 해당 SB를 수행하여야 하며, 반복적 검사 혹은 부품교환이 요구되는 SB를 수행하는 AD는 기존 정시점검 Card가 있을 경우, AD Card로 전환하여 수행할 수 있도록 조치한다.

## 3.2. AD 수행 결과보고

### 3.2.1. 결과보고서의 작성 및 내부보고

기술 담당은 다음의 경우 AD 결과 보고서를 작성한 후, 조직내 결재절차를 거쳐 보고한다.

- 일시점검 및 개조작업(AFM 개정작업 포함)을 지시하는 AD의 모든 해당 항공기(또는 Engine/장비품)에 대한 작업이 완료되었거나 반복점검을 종결하는 부품교환 및 개조작업의 수행완료
- 종결조치에 대한 언급 없이 지속적인 반복점검 또는 교환이 필요한 AD의 경우 반복점검 또는 교환을 위한 AD Card 발행

### 3.2.2. 국토교통부 보고

해당 기술담당은 AD의 수행결과를 국토교통부 감항성 개선지시 결과보고 홈페이지를 통하여 보고한다.

## 3.3. AD 수행시한의 연기 및 대체방법에 의한 수행

특별한 사유로 인하여 수행시한 내에 AD 작업을 수행할 수 없는 경우 항공기 및 장비품 제작회사의 권고 또는 대체방법에 대하여 국토교통부 장관의 승인을 득하여 그 수행시한을 연장하거나 또는 대체방법으로 전환할 수 있다.

## 3.4. 보관 및 유지

국토교통부로부터 접수한 AD와 국토교통부로 보고한 문서를 일원화하여 항공기 폐기 및 매각 시까지 보관하여야 한다.

# 4. 정비개선회보(SERVICE BULLETINS :SB)

정비개선회보(이하 SB)는 항공기 감항성 유지 및 안전성 확보, 신뢰도 개선 등을 위해 항공기 및 엔진 등의 제작회사에서 발행하는 기술자료 이다.

주요(Mandatory, Alert) SB는 제작 회사에서 권고하는 수행 시한 내에 수행하여야 하며, 해당 SB가 AD(감항성개선지시)로 발행된 경우에는 AD 수행 시한을 준수하여야 한다.

다만, 항공기 및 발동기 제작회사의 권고 또는 항공안전본부장이 인정하는 범위 내에서 수행 시한을 연장하거나 항공기의 감항성 및 안전성 유지에 지장이 없는 대체 방법으로 전환할 수 있다.

## 4.1. 장비품 및 구성품 관련 정비개선회보(SB)

통상적으로 장비품, 구성품 등에 발행되는 SB는 선택적으로 적용할 수 있는 변경사항과 장비의 성능개선에 대한 내용이다. 해당 운영기준(Operation Specification)에 수록된 회사가 사용하는 장비에 대한 SB를 접수하면, 검토, 기록 및 제작사 발행문건 관리문서에 보관하도록 회람한다.

이러한 SB는 수용할 필요가 있거나 타당하다고 결정된 경우, 오버홀 또는 수리작업 시에 수행하게 된다. SB는 상황에 따라 회사자체에서, 제작회사에서 또는 위탁정비업체에서 수행한다. 장비품 또는 구성품에서 통상적인 범위를 벗어나는 결함이 발생하는 경우, 보관 중인 SB에 그 상황에 해당하는 내용이 있는지 점검한다.

SB의 수행으로 매뉴얼의 내용, 절차, 부품 목록 및 고장탐구 기법에 영향을 주는 내용은 그 내용에 따라 정리한다.

## 4.2. 항법장비 및 통신장비의 정비개선회보(SB)

통신 및 항법장비에 대한 정비개선회보(SB)는 통상 장비품에 대한 SB와 같은 절차를 따른다. 해당 운영기준(Operation Specification)에 수록된 회사가 사용하는 장비에 대한 SB를 접수하면, 검토, 기록 및 제작사 발행문건 관리문서에 보관하도록 회람한다. SB는 상황에 따라 회사 자체에서, 제작회사에서 또는 위탁정비업체에서 수행한다. 장비품 또는 구성품에서 통상적인 범위를 벗어나는 결함이 발생하는 경우, 보관 중인 SB에 그 상황에 해당하는 내용이 있는지 점검한다.

SB의 수행으로 매뉴얼의 내용, 절차, 부품 목록 및 고장탐구 기법에 영향을 주는 내용은 그 내용에 따라 정리한다.

## 4.3. 항공기 및 엔진에 대한 정비개선회보(SB)

해당 운영기준(Operation Specification)에 수록된 회사가 사용하는 장비에 대한 SB를 접수하면, 검토, 기록 및 제작사 발행문건 관리문서에 보관하도록 회람한다. SB는 상황에 따라 회사자체에서, 제작회사에서 또는 위탁정비업체에서 수행한다.

# 5. 대수리 및 개조의 기술적 판정
## (ENGINEERING DECISION FOR MAJOR REPAIR AND ALTERATION)

항공기, 엔진, 장비품에 대한 수리나 개조는 정비규정/정비조직절차매뉴얼, 제작사 정비교범 및 필요에 따라 국토교통부에 의해 인정된 시방에 의거 수행되도록 한다.

## 5.1. 기술적 판정 방침

항공기/장비품에 대한 수리 또는 개조는 기골수리교범(SAM)을 포함하는 제작사가 제공한 기술지침(SB, 정비교범, 도면 등) 또는 제작사가 제공한 수리지침의 내용에 따라 작업이 수행되어야 한다.

기술지침(SB, 정비교범, 도면 등)에서 정한 한계를 벗어나거나 수리지침이 없는 경우, 제작사 또는 제작사의 해당정부의 감항당국이 승인한 기술 자료에 의해 수리작업이 수행되어야 한다.

승인된 기술 자료(Approved Data)들은 다음과 같다.

- 형식 증명서(Type Certificate Data Sheets)
- 추가형식 증명 자료(Supplemental Type Certificate Data)
- 감항성 개선지시(Airworthiness Directives)
- 해당 감항 당국에 의해 승인(Approved) 되거나 인정(Accepted)된 제작사의 정비 교범
- 항공법 19조에 따라 승인된 기술 자료(수리개조 승인서)
- 기타 제작사의 기술 자료

## 5.2. 대수리 및 대개조의 구분

### 5.2.1. 수리(Repair)

항공기 또는 항공제품을 인가된 기준에 따라 사용 가능한 상태로 회복시키는 것을 말한다.

### 5.2.2. 개조(Alteration)

항공기, 엔진 또는 부분품의 사양서에 명시되어 있지 않은 변경

### 5.2.3. 소수리/소개조(Minor Repairs and Minor Alterations)

대수리 및 대개조 작업에 포함되지 않은 모든 수리/개조 작업

## 5.3. 대수리(Major Repair)

항공기, 발동기, 프로펠러 및 장비품등의 고장 또는 결함으로 중량, 평형, 구조강도, 성능, 발동기작동, 비행특성 및 기타 품질에 상당하게 작용하여 감항성에 영향을 주는 것으로 간단하고 기초적인 작업으로는 종료할 수 없는 수리를 말한다.

### 5.3.1. 항공기 기체 대수리

기체의 다음 부분들에 대한 수리 및 다음의 수리 종류가 항공기 기체 대수리에 해당되며, 이는 1차 구조부에 대한 강도를 강하게 함과, 보완, 겹쳐잇기

(Splicing) 및 1차 구조부를 교환하면서 리벳 하거나 용접하는 것과 같은 조립 작업하는 것을 포함한다.

- 박스 빔(Box Beams)
- 모노코크(Monocoque) 또는 세미모노코크(Semimonocoque) 날개 또는 조종면
- 날개 스트링거 또는 코드 구성요소
- 스파(Spar)
- 스파 플랜지(Spar Flange)
- 트러스 구조 빔(Truss Type Beam)의 구성요소
- 빔의 얇은 판 웹(Webs)
- 날개 또는 꼬리면의 테두리 재료로서 역할을 하는 주름진 금속판의 압축 구성 요소
- 날개 주요 리브 및 압축 구성 요소
- 날개 또는 꼬리면 버팀대(Brace Strut)
- 엔진 마운트
- 동체 세로 뼈대(Longern)
- 측면 트러스(Side Truss), 수평 트러스(Horizontal Truss), 또는 벌크헤드(Bulkhead) 구성 요소
- 주 좌석 지지대 및 브라켓트(Bracket)
- 랜딩기어 지지대
- 축(Axle)
- 바퀴(Wheel)
- 조종간, 페달, 샤프트, 브라켓트 또는 호온(Horn)과 같은 조종 계통의 부품들
- 대체 자재 사용을 요하는 수리

- 응력을 담당하는 금속판 또는 합판에 있어서 손상부위가 방향에 상관없이 6인치를 초과하는 경우의 수리
- 표피(Skin) 부분에 대한 추가적인 이음(Seam) 작업으로 하는 수리
- 표피 판의 겹쳐 이음(Splice)
- 날개의 3개 이상의 인접되어 있는 리브(Rib)들 또는 조종면의 인접되어 있는 리브들에 대한 수리, 또는 이들 인접한 리브들 사이의 전연(Leading Edge) 및 조종면의수리
- 두 개의 인접한 리브를 수리하는데 필요로 하는 면적보다 더 큰 부분을 포함하는 부분을 덮고 있는 천(Fabric)의 수리
- 날개, 동체, 수평안정판 및 조종면과 같은 부분을 덮고 있는 천을 교환
- 탱크의 바닥에 대한 재작업을 포함하여 장탈가능식 또는 통합식(Integral) 연료 탱크 및 오일 탱크에 대한 수리

### 5.3.2. 동력장치 대수리

다음과 같은 엔진 부품에 대한 수리 및 다음과 같은 종류의 수리는 동력장치 대수리에 해당된다.

- 통합식 슈퍼차져(Integral Supercharger)를 장착한 왕복엔진의 크랭크케이스 또는 크랭크샤프트의 분리 또는 분해
- 박차 형식(Spur-type) 프로펠러 감소 기어를 장착하지 않은 왕복엔진의 크랭크케이스 또는 크랭크샤프트의 분리 또는 분해
- 용접, 도금(Plating), 금속 입힘(Metalising) 또는 기타 방법으로 엔진 구조부 부품에 대한 특별 수리.

### 5.3.3. 장비품의 대수리

장비품에 대한 다음 종류의 수리가 장비품 대수리이다.

- 장비품에 대한 교정 및 수리
- 항공전자 장비 또는 컴퓨터 장비의 교정
- 전기 부속품의 필드 코일을 새로 감기
- 전체 유압 파워 밸브의 완전 분해
- 압력식 캬뷰레터의 오버홀, 및 압력식 연료, 오일 및 유압 펌프의 오버홀

## 5.4. 대개조(Major Alterations)

항공기, 발동기, 프로펠러 및 장비품등의 설계서에 없는 항목의 변경으로서 중량, 평형, 구조강도, 성능, 발동기 작동, 비행특성 및 기타 품질에 상당하게 작용하여 감항성에 영향을 주는 것으로 간단하고 기초적인 작업으로는 종료할 수 없는 개조를 말한다.

### 5.4.1. 항공기 기체 대개조

항공기 기체의 대개조에는 항공기 사양서에 포함되어 있지 않은 개조사항으로서 다음과 같은 사항이 포함된다.

- 날개
- 꼬리면
- 동체

- 엔진 마운트
- 조종 계통
- 랜딩 기어
- 스파, 리브. 피팅, 완충기, 브레이싱, 카울링, 훼어링 및 중량배분용 웨이트
- 구성품의 유압 및 전기 작동 시스템
- 회전익
- 최대 이륙 중량 또는 무게 중심 제한 범위의 증가를 초래하는 공허중량 또는 공허중량배분에 대한 변경
- 연료, 오일, 냉각, 가열, 객실 여압, 전기, 유압, 제빙 또는 배기시스템과 관련된 기본 설계의 변경
- 떨림과 진동 특성에 영향을 미치는 날개 또는 고정 또는 가변 조종면에 대한 변경

### 5.4.2. 동력장치 대개조

항공기 동력장치의 대개조에는 항공기 사양서에 포함되어 있지 않은 개조사항으로서 다음과 같은 사항이 포함된다.

- 압축비, 프로펠러 감속 기어, 임펠러 기어비에 대한 어떤 변경이나 또는 해당 엔진 광범위한 작업과 시험을 요하는 주요 엔진 부품의 대체를 포함하여 하나의 승인된 엔진 모델로부터 다른 모델로의 엔진 전환
- 항공기 엔진 구조부 부품을 원래의 제작자에 의해 공급된 부품이나 국토교통부 장관(지방청장)이 명확히 승인을 한 부품이 아닌 것으로 교환하는 엔진 변경
- 엔진용으로 승인 받지 않은 부속품 장착
- 항공기 또는 엔진 사양서(Specification)에서 필수적인 장비품으로 열거

한 부속품을 장탈

- 장착용으로 승인된 부품 형식이 아닌 구조부 부품의 장착
- 엔진 사양서에 명시된 연료 이외의 연료 등급을 사용하기 위한 목적으로 하는 전환 작업

### 5.4.3. 장비품 대개조

장비품 제작자의 권고 또는 해당 감항성개선지시서에 의하지 않고 행해지는 기본 설계의 개조는 장비품 대개조에 해당된다.

또한 형식증명 또는 기타인가를 통하여 승인을 받은 무선 통신 및 항법 장비품의 기본 설계에 대한 변경으로써 주파수 안정, 소음 수준, 민감도, 선택도, 소리 일그러짐, 원치 않는 전파방사, 자동볼륨조정(AVC) 특성, 또는 환경적 실험 조건을 충족하는 능력에 영향을 주는 변경 및 장비의 성능에 영향을 미치는 기타 변경들 또한 대개조이다.

MEMO

# 제9장. 항공정비 자재관리

지속적인 기업 활동을 위해서는 기업 경영에 필요로 하는 자재의 지속적인 공급이 요구된다. 따라서 자재관리가 목표로 하는 것은 경영에 요구되는 자재 지원을 적기, 적소, 적량의 원칙을 달성하여야 한다. 또한, 재고 투자비용을 최소로 해야 하는 동시에 이 두 가지 기능을 수행하는데 있어 투자와 효용도를 평가 분석하는데 있다.

즉, 자재관리의 목표는 효과성(Effectiveness), 경제성(Economy), 효율성(Efficiency)의 제요소를 지속 발전시키는데 있다.

1. 자재관리 일반
2. 재고 관리
3. 수불 관리
4. 스테이션(Station)지원 업무

# 1. 자재관리 일반

자재관리라 함은 생산에 필요한 여러 가지 자재를 합리적으로 관리하여 생산을 지원하는 일을 의미하며, 필요한 자재를 적정한 가격으로, 필요한 부문에, 필요한 시점에 공급할 수 있도록 계획을 세워 구매하고 보관하는 일을 말한다.

## 1.1. 항공정비 자재의 특징

항공기 정비를 위해 사용되는 부품들은 항공기의 감항성에 영향을 주므로 감항관리에 필요한 부품이 적합하다는 증명 및 문서들이 요구되며, 대부분 외국에서 제작되므로 국내에서 사용하기 위해서는 통관절차가 필요하다. 또한 다품종 소량으로 소요되기 때문에 부품가격이 유동적이고, 항공기 및 부품 등의 개조가 빈번하며, 사용에 시간에 제한을 받는 특징 등이 있다.

### 1.1.1. 품목의 다양성

다품종 소량으로 사용됨에 따라 재고관리품목이 다양하며, 항공기 운영에 따라 초도 소요 신품목이 지속적으로 발생된다.

### 1.1.2. 수요 패턴의 다양성

운항 중 비계획적인 결함 발생 등으로 인한 작업 계획의 가변성으로 사용량이 불규칙하다. 또한, 고장 탐구 또는 감항성 개선지시 등의 수행에 따른 일시적인 소요 등이 발생하고, 각종 규정과 항공기 기령에 따른 정비방식과 범위가 지속적으로 변하기 때문에 소요량을 예측하기가 어려우며, 항공기의 성능개조 등에 따라 장탈된 부품들로 인하여 잉여 또는 불용자재들이 발생하기도 한다.

### 1.1.3. 자재확보 문제

앞에서 언급한 바와 같이 다품종 소량으로 사용됨에 따라 거래하는 부품공급사가 전 세계에 방대하게 위치되어 있다. 그러므로 위치에 따른 시차발생과 원거리 수송 및 각종 법규에 따른 선적방법 및 통관의 제약 등으로 인하여 자재의 적기 확보가 어렵다.

## 1.2. 자재의 분류

항공기, 엔진/보조동력장치(APU) 및 부품의 정비에 사용되는 자재, 장비 및 공구는 효과적인 관리를 위하여 기술적인 측면과 재무 회계측면에서 자재등급(Material Class)과 재고관리 유형(Inventory Management Type)으로 분류한다.

### 1.2.1. 자재등급(Material Class : CTG)

기술적인 면과 시스템 관리면 에서의 자재구분을 말하며, ABC 분류법이라고도 한다.

(1) A Class

수리가 가능하고 일련번호(Serial Number)를 갖고 있는 부품을 말한다. 결함이 발생하여도 수리 후 재사용이 가능하며, 일부 부품은 그 사용시간이 통제되어 일정 주기에 도달하면 오버홀(Overhaul)을 수행함으로서 재사용 가능 상태가 된다.

(2) B Class

결함발생시 통상 수리하여 재사용 가능하나, 일련번호(S/N)는 관리하지 않는 품목이다. 따라서 부품 개개별 자료는 파악할 수 없으며, 상태별 수량만이 관리 된다.

(3) C Class

소모성 부품 또는 사용불가능(Unservieable)상태가 되면 통상수리하지 않고 폐기하는 부품을 말하며, 수량과 가격만을 관리한다.

### 1.2.2. 재고관리 유형(Inventory Management Type : IMT)

재무 회계측면에서의 자재 구분으로서 다음과 같이 분류한다.

(1) T : Rotable(수리순환품)

결함 발생 시 통상 수리하여 재사용하며, 재무회계 상에는 고정자산으로서 감가상각의 처리 대상이다. 불출, 반납 등 이동이나 사용가능(Serviceable), 사용불능(Unserviceable) 등 부품상태에 따른 자산상의 변동은 일어나지 않는다. 구매 입고 시 자산이 증가하며, 폐품 시에는 자산이 감소한다.

(2) R : Repairable(수리가능품)

결함 발생 시 통상 수리하여 재사용하나 재무회계 상에는 고정자산으로 관리하지 않는 품목이다. 사용 가능한 상태로 창고에 저장중인 부품만 자산으로 계정되며, 수리중인 부품은 자산에 포함되지 않는다. 수리부품의 저장과 함께 자산은 증가한다.

(3) C : Expendable(소모품)

사용불능(Unserviceable) 상태가 되면 통상 수리하지 않고 폐기하는 부품이다. 창고에 저장중인 부품만 자산으로 계정 된다.

# 2. 재고 관리

효율적인 재고관리를 위하여 구매 시기, 구매 비용, 구매 원가 등의 구매기준 측면에서 자재구매, 운송, 수리 등을 고려하여야 한다.

## 2.1. 재고관리 일반

### 2.1.1. 적정 재고 수준

적정재고 수준이라 함은 수요를 가장 경제적이고 효과적으로 충족시켜줄 수 있는 재고량을 말한다. 즉, 최소의 비용으로 수요를 충족시킬 수 있는 경제성과 효과성 모두를 만족하는 재고수준을 말하며, 이는 언제라도 신청행위만 있으면 즉시 불출할 수 있도록 대비하는 계속공급의 원칙과 수요를 충족함에 있어서도 무제한의 재고량을 확보 유지하는 것이 아니라 재고 투자액을 가장 절감할 수 있는 경제성 확보의 원칙이 균형을 이루는 점에서 적정재고 수준이 성립된다.

적정 재고수준을 결정 할 때에는 구매해서 입고될 때까지의 소요기간과 소요량의 변화, 기자재 운영 정책의 변경, 부품의 가격과 감항성에 미치는 영향 등을 고려하여야 한다.

### 2.1.2. 수요 예측

적정 재고수준은 예측사용량, 확보에 소요되는 시간(Pilot Time), 목표 지원 수준(Service Level) 등의 주요 요소에 의거 설정된다.

예측사용량은 자재관리 전산시스템을 이용하여 과거의 예측치, 실제사용량 및 사용경향 등을 고려하여 품목별로 예측사용량을 2개월 단위로 자동 산정한다. 또한 자재확보 소요시간(Pilot Time)은 자재의 수요예측, 재고량의 결정 등을 위한 요소로서 자재의 이동에 수반되는 제반 시간적 개념을 총칭하는 것으로 다음과 같이 구분한다.

(1) 총 구매기간(Total Reprovisioning Time : TRT)

자재를 구매하는데 요구되는 시간으로 자재가 재고부족 상태가 발생한 시점부터 구매되어 창고에 저장 완료된 날짜까지의 기간을 의미한다.

(2) 총 수리기간(Turn Around Time : TAT)

부품이 사용불가능(Unserviceable) 상태가 된 날부터 수리되어 사용가능 상태로 창고에 저장 완료 된 날짜까지의 기간이다.

### 2.1.3. 자재지원율(Service Level)

일정기간 중 신청된 자재 수요에 대하여 즉시 불출한 자재공급과의 비율을 의미하며, 100%에 근접할수록 우수한 것으로 판단한다.

$$\text{Service Level} = \frac{\text{불출 건수}}{\text{신청 건수}} \times 100(\%)$$

그러나 그림 9-1과 같이 자재지원율(Service Level)을 높이기 위해서는 재고투자의 증가가 불가피하며, 막대한 투자를 하더라도 100% 지원은 불가능하므로 재정상태, 영업활동 및 정책 등을 고려하여 자재지원 수준을 결정하여야 한다.

일반적으로 항공사들의 자재지원율은 90%정도의 수준으로 운영하고 있으나, 대 고객 서비스라는 관점에서 보았을 때, 항공기 결항이나 지연은 용납되지 않으며, 항공기 운항은 100% 지원해야 하므로 중요자재의 중점 관리 및 물류기간의 단축 노력, 공급사 또는 타 항공사로부터의 임차, 교환 등의 활용 등으로 실질적인 자재지원율(Actual Service Level)을 높이는데 주력하고 있다.

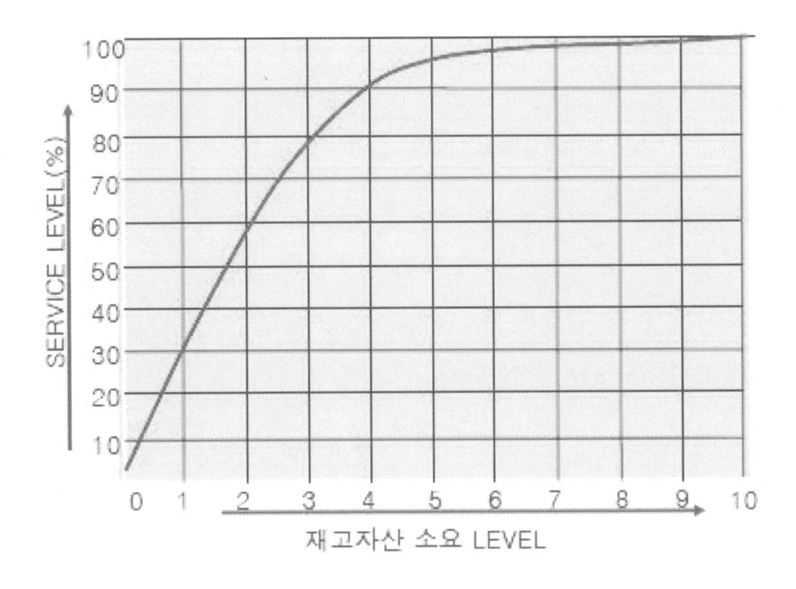


그림 9-1. 자재지원 수준(Service Level)과 재고자산(투자)와의 관계

## 2.2. 소모성(Expendable) 자재관리

계속 소요가 예상되는 품목의 재고 고갈로 인한 문제점을 피하기 위해서는 재고 확보가 필수 불가결하다. 재고관리 이론의 주요 목적은 구매 발주시점과 발주량을 결정하는데 있으며, 이를 결정하기 위한 기초 이론과 경제적인 발주량(Economic Order Quantity : EOQ)에 대하여 간단히 설명하고자 한다.

### 2.2.1. 구매기간동안 소요량

구매기간(Lead Time) 동안 소요되는 수량으로 다음과 같이 계산된다.

구매 기간 동안의 소요량 = 월 평균 소모량 X 구매 기간

### 2.2.2. 안전재고(Safety Stock)

구매기간 동안의 사용량 외에 사용량 및 구매기간이 변동할 경우에도 목표 지원 수준(Service Level)을 달성하기 위해 재고로 유지해야 할 수량으로 완충재고(Buffer Stock)라고도 한다.

### 2.2.3. 재발주점(Reorder Level)

해당 품목에 대한 구매발주(Order) 발행여부의 기준이 되는 수량으로 포괄 수량(Global Quantity)이 수준 이하로 떨어질 경우 구매발주를 재발주해야 적절한 재고수준을 유지할 수 있다.

Reorder Level = Safety Stock + 구매 기간 동안의 평균 소요량

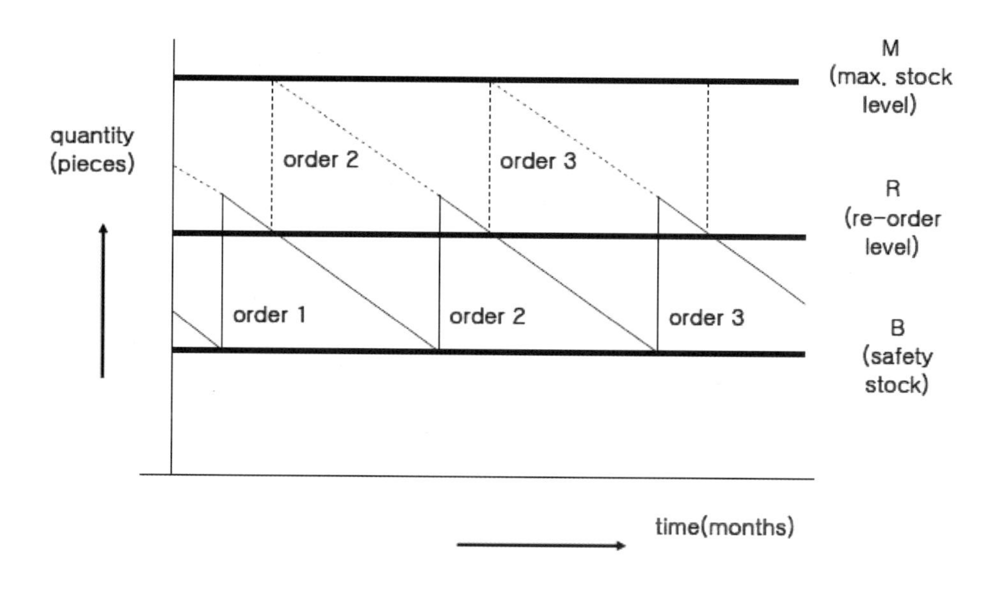


그림 9-2. 재발주점(Reorder Level)

### 2.2.4. 포괄수량(Global Quantity : G/Q)

재발주점(Reorder Level)과 비교하여 재고부족(Under Stock) 여부를 결정하기 위한 수량이다.

소모성 부품(Expendable Item)의 경우의 G/Q = 재고량 + 구매발주 수량으로 결정되며, 수리가능 및 수리순환품목(Repairable & Rotable Item)의 경우의 G/Q = 재고량 + 구매발주 수량 + 사용불가능(Unserviceable) 수량 - 엠프티 위치(Empty Position) 수량이 된다.

여기서 엠프티 위치(Empty Position) 수량이란 엔진 또는 항공기 등에 부품이 없어 비어있는 상태로서 장착되어져야 할 수량을 의미한다.

### 2.2.5. 재고 부족(Under Stock)

제고부족(Under Stock) 상태는 포괄적 수량(Global Quantity)이 재 발주점(Reorder Level)보다 적은 경우 설정되며, 그 반대의 경우에 해소된다. 즉 재고부족 상태는 구매 발주(Order) 진행 또는 재 발주점 조정 등을 통하여 해결할 수 있다.

### 2.2.6. 경제적 발주량(Economic Order Quantity : EOQ)

해당 품목의 년 간 저장관리 비용 과 년 간 발주 비용의 합이 최소가 되는 가장 경제적인 1회 발주 수량으로 다음과 같은 공식으로 산출된다.

$$EOQ = \sqrt{2 \text{ X } \frac{\text{발주비용 X 년간 예측 사용량}}{\text{(1-S1)(1-S2) X 단가 X MAINT COST(\%)}}}$$

- 발주비용(Order Cost) : 한 품목의 소요판단, 발주, 독촉, 선적, 통관, 검수, 수송 등과 관련된 제반발주 비용(ORDER 1회 발주 비용)
- 년 간 예측 사용량 : 월 평균 사용량 X 12

- MAINT COST : 입고에서 불출 시까지 소요되는 비용으로서 손실 총합계의 년간 평균 재고 자산에 대한 비율(재고유지비율)
- S1, S2 : 1ST 또는 2ND 할인율(DISCOUNT)

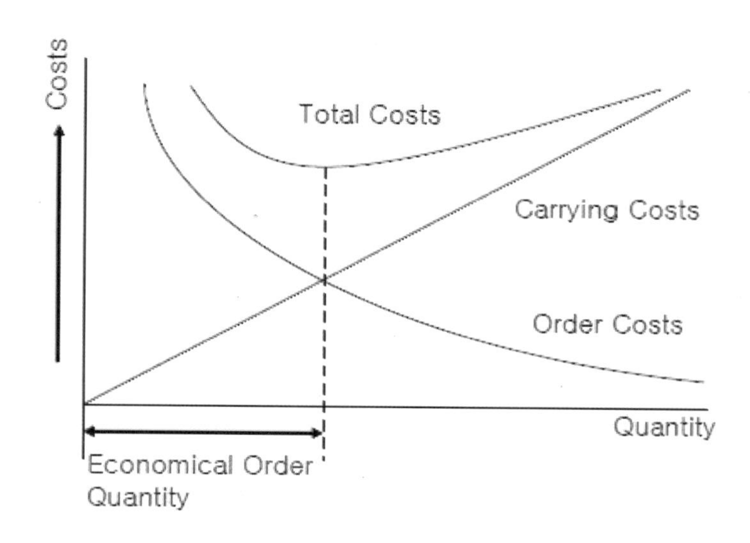


그림 9-3. 경제적 발주량(Economic Order Quantity : EOQ)

## 2.3. 수리 순환품(Rotable Part) 재고관리

수리순환(Rotable) 품목은 소모성(Expendable)과는 달리 수리 후 재사용이 가능하므로, 소모성 자재처럼 재 발주점(Reorder Level)이나 경제적인 발주량에 의하여 구매량이 결정되는 것이 아니라 수리기간(Turn Around Time : TAT) 동안 항공기 지원에 필요한 수량에 따라 결정된다.

장탈량 증가 또는 수리 지연 등으로 인한 자재 지원상의 문제 방지를 위한 안전 재고량을 합한 수량이 적정 예비부품(Asset)이 된다.

### 2.3.1. AIP(Average In Process) 값 산정

AIP는 평균 수리 중에 있는 수량으로 TAT 동안의 평균 예상 장탈량을 의미한다.

$$AIP = \frac{A/C \times QPA \times \text{년간 비행시간}}{MTBUR} \times \frac{TAT}{365}$$

- A/C(Aircraft) : 해당 Part 를 장착하고 있는 항공기 대수
- QPA(Quantity Per Aircraft) : 항공기 당 해당 Part의 장착 수량
- 년 간 비행시간(Flight Hours) : 해당부품을 장착하고 있는 항공기의 년간 예상 비행시간
- MTBUR(Mean Time Between Unscheduled Removal) : 해당 부품의 비계획 평균 장탈 시간

### 2.3.2. 적정 예비부품(Asset) 산정

수리기간(TAT) 동안의 예상 장탈량은 소모성 부품(Expendable Part)의 경우 구매기간(Lead Time)동안의 소모량과 비교될 수 있으며, 수리기간이 일정하고 평균 장탈량 및 장탈 간격이 일정하다면 AIP 수량만으로 항공기 지원이 가능하나, 장탈량 증가, 수리 지연 등 여러 가지 요인에 의해 변동되므로 AIP 수량만으로는 수요를 만족시킬 수 없다. 따라서 소모성 부품과 마찬가지로 안전재고가 필요하며 적정 Asset는 AIP 값과 안전재고(Safety Stock)를 합한 수량이 된다.

적정 Asset = AIP + 안전재고(Safety Stock)

안전 재고는 소모성과 마찬가지로 지원율(Service Level)과 통계분포도를 사용하여 구하며, AIP가 10이하인 경우는 포아송(Poisson) 분포를, 10 이상인 경우에는 정규분포를 사용한다.

## 2.4. 자재 신청의 우선순위(Priority)

자재 수요에 대해 적기에 공급할 수 있도록 그 수요에 맞는 긴급도를 부여하는 것으로 긴급도에 따라 다음과 같이 나눈다.

### 2.4.1. AOG(Aircraft On Ground)

자재로 인하여 항공기 운항이 불가한 상태이거나, 24시간 이내에 운항중지가 예상될 경우, 또는 자재로 인하여 정시점검 중인 항공기의 출고지연이 예상되는 경우이다. 임시방편으로 다른 항공기 또는 예비 장비품에서 부품을 유용(Cannibalization)하거나 정비이월(Carry Forward)등으로 A.O.G는 해소가능 하지만 최우선 순위로 자재신청이 진행되어야 한다.

### 2.4.2. Critical

계획정비(정시점검)의 완료예정인 14일 이내이거나 계획된 부품의 교환시기가 14일 이내일 경우, 또는 부품 유용 및 정비이월이 발생되었을 때 적용된다.

### 2.4.3. Expedite

자재소요 시기가 60일 이내로서 수리순환품목의 오버홀 또는 수리 시 부품으로 인한 수리지연 발생시에 적용된다.

### 2.4.4. Routine

공급사(Vendor)의 정상적인 인도시기(Nomal Lead Time)를 적용한다.

# 3. 수불 관리

## 3.1. 자재 검수

구매, 외주수리, 임차 또는 임대 등 외부로부터 반입되는 물품들에 대하여 규정이나 요구된 내용에 따라 적합성여부 및 수량의 과부족, 상태 등을 검사하여 사용의 적합성 여부를 판정하고 그에 따른 조치를 행하는 것을 말한다.

### 3.1.1. 용어의 정의

(1) 검수(Receiving & Classification)

물품의 구매오더(Order) 상의 약정된 부품번호(P/N), 품명, 규격, 가격, 수량 등이 현물과 일치하는가를 확인하여 수령 여부를 결정하는 행위

(2) 검사(Inspection)

검수하는 물품이 판매 계약서상의 규격, 설계, 재질과 일치하는가 또는 상태와 성능이 사용가능 한지 여부를 기술적인 측면에서 검사하는 행위를 말한다.

(3) 검수 이상

판매 계약서상의 내용과 실물이 일치하지 않는 경우를 말한다.

(4) 물품 송장(Invoice)

물품을 거래할 때 물품 발송인이 수령인에게 발송하는 발송물품 명세서를 말한다.

(5) 포장 명세서

물품을 상자(Box)에 포장하였을 경우 상자내의 물품 명세서를 말하며 이는 물품과 함께 동봉한다.

### 3.1.2. 검수방법

물품을 검수하는데 있어 개개의 물품을 확인 및 계수함이 가장 완벽한 방법이나 물종과 상황에 따라 검수업무의 효율성과 경제성을 감안하여 가장 합리적인 검수방법을 선택함이 효과적이며 다음과 같은 방법이 있다.

(1) 표본 검수법(Sampling Method)

이 방법은 단일 품목으로 다량을 검수하는데 이용하는 방법으로 일부분만 검수하여 나타난 결과로 전량을 검수한 것으로 간주하는 방법이다. 이 방법은 시간과 경비를 절감할 수 있는 경제적 이점이 있는 반면 양과 질을 완벽하게 확인할 수 없는 단점이 있다.

(2) 전량 검수법(Full Count Method)

물품송장(Invoice) 또는 납품서를 근거로 품목별 전량을 완벽하고 철저하게 확인 및 계수하는 방법으로 검수대상 물종이 다양하고 소량일 경우와 고가 및 귀중품 등을 검수할 때 이용되는 일반적인 방법이다. 이 방법은 시간과 경비가 많이 소요된다는 단점과 반면에 부적격품의 완벽한 색출이 가능하다는 이점이 있다.

### 3.1.3. 검수이상 조치

검수결과 계약서상의 내용과 실물이 일치하지 않을 경우에는 검수이상 식별 꼬리표(Discrepancy I.D TAG)부착 후 해소될 때 까지 격리된 장소에 보관하여야 하며, 검수이상 자료 처리 및 해소여부를 모니터링 하여야 한다.

## 3.2. 저장관리 업무

자재의 저장이라 함은 검수 완료된 자재를 수요의 발생 또는 처분 등 사용자의 요구에 응할 수 있도록 본래의 상태로 유지 관리하는 행위를 말하며, 효율적인 저장관리는 지원 효율 향상과 경제적인 자재지원을 가능하게 하는 중요한 요소가 된다.

### 3.2.1. 저장의 일반 원칙

(1) 위치표시의 원칙

저장위치의 표시 및 저장위치의 최신 상태 유지

(2) 분류저장의 원칙

물종별, 성질별(ESDS 품목 등), 상태별, 규격별로 구분 저장

(3) 품질보존의 원칙

품질변화를 방지하고, 입고시의 품질을 보존키 위한 적합한 시설 구비 및 자재저장

(4) 선입선출의 원칙

자산의 회전 및 활용도를 높이기 위해, 선입선출(First in First out)을 원칙으로 한다. 특히 시한성품목(Shelf Life Limit Item)과 변질되기 쉬운 물자는 제작일자, 입고순위, 유효 만료일자 등을 고려하여 순위에 따라 불출 할

수 있도록 저장관리

(5) 공간 활용의 원칙

불필요 위치(Location)삭제 또는 버킷(Buckets)등 저장 공간을 효율적으로 활용하고 관리

## 3.3. 불출 업무

물자의 불출이란 수요자의 요구에 의하여 요구된 품목을 인도하는 행위를 말하며 저장관리의 마지막 단계로 적정의 물자가 인도되어 수요자의 요구를 충족시켜야 함은 물론 선입 선출이 준수되어 불요한 잉여품이 발생되어 비경제적인 요소가 발생되지 않도록 해야 한다.

### 3.3.1. 불출의 일반 원칙

- 선입 선출
- 저장유효일자가 짧은 물품 우선 불출
- 변질 가능성이 많은 물품 우선 불출
- 수량 확인에 지장이 없는 한 원래포장(Original Packing) 상태로 불출
- 포장을 개봉함으로써 변질의 염려가 있는 물품은 불출 단위에 의한 원래 포장(Original Packing) 상태로 불출

# 4. 스테이션(STATION)지원 업무

모기지(Main Base)이외의 국내외 지점(Station)에서 정비 수요발생시 필요한 자재의 적기지원을 통하여 항공기 운항의 정시성 및 신뢰성을 확보하기 위하여 스테이션 자재지원이 요구되며, 노선에 투입되는 기종, 거리, 운항빈도 및 공항 특성 등을 고려하여 경제적이고 합리적인 지원방법이 요구된다.

## 4.1. 스테이션에서의 자재 지원 방법

### 4.1.1. F.A.K(Fly Away Kit)

고장 발생률이 높고 항공기 감항성에 절대적인 영향을 주는 중요 부품들을 키트(Kit)화 하여 항공기에 탑재 운영하는 부품(Parts)을 말하며, 고장 발생시 부품을 지원 받기가 곤란한 지역을 운영하는 항공기에 주로 탑재하여 운영한다.

### 4.1.2. Allocation

노선상의 수요를 대비하여 운항지점(Line Station)에 분산 저장시켜 운영하는 품목으로 F.A.K 품목과 같이 감항성에 절대적인 영향을 주는 품목을 선정하여 운영한다.

### 4.1.3. Pooling

IATP 회원사 간 사전에 계약하여 필요시 해당 항공사에 요청하여 무료로 빌려서 사용한다. IATP(International Airlines Technical Pool)는 항공기 자재, 정비용 장비, 인원 등 상호 기술적인 지원을 제공하는 것을 목적으로 설립된 국제 항공사 기구이다.

#### 4.1.4. Loan

FAK 혹은 ALLOCATION에도 없고, 타 항공사와의 POOL 계약 품목에도 포함되어 있지 않은 경우에는 해당 스테이션에 동종 항공기를 취항하고 있는 항공사로 문의하여 임대료(CHARGE BASIS)를 지불하고 임차하여 사용한다.

#### 4.1.5. 구매지원

소모성품목(EXPENDABLE)은 FAK나 ALLOCATION에 없을 경우에는 항공사에 문의하여 구매하여 사용하고, 수리순환성품목(ROTABLE & REPAIRABLE)의 경우에는 FAK, ALLOCATION 또는 LOAN이 불가능할 경우 타 항공사 또는 VENDOR로 부터 구매하여 사용한다.

# 부 록

(국토교통부 고시 항공기 및 운항기술기준 용어)

**가연성**(Flammable)이란 유체 또는 가스의 경우 쉽게 점화되거나 또는 폭발하기 쉬운 성질을 의미한다.

**감항성개선지시서**(Airworthiness Directive)란 법 제15조제8항에 따라 외국으로 수출된 국산 항공기, 우리나라에 등록된 항공기와 이 항공기에 장착되어 사용되는 발동기·프로펠러, 장비품 또는 부품 등에 불안전한 상태가 존재하고, 이 상태가 형식설계가 동일한 다른 항공제품들에도 존재하거나 발생될 가능성이 있는 것으로 판단될 때, 국토교통부장관이 해당 항공제품에 대한 검사, 부품의 교환, 수리·개조를 지시하거나 운영상 준수하여야 할 절차 또는 조건과 한계사항 등을 정하여 지시하는 문서를 말한다.

**감항성이 있는**(Airworthy)이란 항공기, 엔진, 프로펠러 또는 부품이 승인받은 설계에 합치하고 안전하게 운용할 수 있는 상태에 있는 경우를 말한다.

**감항성 유지**(Continuing Airworthiness)란 항공기, 엔진, 프로펠러 또는 부품이 적용되는 감항성 요구조건에 합치하고, 운용기간 동안 안전하게 운용할 수 있게 하는 일련의 과정을 말한다.

**감항성 확인**(Airworthiness Release)이라 함은 운항증명 소지자가 지정한 유자격 정비사가 정비매뉴얼에 의해 정비업무를 수행하고, 유자격 정비사가 안전운항에 적합한 것으로 확인 · 서명한 서류를 말한다.

**감항성 확인요원**(Certifying Staff)이라 함은 국토교통부장관이 인정할 수 있는 절차에 따라 정비조직(AMO)에 의해 항공기 또는 항공기 구성품의 감항성 확인 등을 하도록 인가된 자를 말한다.

**감항성자료**(Airworthiness Data)라 함은 항공기 또는 장비품(비상장비품 포함)을 감항성이 있는 상태 또는 사용 가능한 상태로 유지할 수 있음을 보증하기 위하여 필요한 자료를 말한다.

**개별원인손상**(Discrete Source Damage)이라 함은 조류충돌, 통제되지 않은 팬 블레이드·엔진 및 고속회전 부품의 이탈 또는 이와 유사한 원인에 의한 비행기의 구조 손상을 말한다.

**결합부품**이라 함은 하나의 구조부재를 다른 부재에 결합하는 끝부분에 쓰이는 부품을 말한다.

**경미한 개조**(Minor Alteration)라 함은 대개조가 아닌 개조를 의미한다.

**경미한 검사 프로그램**(Minor Repair)라 함은 대검사 프로그램이 아닌 검사 프로그램을 의미한다.

**계기**(Instrument)라 함은 항공기 또는 항공기 부품의 자세, 고도, 작동을 시각직 또는 음싱직으로 나타내기 위한 내부의 메카니즘을 사용하는 장치를 말한다. 비행 중 항공기를 자동 조종하기 위한 전기 장치를 포함한다.

**계기비행 규칙 조건**(IFR Conditions)이란 시계비행 규칙에 따른 비행의 최소 조건 이하의 기상 조건을 의미한다.

**계기비행기상상태**(Instrument Meteorological Conditions, IMC)라 함은 시계비행기상상태로 규정된 것 미만의 시정, 구름으로부터의 거리 및 운고(ceiling)로 표현되는 기상상태를 말한다.

**계기시간**(Instrument Time)이란 조종실 계기가 항법 및 조종을 위한 유일한 수단으로 사용되는 시간을 말한다.

**계기접근운영**(Instrument Approach Operations)이라 함은, 계기접근절차에 근거한 항법유도(Navigation Guidance)계기를 사용하는 접근 및 착륙을 말한다. 계기접근운영은 두 가지 방법이 있다.

(1) 2차원(2D) 계기접근운영은 오직 수평유도항법을 이용한다.

(2) 3차원(3D) 계기접근운영은 수평 및 수직유도항법을 이용한다.

▶ 주) 수평 및 수직 유도항법은 다음과 같은 시설, 장비 등에 의해 제공된다.

가) 지상에 설치된 항행안전시설 또는

나) 지상기반, 위성기반, 자체항법장비 또는 이들은 혼합하여 컴퓨터가 생성한 항행 데이터

**계기접근절차**(Instrument Approach Procedures)라 함은 해당 공항의 관할권을 가진 당국자가 정한 접근절차를 말한다. 초기접근지점(Initial approach fix) 또는 해당되는 경우 정의된 착륙 경로의 시작 지점에서 착륙 완료 지점 및 그 후 지점, 만약 착륙이 완료되지 않으면 체공 지점 또는 항로 장애물 회피 기준을 적용한 지점까지 장애물 회피가 명시된 계기를 참조하여 미리 결정된 연속기동을 말한다. 계기접근절차는 다음과 같이 분류된다.

- 비정밀접근절차(Non-precision approach procedure) : 2D 계기접근 운영 Type A를 위해 설계된 계기접근절차
- 수직유도정보에 의한 접근절차 : 3D 계기접근 운영 Type A를 위해 설계된 성능기반항행(PBN) 계기접근 절차
- 정밀접근절차 : 3D 계기접근절차 운영 Type A 또는 B를 위해 설계되고 항행시스템(ILS, MLS, GLS and SBAS Cat I)에 기반을 둔 계기접근절차

**계기훈련**(Instrument Training)이라 함은 실제 또는 모의계기기상상태에서 인가 받은 교관으로부터 받는 훈련을 말한다.

**계속감항**(Continuing Airworthiness)이란 항공기, 엔진, 프로펠러 또는 부품이 운용되는 수명기간 동안 적용되는 감항성 요구조건을 충족하고, 안전한 운용상태를 유지하기 위하여 적용하는 일련의 과정을 말한다.

**고도 엔진**(Altitude Engine)은 해면고도에서부터 지정된 고고도까지 일정한 정격이륙출력을 발생하는 항공기용 왕복엔진을 말한다.

**고도측정시스템오차**(Altimetry System Error(ASE)) : 표준지표기압고도로 고도계를 설정했을 때 조종사에게 전시되는 기압고도와 실제 기압고도 간의 차이

**고-어라운드 출력 또는 추력 설정치**(Go-Around Power or Thrust Setting)란 성능 자료에 정의된 최대 허용 비행 출력 또는 추력 설정치를 의미한다.

**공기보다 가벼운 항공기**(Lighter-than-Air Aircraft)란 공기보다 가벼운 기체를 채움으로서 상승 유지가 가능한 항공기를 의미한다.

**공기보다 무거운 항공기**(Heavier-than-Air Aircraft)란 공기 역학적인 힘으로부터 양력을 주로 얻는 항공기를 의미한다.

**공회전 추력**(Idle Thrust)이란 엔진 출력조절장치를 최소 추력 위치에 두었을 때 얻어지는 제트 추력을 의미한다.

**교정대기속도**(Calibrated Airspeed)라 함은 항공기의 지시대기속도를 위치오차 및 계기오차로서 보정한 속도를 말한다. 수정대기속도는 해면고도에서 표준 대기 상태의 진대기속도와 동일하다.

**극한하중**(Ultimate Load)이라 함은 적절한 안전계수를 곱한 한계 하중을 말한다.

**극한하중배수**라 함은 극한하중에 대응하는 하중배수를 말한다.

**기구**(Balloon)라 함은 무동력 경(輕)항공기(Lighter-than-air Aircraft)의 하나로서 가스를 이용해 부양하는 비행기기를 말한다. 즉. 엔진에 의해 구동되지 않고 가스의 부양력 또는 탑재된 가열기의 사용을 통하여 비행을 유지하는 공기보다 가벼운 항공기를 의미한다.

**기상정보**(Meteorological Information)라 함은 현재 또는 예상되는 기상상황에 관한 기상보고서, 기상분석, 기상예보 및 그 밖의 기상관련 자료(statements)를 말한다.

**기압고도**(Pressure Altitude)라 함은 표준대기 상태에서 고도별기압에 해당되는 고도로서 표시하는 대기기압을 말한다.

**기외하중물**(External Loads)이라 함은 항공기 기내가 아닌 동체의 외부에 적재하여 운송하는 하중물을 말한다.

**기외하중물 장착수단**(External-Load Attaching Means)이라 함은 기외하중물 적재함, 장착 지점의 보조 구조물 및 기외 하중물을 투하할 수 있는 긴급장탈 장치를 포함하여 항공기에 기외하중물을 부착하기 위하여 사용하는 구조적 구성품을 말한다.

**기장**(Pilot in Command)이라 함은 비행중 항공기의 운항 및 안전을 책임지는 조종사로서 항공기 운영자에 의해 지정된 자를 말한다.

**기준착륙속도**(Reference Landing Speed)라 함은 50ft 높이의 지점에서 규정된 착륙자세로 강하하는 비행기 속도를 말하는 것으로서 착륙거리의 결정에 관한 속도이다.

**기체**(Airframe)라 함은 항공기의 동체, 지주(boom), 낫셀, 카울링, 페어링, airfoil surfaces(프로펠러 및 동력장치의 회전 에어포일을 제외한 회전날개 포함), 착륙장치, 보기 및 제어장치를 말한다.

**기체사용시간**(Time in Service)이란 정비목적의 시간 관리를 위해 사용하는 시간으로 사용 항공기가 이륙(바퀴가 떨어진 순간)부터 착륙(바퀴가 땅에 닿는 순간)할 때까지의 경과 시간을 말한다.

**내연성**(Flash Resistant)이란 점화되었을 때 맹렬하게 연소되지 않는 성질을 의미한다.

**내염성**(Flame Resistant)이란 점화원이 제거된 이후 안전 한계를 초과하는 범위까지 화염이 진행되지 않는 연소 성질을 의미한다.

**내화성**(Fire Resistant)이라 함은

(1) 강판 또는 구조부재의 경우에 있어서 사용되는 목적에 따라 최소한 알루미늄 합금 정도의 수준으로 화재로 인한 열을 견딜 수 있는 성질을 말한다.

(2) 유체를 전달하는 관, 유체시스템의 부품, 배선, 공기관, 피팅 및 동력장치 조절장치에 있어서, 설치된 장소의 화재로 인하여 있을 수 있는 열 및 기타 조건 하에서 의도한 성능을 발휘할 수 있는 성질을 말한다.

**단독비행**(Solo Flight)이라 함은 조종훈련생이 항공기를 단독 탑승자로서 점유하고 있는 비행시간 또는 조종훈련생이 한 사람 이상의 운항승무원 탑승이 요구되는 기구 또는 비행선의 기장(PIC)으로서 활동한 비행시간을 말한다.

**당국의 인가(또는 승인)(Approved by the Authority)**이라 함은 당국이 직접 인가하거나 또는 당국이 인가한 절차에 따라 인가하는 것을 말한다.

**당국(또는 항공당국)(Authority)**이라 함은 국토교통부 또는 외국의 민간 항공 당국을 말한다.

**당해 감항성 요건(Appropriate Airworthiness Requirements)**이라 함은(인증 등의) 대상이 되는 항공기, 엔진, 또는 프로펠러 등급에 대하여 국토교통부 장관이 제정, 채택, 또는 인정한 포괄적이면서 구체적인 감항성 관련 규정을 말한다.

**대개조(Major Alteration)**라 함은 항공기, 항공기용 엔진 또는 프로펠러에 대해서 다음에 열거된 영향을 미치지 않는 개조를 의미한다.

(1) 중량, 평형, 구조적 강도, 성능, 동력장치의 작동, 비행특성 또는 기타 강항성에 영향을 미치는 특성 등에 상당한 영향을 미침.

(2) 일반적인 관례에 따라 수행될 수 없거나, 기본적인 운용에 의하여 수행될 수 없음.

**대검사 프로그램(Major Repair)**라 함은 다음과 같은 검사 프로그램을 의미한다.

(1) 부적당하게 수행될 경우, 중량, 평형, 구조적 강도, 성능, 동력장치의 작동, 비행특성 또는 기타 감항성에 영향을 미치는 특성 등에 상당한 영향을 미침

(2) 일반적인 관례에 따라 수행될 수 없거나, 기본적인 운용에 의하여 수행될 수 없음.

**대형비행기(Large Aeroplane)**라 함은 최대인가이륙중량 5,700킬로그램(12,500파운드)이상인 비행기를 말한다.

**대형항공기(Large Aircraft)**라 함은 최대인가 이륙중량이 5,700kg(12,500 lbs)를 초과하는 항공기를 말한다.

**동력장치(Powerplant)**란 엔진, 구동계통 구성품, 프로펠러, 보기장치(Accessory), 보조부품(Ancillary Part), 그리고 항공기에 장착된 연료계통 및 오일계통 등으로 구성되는 하나의 시스템을 말한다. 다만, 헬리콥터의 로터는 포함하지 않는다.

**동승비행훈련시간**(Dual Instruction Time)이라 함은 항공기에 탑승하여 인가된 조종사로부터 비행 훈련을 받는 비행시간을 말한다.

**등가대기속도**(Equivalent Airspeed)라 함은 항공기의 교정대기속도를 특정고도에서의 단열 압축류에 대하여 보정한 속도를 말한다. 등가대기속도는 해면 고도에서 표준 대기상태의 교정대기속도와 동일하다.

**등록국가**(State of Registry)라 함은 해당 항공기가 등록되어 있는 국제민간항공조약의 체약국가를 말한다.

**명령 및 통제 링크**(Command and Control (C2) Link)란 무인항공기의 비행을 통제하기 위하여 무인항공기와 무인항공기 통제소간의 데이터 링크를 말한다.

**무연료중량**(Zero Fuel Weight)이라 함은 연료 및 윤활유를 전혀 적재하지 않은 항공기의 설계최대중량을 말한다.

**무인항공기**(Remotely Piloted Aircraft)란 사람이 탑승하지 아니하고 원격·자동으로 비행할 수 있는 항공기를 말한다.

**무인항공기 감시자**(Remotely Piloted Aircraft Observer)란 무인항공기를 육안으로 감시함으로써 무인항공기 조종사가 무인항공기를 안전하게 조종할 수 있도록 지원하기 위하여 운영자에 의해 지정되고 훈련을 받아 능력을 갖춘 자를 말한다.

**무인항공기 운영자**(Remote Pilot Aircraft Operator)란 무인항공기 운영에 총괄적인 책임을 지는 개인, 기관 또는 업체의 대표자를 말한다.

**무인항공기 시스템**(Remotely Piloted Aircraft System)이란 무인항공기, 무인항공기 통제소, 필수적인 명령 및 통제 링크 및 형식 설계에서 규정된 기타 구성요소 등을 포함하는 시스템을 말한다.

**무인항공기 조종사**(Remote Pilot)란 무인항공기 운영자에 의하여 무인항공기의 조종에 필수적인 임무를 부여받은 자로서 무인항공기의 조종을 담당하는 자를 말한다.

**무인항공기 통제소**(Remote Pilot Station)란 무인항공기를 조종하기 위한 장비를 갖추고 있는 무인항공기 시스템의 구성 요소를 말한다.

**모의비행훈련장치**(Flight Simulation Training Device)라 함은 지상에서 비행 상태를 시뮬레이션(Simulation)하는 다음 형식의 장치를 말한다.

(1) 모의비행장치(Flight Simulator) : 기계, 전기, 전자 등 항공기 시스템의 조작기능, 조종실의 정상적인 환경, 항공기의 비행특성과 성능을 실제와 같이 시뮬레이션 하는 특정 항공기 형식의 조종실을 똑같이 재현한 장치

(2) 비행절차훈련장치(Flight Procedures Trainer) : 실제와 같은 조종실 환경을 제공하며, 특정 등급 항공기의 계기 반응 및 전자, 전기, 기계적인 항공기 시스템의 간단한 조작, 비행특성과 성능을 시뮬레이션 하는 장치

(3) 기본계기비행훈련장치(Basic Instrument Flight Trainer) : 적절한 계기를 장착하고, 계기비행상태에서 비행 중인 항공기의 조종실 환경을 시뮬레이션 하는 장치

**미익균형하중**이라 함은 세로 흔들림 각 가속도가 영이 되도록 항공기를 균형 잡는데 필요한 미익하중을 말한다.

**민간용 항공기**(Civil Aircraft)란 군·경찰·세관용 항공기를 제외한 항공기를 의미한다.

**보충산소공급장치**(Supplemental Oxygen Equipment)라 함은 기내산소압력이 부족한 고도에서 산소의 결핍방지에 필요한 보충산소를 공급할 수 있도록 설계한 장치를 말한다.

**부기장**(Co-Pilot)이란 기장 이외의 조종업무를 수행하는 자 중에서 지정된 자로서 본 규정 제8장(항공기 운항)에서 정하는 부조종사 요건에 부합하는 자를 말한다.

**불법간섭행위**(Acts of Unlawful Interference). 민간항공 및 항공운송의 안전을 위태롭게 하는(또는 시도된) 다음과 같은 행위를 말한다.

(1) 비행중 또는 지상에서의 항공기 불법 압류

(2) 비행장 또는 항공기에서의 인질납치
(3) 항공시설과 관련된 건물 또는 공항 및 항공기의 무단 점유
(4) 범죄를 목적으로 위해한 장치 또는 도구, 무기 등을 공항 또는 항공기에 유입
(5) 민간항행시설의 건물 또는 공항에서 승객, 승무원, 지상의 사람 또는 일반 공공의 안전 및 비행 중 또는 지상에서 항공기의 안전을 위태롭게 하는 잘못된 정보의 유통

**불연성**(Fireproof)이라 함은
(1) 지정방화구역 내에 화재를 가두기 위하여 사용하는 자재 및 부품의 경우에 있어서, 사용되는 목적에 따라 최소 강철과 같은 정도의 수준으로 화재로 인한 열을 견딜 수 있는 성질로서 해당 구역에 생긴 큰 화재가 상당 기간 지속되어도 이로 인하여 발생하는 열을 견딜 수 있어야 한다.
(2) 기타 자재 및 부품의 경우에 있어서, 사용되는 목적에 따라 최소 강철과 같은 정도의 수준으로 화재로 인한 열을 견딜 수 있는 성질을 말한다.

**비행경험**(Aeronautical Experience)이라 함은 이 규정의 훈련 및 비행시간 요건을 충족시키기 위하여 항공기, 지정된 모의비행장치 또는 비행 훈련장치를 조종한 시간을 말한다.

**비행교범**(Flight Manual)이라함은 항공기 감항성 유지를 위한 제한사항 및 비행성능과 항공기의 안전운항을 위해 운항승무원들에게 필요로 한 정보와 지침을 포함한 감항당국이 승인한 교범을 말한다.

**비행 고도**(Flight Level)란 수은주 압력 기준 29.92 inHg와 관련된 일정한 대기 압력고도를 의미한다. 이는 세자리 수로 표시하는데 첫 자리는 100 ft를 의미한다. 예를 들면 비행고도 250은 기압 고도 25,000 ft를 나타내며 비행고도 255는 기압고도 25,500 ft를 나타낸다.

**비행기**(Aeroplane)라 함은 주어진 비행조건 하에서 고정된 표면에 대한 공기역학적인 반작용을 이용하여 비행을 위한 양력을 얻는 동력 중(重)항공기를 말한다. 또는 엔진으로 구동되는 공기보다 무거운 고정익 항공기로써 날개에 대한 공기의 반작용에 의하여 비행 중 양력을 얻는다.

**비행기록장치**(Flight Recorder)라 함은 사고/준사고 조사에 도움을 줄 목적으로 항공기에 장착한 모든 형태의 기록 장치를 말한다.

**비행선**(Airship)이라 함은 엔진으로 구동하며 공기보다 가벼운 항공기로서 방향 조종이 가능한 것을 말한다.

**비행 시간**(Flight Time)은 다음을 의미한다.

(1) 항공기가 비행을 목적으로 자체 출력에 의해 움직이기 시작한 때를 시작으로 하고 착륙 후 항공기가 멈춘 때까지의 조종 시간.

(2) 자체 착륙능력이 없는 활공기의 경우, 활공기가 비행을 목적으로 견인된 때를 시작으로 착륙 후 활공기가 멈춘 때까지의 조종 시간.

**비행안전문서시스템**(Flight Safety Documents System)이라 함은 항공기의 비행 및 지상운영을 위해 필요한 정보를 취합하여 구성한 것으로, 최소한 운항규정 및 정비규정(MCM)을 포함하여 상호 연관성이 있도록 항공기 운영자가 수립한 일련의 규정, 교범, 지침 등의 체계를 말한다.

**비행자료분석**(Flight Data Analysis)이라 함은 비행안전을 증진하기 위해 기록된 비행자료를 분석하는 과정(Process)을 말한다.

**비행전점검**(Pre-Flight Inspection)이라 함은 항공기가 의도하는 비행에 적합함을 확인하기 위하여 비행전에 수행하는 점검이다.

**비행훈련**(Flight Training)이라 함은 지상훈련 이외의 훈련으로서 비행중인 항공기에서 인가받은 교관으로부터 받는 훈련을 말한다.

**설계단위중량**(Design Unit Weight)이라 함은 구조설계에 있어 사용하는 단위중량으로 활공기의 경우를 제외하고는 다음과 같다.

(1) 연료 0.72kg/l(6 lb/gal) 다만, 개소린 이외의 연료에 있어서는 그 연료에 상응하는 단위중량으로 한다.

(2) 윤활유 0.9kg/l(7.5 lb/gal)

(3) 승무원 및 승객 77kg/인(170 lb/인)

**설계이륙중량**(Design Takeoff Weight)이라 함은 구조설계에 있어서 이륙 활주를 시작할 때 계획된 예상 최대항공기 중량을 말한다.

**설계주익면적**이라 함은 익현을 포함하는 면 위에 있어서 주익윤곽(올린위치에 있는 플랩 및 보조익을 포함하는 필렛이나 훼어링은 제외한다.)에 포함되는 면적을 말한다. 그 외형선은 낫셀 및 동체를 통하여 합리적 방법에 의하여 대칭면까지 연장하는 것으로 한다.

**설계 지상활주 중량**(Design Taxiing Wight)이라 함은 이륙출발 이전에 지상에서 항공기를 이용하는 동안 발생할 수 있는 하중을 감당할 수 있도록 구조적인 준비가 된 상태의 항공기 최대 중량을 말한다.

**설계착륙중량**(Design Landing Weight)이라 함은 구조설계에 있어서 착륙할 때 계획된 예상 최대항공기 중량을 말한다.

**성능기반항행**(PBN)이라 함은 계기접근절차 또는 지정된 공역, ATS(Air Traffic Service) 항로를 운항하는 항공기가 갖추어야 하는 성능요건(Performance Requirement)을 기반으로 한 지역항법(Area Navigation)을 말한다.

▶ 주) 성능요건은 특정 공역에서 운항 시 요구되는 정확성, 무결성, 연속성, 이용 가능성 및 기능성에 관하여 항행요건(RNAV 요건, RNP 요건)으로 표현된다.

**소형비행기**(Small Aeroplane)라 함은 인가된 최대인가이륙중량이 5,700킬로그램(12,500파운드) 미만인 비행기를 말한다.

**소형 항공기**(Small Aircraft)라 함은 최대 인가 이륙중량이 5700 kg(12,500 lbs) 이하인 항공기를 말한다.

**수리**(Repair)라 함은 항공기 또는 항공제품을 인가된 기준에 따라 사용 가능한 상태로 회복시키는 것을 말한다.

**수직이착륙기**(Powered-Lift)라 함은 주로 엔진으로 구동되는 부양장치 또는 엔진 추력에 의해 양력을 얻어 수직이륙, 수직착륙 및 저속비행 하는 것이 가능하며, 수평비행 중에는 회전하지 않는 날개에 의하여 양력을 얻는 중(重)항공기(Heavier-than-Air Aircraft)를 말한다.

**순항고도**(Cruising Level)라 함은 비행 중 어느 상당한 기간 동안 유지하는 고도를 말한다.

**승무시간**(Flight Time)이라 함은 승무원이 비행임무 수행을 위하여 항공기에 탑승하여 이륙을 목적으로 항공기가 최초로 움직이기 시작한 시각부터 비행이 종료되어 최종적으로 항공기가 정지한 시각까지 경과한 총시간을 말한다.

▶ 주) Flight Time은 Block to block 또는 Chock to chock로도 정의하며, 비행시간이라고도 한다.

**승무원자원관리**(Crew Resource Management) 프로그램이라 함은 승무원 상호협력 및 의사소통의 개선을 통하여 인적자원, 하드웨어 및 정보를 가장 효과적으로 사용케 함으로서 안전운항능력을 제고할 수 있도록 설계된 프로그램을 말한다.

**승인된**(Approved)이란 특정인이 규정되어 있지 않는 한 국토교통부장관에 의해 승인됨을 의미한다.

**시각강화장비**(Enhanced Vision System; EVS)란 영상센서를 이용하여 외부 장면을 실시간 전자영상으로 보여주는 시스템을 말한다.

**시험관**(Examiner)이라 함은 이 규정에서 정하는 바에 따라 조종사 기량점검, 항공종사자 자격증명 및 한정자격 부여를 위한 실기시험 또는 지식심사를 실시하도록 국토교통부장관이 임명하거나 지정한 자를 말한다.

**시험조작에 의한 세로 흔들림 운동**이라 함은 제한운동하중배수를 넘지 않는 범위 내에서 조종간이나 조종륜을 전방 또는 후방으로 급격히 조작하고 다음 반대방향으로 급격히 조작할 경우에 항공기의 세로 흔들림 운동을 말한다.

**실기시험**(Practical Test)이라 함은 자격증명, 한정자격 또는 인가 등을 위하여 응시자로 하여금 지정된 모의비행장치, 비행훈련장치 또는 이러한 것들이 조합된 장치에 탑승하여 질문에 답하고 비행중 항공기 조작을 시범 보이도록 하는 등의 능력검정을 말한다.

**안전계수**(Factor of Safety)라 함은 상용 운용상태에서 예상되는 하중보다 큰 하중이 발생할 가능성과 재료 및 설계상의 불확실성을 고려하여 사용하는 설계계수를 말한다.

**안전관리시스템**(Safety Management System)이라 함은 정책과 절차, 책임 및 필요한 조직구성을 포함한 안전관리를 위한 하나의 체계적인 접근방법을 말한다.

**안정성 최대속도**(Maximum Speed for Stability Characteristics), VFC/MFC라 함은 최대운항제한속도(VMO/MMO)와 실증된 비행강하속도(VDF/MDF)의 중간 속도보다 작지 않은 속도를 말한다. 마하수가 제한배수인 고도에 있어서 효율적인 속도 경보가 발생하는 마하수를 초과할 필요가 없는 MFC는 예외이다.

**안전이륙속도**(Takeoff Safety Speed)라 함은 항공기가 부양한 후에 한 개 엔진 부작동 시 요구되는 상승 성능을 얻을 수 있는 기준대기속도를 말한다.

**안전이륙속도**(Takeoff Safety Speed)라 함은 항공기 이륙 부양 후에 얻어지는 기준 대기속도(Referenced Airspeed)로써 이때에 요구되는 한 개 엔진 부작동 상승 성능이 얻어 질 수 있다.

**안전프로그램**(Safety Programme)이라 함은 안전을 증진하는 목적으로 하는 활동 및 이를 위한 종합된 법규를 말한다.

**압력 고도**(Pressure Altitude)라 함은 어떤 대기압을 표준 대기압에 상응하는 고도로 표현한 값을 말한다.

**야간**(Night)이라 함은 저녁 해질 무렵의 끝과 아침 해뜰 무렵의 시작사이 또는 일몰과 일출사이의 시간을 말한다. 박명은 저녁 무렵 태양의 중심이 지평선 6도 아래에 있을 때 끝나고 아침 무렵 태양의 중심이 지평선 6도 아래에 있을 때 시작된다.

**야외비행시간**(Cross-Country Time)이라 함은 조종사가 항공기에서 비행중 소비하는 시간으로서 출발지 이외 1개 지점에서의 착륙을 포함한다. 이 경우 자가용조종사 자격증명(회전익항공기의 한전자격은 제외) 사업용조종사 자격증명 또는 계기비행 증명에 대한 야외비행요건의 충족을 위하여는 출발지로부터 직선거리 50해리 이상인 공항에서의 착륙을 포함해야 한다.

**여압항공기**(Pressurised Aircraft)라 함은 항공종사자 자격증명시 항공기의 최대운항고도가 25,000피트 MSL 이상인 항공기를 말한다.

**역학적불안정진동**이라 함은 회전익항공기가 지상 또는 공중에 있을 때 회전익과 기체구조부분의 상호작용으로 생기는 불안정한 공진상태를 말한다.

**연속비행**(Series of Flights)이라 함은 다음과 같은 잇따른 비행을 말한다.
(1) 24시간 이내에 비행이 시작 및 종료되고
(2) 같은 기장에 의해 모든 것이 수행된 경우

**엔진**(Engine)이란 항공기의 추진을 위하여 사용되는 또는 사용되도록 만들어진 장치를 말한다. 프로펠러와 로터를 제외하고 최소한 그 기능 및 제어에 필요한 부품과 장비로 이루어진다.
▶ 주) 이 기준에서 사용하는 Power-Unit 및 Powerplant는 모두 Engine을 의미한다. 다만 APU(Auxiliary Power Unit)-보조동력장치의 경우에는 그러하지 아니하다.

**예방정비**(Preventive Maintenance)라 함은 복잡한 조립을 필요로 하지 않는 소형 표준 부품의 교환과 단순 또는 경미한 예방 작업을 의미한다.

**왕복엔진의 이륙출력**이라 함은 해면상 표준상태에서 이륙시에 항상 사용 가능한 크랭크축 최대회전속도 및 최대흡기압력에서 얻어지는 축출력으로 연속사용이 엔진 규격서에 기재된 시간에 제한받는 것을 말한다.

**운영기준**(Operations Specifications)이라 함은 AOC 및 운항규정에서 정한 조건과 관련된 인가, 조건 및 제한사항을 말한다.

**운항관리사**(Flight Dispatcher)라 함은 안전비행을 위해 법에 의한 적절한 자격을 갖추고 운항감독 및 통제업무에 종사하기 위해 운송사업자에 의해 지정된 자를 말한다.

**운항승무원**(Flight Crew Member)이라 함은 비행근무시간(Flight Duty Period)동안 항공기 운항에 필수적인 임무를 수행하기 위하여 책임이 부여된 자격을 갖춘 승무원(조종사, 항공기관사, 항공사)을 말한다.

**운영자**(Operator)라 함은 항공기 운영에 종사하거나 또는 종사하고자 하는 사람, 단체 또는 기업을 말한다.

**운영국가**(State of the Operator)라 함은 운영자의 주 사업장이 위치해 있거나 또는 그러한 사업장이 없는 경우 운영자의 영구적인 거주지가 위치해 있는 국가를 말한다.

**운항규정**(Operations Manual)이라 함은 운항업무 관련 종사자들이 임무수행을 위해서 사용하는 절차, 지시, 지침을 포함하고 있는 운영자의 규정을 말한다.

**운항증명서**(Air Operator Certificate)라 함은 지정된 상업용 항공운송을 시행하기 위해 운영자에게 인가한 증명서를 말한다.

**운항통제**(Operational Control)라 함은 항공기의 안전성과 비행의 정시성 및 효율성 확보를 위하여 비행의 시작, 지속, 우회 또는 취소에 대한 권한을 행사하는 것을 말한다.

**위험물**(Dangerous Goods)이라 함은 법 및 위험물운송기술기준상의 위험물 목록에서 정하였거나, 위험물운송기술기준에 따라 분류된 인명, 안전, 재산 또는 환경에 위해를 야기할 수 있는 물품 또는 물질을 말한다.

**윙렛 또는 팁핀**(Winglet or Tip Fin)은 양력 면으로부터 연장된 바깥쪽 면을 말하며 이 면은 조종면을 가지거나 가지지 않을 수 있다.

**육안 가시선내 비행**(Visual Line-of-Sight Operation) 이란 무인항공기 조종사 또는 무인항공기 감시자가 다른 장비의 도움 없이 무인항공기를 육안으로 직접 보면서 조종하는 것을 말한다.

**이륙추력**(Takeoff Thrust)이라 함은 터빈 엔진에 있어서, 지정된 고도와 대기 온도에서의 정적 조건 및 정상 이륙의 경우로 승인을 받은 로터 축 회전속도와 가스 온도가 최대인 조건 하에서 결정된 제트 추력을 말한다. 승인을 받은 엔진 사양에서 명시된 시간까지 연속 사용이 제한된다.

**이륙 출력**(Takeoff Power)

(1) 왕복엔진에 있어서, 표준해면고도 조건 및 정상 이륙의 경우로 승인을 받은 크랭크샤프트 회전속도와 엔진 다기관 압력이 최대인 조건 하에서 결정된 제동마력을 말한다. 승인을 받은 엔진 사양에서 명시된 시간까지 계속 사용하는 것으로 제한된다.

(2) 터빈 엔진에 있어서, 지정된 고도와 대기 온도에서의 정적 조건 및 정상 이륙의 경우로 승인을 받은 로터 축 회전속도와 가스 온도가 최대인 상태 하에서 결정된 제동마력을 말한다. 승인을 받은 엔진 사양에서 명시된 시간까지 계속 사용하는 것으로 제한된다.

**이륙 표면**(Takeoff Surface)이라 함은  특정 방향으로 이륙하는 항공기의 정상적인 지상활주 또는 수상 활주가 가능한 것으로 지정된 비행장의 표면 부분을 말한다.

**인가된 교관**(Authorized Instructor)이라 함은 다음과 같은 자를 말한다.

(1) 지상훈련을 행하는 경우, 이 규정의 제2장에서 정하는 바에 따라 발급받은 유효한 지상훈련교관 자격증을 소지한 자.

(2) 비행훈련을 행하는 경우, 이 규정의 제2장에서 정하는 바에 따라 발급받은, 유효한 비행교관 자격증을 소지한 자

**인가된 기준**(Approved Standard)이라 함은 당국이 승인한 제조, 설계, 정비 또는 품질기준 등을 말한다.

**인가된 훈련**(Approved Training)이라 함은 국토교통부장관이 인가한 특별 교육과정 및 감독아래 행해지는 훈련을 말한다.

**인적 업무수행 능력**(Human Performance)이라 함은 항공분야 운용상의 안전과 효율에 영향을 주는 인적 업무수행능력 및 한계를 말한다.

**인적요소 원칙**(Human Factors Principles)이라 함은 항공기 설계, 인증, 훈련, 운항, 및 정비 분야에 대하여 적용되는 원칙이며 사람의 능력을 적절하게 고려하여 사람과 다른 시스템 구성요소들 간의 안전한 상호작용을 모색하는 원칙을 말한다.

**임계고도**(Critical Altitude)라 함은 표준 대기상태에서의 규정된 일정한 회전속도에서 규정된 출력 또는 규정된 다기관 압력을 유지할 수 있는 최대 고도를 말한다. 별도로 명시된 사항이 없는 한, 임계고도는 최대연속회전속도에서 다음 중 하나를 유지할 수 있는 최대 고도이다.

(1) 정격출력이 해면 고도 및 정격고도에서와 동일하게 되는 엔진의 경우에는 연속최대출력

(2) 일정한 다기관 압력에 의하여 연속최대출력이 조절되는 엔진의 경우에는 최대연속정격다기관압력

**임계엔진**(Critical Engine)이란 어느 하나의 엔진이 고장난 경우 항공기의 성능 또는 조종특성에 가장 심각하게 영향을 미치는 엔진을 말한다.

**자동회전**(Autorotation)이란 회전익항공기가 비행 중에 양력을 발생하는 로터가 엔진의 동력을 받지 않고 전적으로 공기의 작용에 의하여 구동되는 회전익항공기의 작동상태를 의미한다.

**자이로다인**(Gyrodyne)이라 함은 수직축으로 회전하는 1개 이상의 엔진으로 구동하는 회전익에서 양력을 얻고, 추진력은 프로펠러에서 얻는 공기보다 무거운 항공기를 말한다.

**자이로플레인**(Gyroplane)이라 함은 시동 시는 엔진 구동으로, 비행 시에는 공기력의 작용으로 회전하는 1개 이상의 회전익에서 양력을 얻고, 추진력은 프로펠러에서 얻는 회전익항공기를 말한다.

**장비**(Appliance)라 함은 항공기, 항공기 발동기, 및 프로펠러 부품이 아니면서 비행중인 항공기의 항법, 작동 및 조종에 사용되는 계기, 장비품, 장치(Apparatus), 부품, 부속품, 또는 보기(낙하산, 통신장비 그리고, 기타 비행중에 항공기에 장착되는 장치 포함)를 말하며, 실제 명칭은 여러가지가 사용될 수 있다.

**장애물 격리(회피)고도/높이**(Obstacle Clearance Altitude(OCA) or Obstacle Clearance Height(OCH))라 함은 적정한 장애물 격리(회피)기준을 제정하고 준수하기 위해 사용되는 것으로 당해 활주로 말단의 표고(또는 비행장 표고)로부터 가장 낮은 격리(회피)고도(OCA) 또는 높이(OCH)를 말한다.

- ▶ 주1. OCA는 평균해수면을 기준으로 하고, OCH는 활주로말단표고를 기준으로 하되, 비정밀계기접근절차를 하는 경우 비행장 표고 또는 활주로말단표고가 비행장표고 보다 2미터(7피트)이상 낮은 경우, 활주로말단표고를 비정밀계기접근절차의 기준으로 한다. 선회접근절차를 위한 OCH는 비행장표고를 기준으로 한다.
- ▶ 주2. 표현의 편의를 위해 장애물격리(회피)고도를 OCA/H의 약어로도 기술할 수 있다.

**전방날개**(Forward Wing)란 카나드 형태(Canard Configuration) 또는 직렬형 날개(Tandem-Wing) 형태 비행기의 앞쪽의 양력 면을 의미함. 날개는 고정식, 움직일 수 있는 방식 또는 가변식 형상이거나 조종면의 유무와는 무관하다.

**전방시현장비**(Head-Up Display; HUD)란 조종사의 전방 외부시야에 비행정보가 나타나는 시현장치를 말한다.

**정격 30초 OEI 출력**(Rated 30-Second OEI Power)이라 함은 터빈 회전익항공기에 있어, 다발 회전익항공기의 한 개 엔진이 정지한 후에도 한 번의 비행을 계속하기 위하여 Part 33의 적용을 받은 엔진의 운용한계 내에 있는 특정고도 및 온도의 정적 조건에서 결정되고 승인을 받은 제동마력을 말한다. 어느 한 비행에서 매번 30초 내에 3 주기까지의 사용으로 제한되며 이후에는 반드시 검사를 하고 규정된 정비조치를 하여야 한다.

**정격 2분 OEI 출력**(Rated 2-Minute OEI Power)이라 함은 터빈 회전익항공기에 있어, 다발 회전익항공기의 한 개 엔진이 정지한 후에도 한번의 비행을 계속하기 위하여 Part 33의 적용을 받은 엔진의 운용한계 내에 있는 특정고도 및 온도의 정적 조건에서 결정되고 승인을 받은 제동마력을 말한다. 어느 한 비행에서 매번 2분 내에 3 주기까지의 사용으로 제한되며 이후에는 반드시 검사를 하고 규정된 정비조치를 하여야 한다.

**정격 연속 OEI 출력**(Rated Continuous OEI Power)이라 함은 터빈 회전익 항공기에 있어, Part 33의 적용을 받은 엔진의 운용한계 내에 있는 특정고도 및 온도의 정적 조건에서 결정되고 승인을 받은 제동마력을 말하는 것으로 다발 회전익항공기의 한 개 엔진이 정지한 후에도 비행을 완료하기 위하여 필요한 시간까지로 사용이 제한된다.

**정격이륙증가추력**(Rated Takeoff Augmented Thrust)이라 함은 터보제트 엔진의 형식증명에 있어서, 표준 해면고도 조건에서 Part 33에 따라 규정된 엔진 운용한계 내에서 분리된 연소실에서 유체가 분사되고 있거나 또는 연료가 연소하고 있는 상태의 정적 조건 하에서 결정되고 승인을 받은 제트 추력을 말하는 것으로 이륙 운항 시 5분 이내의 주기로 사용이 제한된다.

**정격이륙추력**(Rated Takeoff Thrust)이라 함은 터보제트 엔진의 형식증명에 있어, 표준 해면고도 조건에서 Part 33에 따라 규정된 엔진 운용한계 내에서 분리된 연소실에서 유체 분사나 연료 연소가 없는 상태의 정적 조건 하에서 결정되고 승인을 받은 제트 추력을 말하는 것으로 이륙 운항 시 5분 이내의 주기로 사용이 제한된다.

**정격이륙출력**(Rated Takeoff Power)이라 함은 왕복엔진, 터보프롭 엔진 및 터보샤프트 엔진의 형식증명에 있어, 표준 해면고도 조건에서 Part 33에 따라 규정된 엔진 운용한계 내에서 정적 조건 하에서 결정되고 승인을 받은 제동마력을 말하는 것으로 이륙 운항 시 5분 이내의 주기로 사용이 제한된다.

**정격최대연속증가추력**(Rated Maximum Continuous Augmented Thrust)이라 함은 터보제트 엔진의 형식증명에 있어, 지정된 고도의 표준 대기조건에서 Part 33에 따라 규정된 엔진 운용한계 내에서 분리된 연소실에서 유체가 분사되고 있거나 또는 연료가 연소하고 있는 상태의 정적 조건 또는 비행 조건하에서 결정되고 승인을 받은 제트 추력을 말하는 것으로 사용상 제한주기가 없는 것으로 승인을 받는다.

**정격최대연속추력**(Rated Maximum Continuous Thrust)이라 함은 터보제트 엔진의 형식증명에 있어, 지정된 고도의 표준 대기조건에서 Part 33에 따라 규정된 엔진 운용한계 내에서 분리된 연소실에서 유체 분사나 연료 연소가 없는 상태의 정적 조건 또는 비행 조건하에서 결정되고 승인을 받은 제트 추력을 말하는 것으로 사용 상 제한주기가 없는 것으로 승인을 받는다.

**정격최대연속출력**(Rated Maximum Continuous Power)이라 함은 왕복엔진, 터보프롭엔진 및 터보샤프트 엔진에 있어, 지정된 고도의 표준 대기조건에서 Part 33에 따라 규정된 엔진 운용한계 내에서 정적 조건 또는 비행 조건하에서 결정되고 승인을 받은 제동마력을 말하는 것으로 사용 상 제한주기가 없는 것으로 승인을 받는다.

**정비**(Maintenance)라 함은 항공기 또는 항공제품의 지속적인 감항성을 보증하는데 필요한 작업으로서, 오버홀(Overhaul), 수리, 검사, 교환, 개조 및 결함수정 중 하나 또는 이들의 조합으로 이루어진 작업을 말한다. 조종사가 수행할 수 있는 비행전 점검 및 예방 정비는 포함하지 않는다.

**정비조직의 인증**(Approved Maintenance Organization(AMO)이라 함은 국토교통부장관으로부터 항공기 또는 항공제품의 정비를 수행할 수 있는 능력과 설비, 인력 등을 갖추어 승인 받은 조직을 말한다. 지정된 항공기 정비 업무는 검사, 오버홀, 정비, 수리, 개조 또는 항공기 및 항공제품의 사용가능 확인(Release to service)을 포함할 수 있다.

**정비규정**(Maintenance Control Manual)이라 함은 항공기에 대한 모든 계획 및 비계획 정비가 만족할 만한 방법으로 정시에 수행되고 관리되어짐을 보증하는데 필요한 항공기 운영자의 절차를 기재한 규정 등을 말한다.

**정비조직절차교범**(Maintenance Organizations Procedures Manual)이라 함은 정비조직의 구조 및 관리의 책임, 업무의 범위, 정비시설에 대한 설명, 정비절차 및 품질보증 또는 검사시스템에 관하여 상세하게 설명된 정비조직의 장(Head of AMO)에 의해 배서된 서류를 말한다.

**정비프로그램**(Maintenance Programme)이라 함은 특정 항공기의 안전운항을 위해 필요한 신뢰성 프로그램과 같은 관련 절차 및 주기적인 점검의 이행과 특별히 계획된 정비행위 등을 기재한 서류를 말한다.

**정비확인**(Maintenance Release)이라 함은 정비 및 검사를 국토교통부장관이 정하는 방법에 따라 만족스럽게 수행되었음을 확인하는 문서를 말한다.

**조종시간**(Pilot Time)이라 함은 다음과 같은 시간을 말한다.

(1) 임무조종사로서 종사한 시간

(2) 항공기, 지정된 모의비행장치 또는 비행훈련장치를 사용하여 인가 받은 교관으로부터 훈련을 받은 시간

(3) 항공기, 지정된 모의비행장치 또는 비행훈련장치를 사용하여 인가 받은 교관으로서 훈련을 시키는 시간

**제동마력**(Brake Horsepower)이라 함은 항공기 엔진의 프로펠러 축(주 구동축 또는 주 출력축)에서 전달되는 출력을 말한다.

**제한하중**(Limited Loads)이라 함은 예상되는 운용조건에서 일어날 수 있는 최대의 하중을 말한다.

**제한하중배수**라 함은 제한중량에 대응하는 하중배수를 말한다.

**주 로터**(Main Rotor)라 함은 회전익기의 주 양력을 발생시키는 로터를 의미한다.

**지상공진**이라 함은 회전익항공기가 지면과 접촉된 상태에서 발생하는 역학적 불안정진동을 말한다.

**지상조업**(Ground Handling)이라 함은 공항에서 항공교통관제서비스를 제외한 항공기의 도착, 출발을 위해 필요한 서비스를 말한다.

**지속정비 프로그램**(Approved Continuous Maintenance Program)의 승인이라 함은 국토교통부장관이 승인한 정비 프로그램을 말한다.

**지시대기속도**(Indicated Airspeed)라 함은 해면 고도에서 표준 대기 단열 압축류를 보정하고 대기속도 계통의 오차는 보정하지 않은 피토 정압식 대기속도계가 지시하는 항공기의 속도를 말한다.

**지식심사**(Knowledge Test)라 함은 항공종사자 자격증명 또는 한정자격에 필요한 항공 지식에 관한 시험으로 필기 또는 컴퓨터 등에 의해 시행하는 심사를 말한다.

**지역항법**(Area Navigation : RNAV)이라 함은 지상 또는 위성항행안전시설의 적용범위 내 또는 항공기 자체에 설치된 항행안전보조장치(Navigation Aids)의 성능한도 내 또는 이들의 혼합된 형식의 항행안전보조장치(Navigation Aids)의 적용범위 내에서 어느 특정성능이 요구되는 비행구간에서 항공기의 운항이 가능하도록 허용한 항행방법(a method of navigation)을 말한다.

▶ 주) 지역항법은 성능기반항행 및 성능기반항행의 요건에 포함되지 않은 항행도 포함한다.

**진대기속도**(True Airspeed)라 함은 잔잔한 공기에 상대적인 항공기의 대기속도를 말한다. 진대기속도는 등가대기속도에(ρ0/ρ) 1/2를 곱한 것과 같다.

**착륙장치 내림속도**(Landing Gear Extended Speed)란 항공기가 착륙장치를 펼친 상태로 안전하게 비행할 수 있는 최대 속도를 의미한다.

**착륙장치 작동속도**(Landing Gear Operating Speed)란 착륙장치를 안전하게 펼치거나 접을 수 있는 최대 속도를 의미한다.

**착륙 표면**(Landing Surface)이라 함은 특정 방향으로 착륙하는 항공기의 정상적인 지상활주 또는 수상 활주가 가능한 것으로 지정된 비행장의 표면 부분을 말한다.

**책임 관리자**(Accountable Manager)라 함은 이 규정에서 정한 모든 요건에 필요한 임무를 수행하고 관리책임이 있는 자를 말한다. 책임 관리자는 필요에 따라 권한의 전부 또는 일부를 조직 내의 제3자에게 문서로 재 위임할 수 있다. 이 경우 재위임을 받은 자는 해당 분야에 관한 책임 관리자가 된다.

**체약국**(Contracting States)이라 함은 국제민간항공조약에 서명한 모든 국가를 말한다.

**최대중량**(Maximum Mass)라 함은 항공기 제작국가에 의해 인증된 최대 이륙중량을 말한다.

**최소장비목록**(Minimum Equipment List(MEL))이라 함은 정해진 조건하에 특정 장비품이 작동하지 않는 상태에서 항공기 운항에 관한 사항을 규정한다. 이 목록은 항공기 제작사가 해당 항공기 형식에 대하여 제정하고 설계국이 인가한 표준최소장비목록(Master Minimum Equipment List)에 부합되거나 또는 더 엄격한 기준에 따라 운송사업자가 작성하여 국토교통부장관의 인가를 받은 것을 말한다.

**최저강하고도/높이**(Minimum Descent Altitude(MDA) or Minimum Descent Height(MDH))라 함은 2D 접근운영 또는 선회 접근 시에 시각 참조물 없이 더 이상 아래로 강하하지 못하도록 지정된 어느 특정의 고도 또는 높이를 말한다.

▶ 주1. MDA는 평균해면 고도를 기준으로 하고, MDH는 비행장표고 또는 활주로 말단고도가 비행장표고보다 2미터(7피트)이상 낮은 경우 활주로 말단고도를 기준으로 한다. 선회접근을 하기 위한 최저 강하고도는 비행장표고를 기준으로 한다.

▶ 주2. 필수시각 참조물은 지정된 비행경로와 관련하여 조종사가 항공기 위치 및 자세변경에 따른 강하율을 평가할 수 있도록 충분한 시간동안 보여야 하는 시각 보조장비 또는 접근지역의 지형 등을 의미한다. 선회접근의 경우 시각 참조물은 활주로 주변 환경이 된다.

▶ 주3. 표현상의 편의를 위해 최저강하고도를 MDA/H의 약어로도 기술할 수 있다.

**최종이륙속도**(Final Takeoff Speed)라 함은 한 개 엔진이 부작동하는 상태에서 이륙 경로의 마지막 단계에서 순항 자세가 될 때의 비행기 속도를 말한다.

**최종접근구간**(Final Approach Segment)이란 착륙을 위해 정렬 및 강하가 수행되는 계기접근절차 구간을 말한다.

**최종접근 및 이륙 지역**(Final Approach and Take-Off Area(FATO))이라 함은 하버를 하기 위한 접근기동의 마지막 단계의 지역 또는 착륙이 완료되는 지역, 및 이륙이 시작되는 정해진 지역을 말한다. FATO는 Class A 회전익항공기에 사용되며, 이륙포기 가능 지역을 포함한다.

**축출력**이라 함은 엔진의 프로펠러축에 공급하는 출력을 말한다.

**카테고리 A(Category A)**라 함은, 감항분류가 수송인 회전익항공기의 경우에 있어, Part 29의 규정에 따라 엔진과 시스템이 분리되도록 설계된 다발 회전익항공기로서, 엔진이 부작동하는 경우에 있어서도 지정된 적절한 지면과 안전하게 비행을 계속할 수 있는 적절한 성능을 보장하여야 한다는 임계엔진 부작동 개념 하에 계획된 이착륙을 할 수 있는 다발 회전익항공기를 말한다.

**카테고리 B(Category B)**라 함은 감항분류가 수송인 회전익항공기의 경우에 있어, 카테고리 A의 모든 기준을 충분히 충족하지 못하는 단발 또는 다발 회전익항공기를 말한다. 카테고리 B 회전익항공기는 엔진이 정지하는 경우의 체공능력을 보증하지 못하며 이에 따라 계획되지 않은 착륙을 할 수도 있다.

**코스웨어(Courseware)**라 함은 과정별로 개발된 교육용 자료로서 강의계획, 비행상황소개(Flight Event Description), 컴퓨터 소프트웨어 프로그램, 오디오-비주얼 프로그램, 책자 및 기타 간행물을 포함한다.

**탑재용항공일지**라 함은 항공기에 탑재하는 서류로서 국제민간항공조약의 요건을 충족하기 위한 정보를 수록하기 위한 것을 말한다. 항공일지는 두개의 독립적인 부분 즉 비행자료 기록부분과 항공기 정비기록 부분으로 구성된다.

**탐지 및 회피(Detect and Avoid)**란 항공교통 충돌의 위험성 또는 다른 위험요인들을 탐지하여 적절하게 대응할 수 있는 능력을 말한다.

**평가관(Evaluator)**이라 함은 지정된 항공훈련기관에 의해 고용된 자로서 해당 조직의 훈련기준에 의해 인가된 자격증명시험, 한정자격시험, 인가업무 및 기량점검 등을 실시하며, 국토교통부장관이 정한 업무를 수행하도록 위촉하거나 임명한 자를 말하며, 평가관 중에서 법 제51조의 규정에 의한 운항자격 심사업무를 수행하는 자는 위촉심사관이라 한다.

**프로펠러**(Propeller)라 함은 항공기에 장착된 엔진의 구동축에 장착되어 회전시 회전면에 수직인 방향으로 공기의 반작용으로 추진력을 발생시키는 장치를 의미한다. 이것은 일반적으로 제작사가 제공한 조종 부품은 포함하나, 주로터 및 보조로터, 또는 엔진의 회전하는 에어포일(Rotating Airfoils of Engines)은 포함하지 않는다.

**플랩 내린 속도**(Flap Extended Speed)란 날개의 플랩을 규정된 펼침 위치로 유지할 수 있는 최대 속도를 의미한다.

**필수통신성능**(Required Communication Performance(RCP)) 이라 함은 항공교통관리(Air Traffic Management : ATM) 기능을 지원하기 위해 항공기 등이 구비해야 하는 통신성능 요건을 말한다.

**필수통신성능의 형식**(RCP Type) 이라 함은 통신의 처리시간 · 지속성 · 유효성과 완전성에 관한 RCP 파라메터를 정하기 위한 값을 나타낸 것을 말한다.

**하버링**(Hovering)이라 함은 회전익항공기가 대기속도 영의 제자리 비행 상태를 말한다.

**하중배수**(Load Factor)라 함은 공기역학적 힘, 관성력, 또는 지상 반발력과 관련한 표현으로 항공기의 어떤 특정한 하중과 항공기 중량과의 비를 말한다.

**한정자격**(Rating)이라 함은 자격증명에 직접 기재하거나 자격증명의 일부로 인가하는 것으로서 해당 자격증명과 관련하여 특정조건, 권한 또는 제한사항 등을 정하여 명시한다.

**항공교통관제**(Air Traffic Control) **업무**라 함은 공항, 이·착륙 또는 항로상에 있는 항공기의 안전하고, 질서 있고 원활한 교통을 도모하기 위하여 행하는 업무를 말한다.

**항공교통관제시설**(Air Traffic Control Facility)이라 함은 항공교통관제업무를 위한 인원 및 장비를 수용하는 건물을 말한다(예, 관제탑, 착륙통제 센터 등).

**항공기(Aircraft)**라 함은 지표면에 대한 공기의 반작용 이외의 공기의 반작용으로부터 대기 중에서 지지력을 얻을 수 있는 기계를 말한다. 또는 지표면의 공기반력이 아닌 공기력에 의해 대기 중에 떠오르는 모든 장치를 말한다.

**항공기 구성품(Aircraft Component)**이라 함은 동력장치, 작동중인 장비품 및 비상장비품을 포함하는 항공기의 구성품(Component Part)을 말한다.

**항공기 운영교범(Aircraft Operating Manual)**이라 함은 정상, 비정상 및 비상절차, 점검항목, 제한사항, 성능에 관한 정보, 항공기 시스템의 세부사항과 항공기 운항과 관련된 기타 자료들이 수록되어 있는 항공기 운영국가에서 승인한 교범을 말한다.

**항공기 형식(Aircraft Type)**이라 함은 동일한 기본설계로 제작된 항공기 그룹을 말한다.

**항공제품(Aeronautical Product)**이라 함은 항공기, 항공기 엔진, 프로펠러 또는 이에 장착되는 부분조립품(Subassembly), 기기, 자재 및 부분품 등을 말한다.

**항행요건(Navigation Specification)**이라 함은 지정된 공역에서 성능기반항행(PBN) 운항을 하기 위해 요구되는 항공기와 운항승무원의 요건을 말하는 것으로, 다음 두 종류가 있다.

(1) RNP 요건(RNP Specification). RNP 4, RNP 접근 등 접두어 RNP에 의해 지정되며, 성능감시 및 경고발령에 관한 요건을 포함하는 지역항법을 기초로 한 항행요건

(2) RNAV 요건(RNAV Specification). RNAV 1, RNAV 5 등 접두어 RNAV에 의해 지정되며, 성능 감시 및 경고에 관한 요건을 포함하지 않은 지역항법을 기반으로 하는 항행요건

**향(向) 정신성 물질(Psychoactive Substances)**이라 함은 커피 및 담배를 제외한 알코올, 마약성 진통제, 마리화나 추출물, 진정제 및 최면제, 코카인, 기타 흥분제, 환각제 및 휘발성 솔벤트 등을 말한다.

**해면고도 엔진**(Sea Level Engine)이라 함은 해면 고도에서만 정해진 정격이륙출력을 낼 수 있는 왕복엔진을 말한다.

**활공기**(Glider)라 함은 주어진 비행조건에서 그 양력을 주로 고정된 면에 대한 공기역학적인 반작용으로부터 얻는 무동력 중(重)항공기(Heavier-than-Air Aircraft)를 말한다. 또는 주로 엔진을 사용하지 않고 자유 비행을 하며 날개에 작용하는 공기력의 동적 반작용을 이용하여 비행이 유지되는 공기보다 무거운 항공기를 의미한다.

**활주로 가시범위**(Runway Visual Range(RVR))라 함은 활주로 중심선상에 위치하는 항공기 조종사가 활주로 표면표지(Runway Surface Markings), 활주로 표시등, 활주로 중심선 표시(Identifying Centre Line) 또는 활주로 중심선 표시등화를 볼 수 있는 거리를 말한다.

**헬리콥터**(Helicopter)라 함은 수평수직 운동에 있어서 주로 엔진으로 구동하는 로터에 의지하는 회전익항공기를 말한다.

**헬리포트**(Heliport)란 헬리콥터의 이착륙에 사용되거나 사용코자하는 육상, 수상 또는 건물 지역을 의미한다.

**형상**(Configuration)라 함은 항공기의 공기역학적 특성에 영향을 미치는 플랩, 스포일러, 착륙장치 기타 움직이는 부분 위치의 각종 조합을 말한다.

**형식증명서**(Type Certificate)라 함은 당해 항공기의 형식 설계를 한정하고 이 형식설계가 당해 감항성 요건을 충족시킴을 증명하기 위하여 국토교통부장관이 발행한 서류를 말한다.

**호흡보호장치**(Protective Breathing Equipment)라 함은 비상시에 항공기 내에 존재하는 유해가스의 흡입을 막을 수 있도록 설계한 장치를 말한다.

**회전익항공기-하중물 조합**(Rotorcraft-Load Combination)이라 함은 회전익항공기와 기외하중물 장착장치를 포함한 기외하중물의 조합을 말한다. 회전익항공기-하중물 조합은 Class A, Class B, Class C 및 Class D로 구분한다.

(1) Class A 회전익항공기-하중물 조합은 기외 하중물을 자유롭게 움직일 수 없으며 투하할 수도 없고 착륙장치 밑으로 펼쳐 내릴 수도 없는 것을 말한다.
(2) Class B 회전익항공기-하중물 조합은 기외 하중물을 떼어내 버릴 수 있으며 회전익항공기의 운항 중에 육상이나 수상에서 자유롭게 떠오를 수 있는 것을 말한다.
(3) Class C 회전익항공기-하중물 조합은 기외 하중물을 떼어내 버릴 수 있으며 회전익항공기 운항 중에 육상이나 수상과 접촉된 상태를 유지할 수 있는 것을 말한다.
(4) Class D 회전익항공기-하중물 조합은 기외 화물이 Class A, B 또는 C 이외의 경우로서 국토교통부장관으로부터 특별히 운항 승인을 받아야 하는 것을 말한다.

**훈련시간(Training Time)**이라 함은 항공종사자가 인가된 교관으로부터 비행훈련 또는 지상훈련이나 지정된 모의비행장치/비행훈련장치를 이용한 모의비행훈련을  받은 시간을 말한다.

**훈련프로그램(Training Program)**이라 함은 특정 훈련목표 달성을 위하여 과정, 코스웨어(Course Ware), 시설, 비행훈련장비 및 훈련요원에 관한 사항으로 구성한 프로그램을 말하며, 핵심 교육과목과 특별 교육과목을 포함할 수 있다.

**회전익항공기(Rotorcraft)**라 함은 하나 이상의 로터가 발생하는 양력에 주로 의지하여 비행하는 공기보다 무거운 항공기를 의미한다.

**I 등급 항행(Class I Navigation)**이란 운항의 전 부분이 국제민간항공기구 표준항행시설(VOR, VOR/DME, NDB)의 지정된 운영서비스범위 내에서 행해지는 특정항로 전체 또는 항로 일부분의 운항을 의미한다. 또한 I 등급 항행 운항은 항행시설의 신호가 일부 수신되지 않는MEA GAP으로 지정된 항로상의 운항을 포함하며 이 지역에서 이루어지는 항로상의 운항은 사용되어지는 항행 방법과는 상관없이 I 등급 항행으로 정의하며 이러한 지역에서의 추측 항행 또는 VOR, VOR/DME, NDB의 사용에 의지하지 않고 기타 다른 항행 수단을 사용하면서 이루어지는 운항도 또한 I 등급 항행에 포함된다.

**II 등급 항행**(Class II Navigation)이란 I 등급 이외의 운항을 말한다. 즉, II 등급 항행은 사용하는 항행 수단에 관계없이 국제민간항공기구 표준항행시설(VOR, VOR/DME, NDB)의 운영서비스범위 밖에서 이루어지는 특정항로 전체 또는 일부분에서의 운항을 의미한다. II 등급 항행은MEA GAP으로 지정된 항로상의 운항을 포함하지 않는다.

## 【 참고문헌 】

1. 김천용, “항공정비기술인력의 체계적 양성방안”, 석사논문, 인하대학교 경영대학원, 1995.

2. 김천용, 효율적인 항공정비 정보전달체계에 관한 연구, 한국항공운항학회, 2010.

3. 김천용, “긍정적인 항공정비안전보고문화에 관한 연구”, 한국항공운항학회지, 제20권 제2호, pp.64-71, 2012.

4. 김천용, “항공정비 분야의 공정한 안전문화 개선방안에 관한 연구”, 한국항공운항학회지, 제20권 제4호, pp.84-90, 2012.

5. 김천용, “항공정비사 자격시험제도 개선방안에 관한 연구”, 한국항공운항학회지, 제21권 제3호, pp.21-26, 2013.

6. 김천용, "항공정비 분야의 안전증진을 위한 학습문화 연구", 한국항공운항학회지 제22권 제1호, pp.124-129, 2014.

7. 김천용, “항공정비조직의 유연성문화 연구”, 한국항공운항학회지, 제23권, 제1호, pp.1-7, 2015.

8. 김천용 · 김칠영, “TEM을 적용한 항공기 정비분야의 Human Error 예방대책에 관한 연구”, 2006년 추계학술대회 논문집, 한국항공운항학회, pp.53-57, 2006.

9. 김천용 · 황효정 · 김칠영, “효율적인 항공정비 정보전달 체계에 관한 연구”, 한국항공운항학회지, 제18권 제2호, pp.46-53, 2010.김천용, 항공기 가스터빈엔진, 노드미디어, 2013.

10. 김천용, 항공기 왕복엔진, 노드미디어, 2014.

11. 대한항공, 정비규정, ㈜대한항공, 2010.

12. 대한항공, 정비관리감독 교육훈련교재, ㈜ 대한항공, 2010.

13. 대한항공 정비훈련원, A330 PRPO OJT GUIDE, ㈜ 대한항공, 2008.

14. 대한항공 정비훈련원, B737 정비교육훈련교재, ㈜ 대한항공 2008.

15. 항공정책실, 운항기술기준(Flight Safety Regulation), 국토교통부 (2014)

16. Aviation Maintenance Technician Hand Book-GENERAL, FAA, 2008.

17. Aviation Maintenance Technician Hand Book-AIRFRAME, FAA, 2012.

18. Aviation Maintenance Technician Hand Book-POWERPLANT, FAA, 2012.

19. "A330 FLIGHT CREW COURSE", AIRBUS, 1999.

20. "A380 TECHNICAL TRAINING MANUAL MAINTENANCE COURSE(EA GP7200)", AIRBUS, 2009.

21. Buck Cameron., Aircraft Maintenance Operations, VOL. 3 PART 17, CH 102 4th Edition of the International Labour Organization's Encyclopaedia of Occupational Health and Safety, 1998.

22. CFM International, CFM56-7B Basic Engine Training Manual, Customer Technical Education Centre, GE Aircraft Engines, Cincinnati, Ohio, USA, 2003.

23. Harry A. Kinnison, Aviation Maintenance Management, McGraw-Hill, 2004.

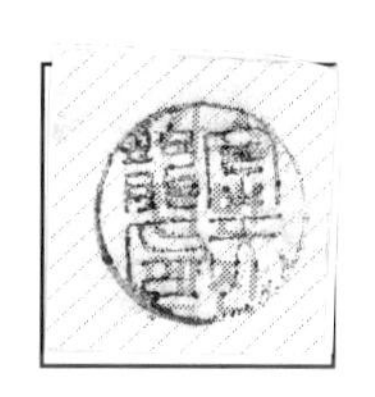

## 항공정비학개론

**발행일** : 2015년 11월 10일

**지은이** : 김천용
**펴낸이** : 박승합

**펴낸곳** : 노드미디어
**주 소** : 서울시 용산구 한강대로 320(갈월동)
**전 화** : 02-754-1867, 0992
**팩 스** : 02-753-1867
**홈페이지** : http://www.enodemedia.co.kr
**전자우편** : nodemedia@daum.net
**출판사 등록번호** : 제 302-2008-000043 호 (1998년 1월 21일)

ISBN : **978-89-8458-299-6 93550**

**정가 32,000원**